千年沉重

胡　平　著

东方出版中心

内 容 提 要

本书是著名报告文学作家胡平近年思考地域文化、知识分子命运及社会现象的大文化散文著作。

全书由"千年"、"不再是秦兵马俑的脸"、"莫忘沉重"三大部分组成。在客观审视历史与现实的基础上,作者以他敏锐的感悟与笔触,纵横捭阖,谈古论今,"上穷碧落下黄泉",对一个个重大的历史谜团、现实困窘、文人心态作了深层的剖析与解读。在"千年"中,作者以一个历史上曾经辉煌一时的内陆省区为标本,充满深情地揭示了其沧桑更迭、白云苍狗、兴衰荣枯、长恨浩歌,其间所表现的桑梓情、赤子心,无不令人清然。"不再是秦兵马俑的脸"以儿子致父亲书信的形式,通过四十余年来父亲命运的跌宕起伏、悲欢相续、紧紧扣住时代的脉搏贲张,凸现了中国知识分子那别具一格的人文精神与人格情怀。"莫忘沉重"乃作者十多年来一贯坚持文学要介入生活的心路历程的真实写照,作者以"不信春天唤不回"的炽热情怀,具体而真切地表露了一个时代哪怕有百分之九十九的人拒绝沉重,可总得有百分之一的人守望并解读沉重。否则,社会便是一只轻飘飘的舢板,极易在风浪中倾覆。如此滚烫的关切之情与拳拳之心,读来令人感慨不已。

大文化的蕴藉、大视野的格局,还有是文学又跨文学的表现,是本书的显著特色,其所表现出的强烈社会责任心与历史使命感无不跃然于字里行间,这一切对正处于世纪之交而又欢呼更深层改革的当代读者来说,皆具有相当的震撼力,同时也不无启迪意义。

目　　录

千　年

——传统中国、乡村中国、
内陆中国之文化描述

青铜伏鸟双尾虎(序)

　　虎和鸟,宛如天狼星一般冷峻注视着的,都是一片苍古、寂寥的原野,原野上还飒飒地响着漫不经心却又似乎有几分诡秘的风……

《山海经·海内经》云:

　　南方有赣巨人。人面长臂,黑身有毛,反踵,见人笑亦笑,唇蔽其面,因即逃也。又有黑人,虎首鸟足,两手持蛇,方啖之。

　　这是古文献里最早将赣地和"赣"字联系起来的记载。
　　自然,这是神话。1993年,一支由中美两国考古学家组成的考古队,在我国新石器时代早期的一个重要考古基地——江西万年县仙人洞附近挖掘,在出土了一批陶片、石器、骨蚌器和大量的兽骨堆积的同时,还发现了水稻的遗存。这说明,距今五万年前赣江流域已有古人类在饮血茹毛,而在至今一万年到四千年左右的新石器时代,赣先民们已刀耕火种,或以采集、渔猎为生,并掌握了磨制工具和早期的人工育种技术与制陶技术。

3

七十年代和八十年代,赣地有两次震动国内学人且令全世界考古学界为之瞩目的发现——樟树吴城古文化遗址与新干大洋洲古文化遗址。两址出土了大量的农业生产工具,青铜礼器、兵器,生活陶器和原始青瓷,其中不少镌刻着天书一般奥妙的符号文字。它们与近一二十年里浙江的河姆渡古文化遗址、良渚古文化遗址,四川广汉的三星堆古文化遗址等重大考古发现一起,以青铜文明那历经四五千年而未泯灭的暗绿色光泽,在默默地述说华夏文明的源头并不仅仅来自北方的黄河流域。

　　有专家注意到,在大洋洲出土的近五百件青铜器,绝大多数在造型与花纹的形制上,既具有中原厚重、拙朴所折射出来的威仪,也有南方明快、细腻所传递出来的灵动。这一融合此时还很生硬,多给人以拼凑之感,远不如入宋以后两地文化融合得炉火纯青。其中,有一件颇引人注目的青铜伏鸟双尾虎,长达 53.5厘米,高 25.5 厘米,虎伏于下,双目圆睁,獠牙毕露,背上一尖喙短尾小鸟,静立前视。专家认定此件文物不是实用器皿,而是专门的铜塑,大约表现的是赣地先民奉虎、鸟为图腾。由此可见,没有百分之百的神话,《山海经》中"虎首鸟足"的描述,正是先民们图腾崇拜的反映。

　　至今,我没有见过这件青铜器皿的实物。但当我写起这篇文章时,它无数次地在我想象中磨擦出了沉甸甸的质感。我甚至看到,虎和鸟,宛如天狼星一般冷峻注视着的,都是一片苍古、寂寥的原野,原野上还飒飒地响着漫不经心却又似乎有几分诡秘的风……

　　关于江西,当代中国人知道最多的是井冈山、南昌起义,或许还能够加上一个滕王阁。后者,除了让人想起王勃的那篇千古绝唱外,大概不会让人有更多的联想;而前者,至今仅仅只有七十年的岁月。我将要以文字与心血为双脚,勉力走进这片原野上去。虽走不了太远，但我将要涉及的赣地千年的沧桑更迭，白云苍狗，兴衰荣枯，长恨歌哭，如果最后能让你发现并唏嘘：在中华民族的文化史中，江西是极其重要的一章，而绝非除了井冈山、南昌起义，可轻飘飘翻过去的几页，那将是我极大的荣幸。

在当今红尘十丈的社会里，对于一个没有小汽车满街乱跑、没有大哥大满世界乱喊的如我这样的所谓文化人，做些什么事情，能够比躲在一隅做这一事情更有意义呢？

一、江西人的尴尬

这几年出了不少谈地域文化方面的书籍，它们多半都回避了谈赣文化。只要不是傻瓜，谁都能够看出来，这里存在一个绝非粗心留下的空白。这空白对于江西人来说，无疑是一个尴尬，但对作者来说，则多半意味他们尚没有读懂中国。

（一）

余秋雨先生在《上海人》一文中写过，在中国做一个上海人是颇为尴尬的。我读下来的感觉是，在历史地位与现实状况之间，在国人的印象与自我的评价之间，上海人是有某种尴尬。不过与江西人的尴尬，一种自改革开放以来好似暴风雨来临前的乌云一样在心头越聚越厚的尴尬比起来，这份尴尬只是刚好能够打湿地皮的毛毛雨。

对于江西人，随随便便可以说出来的尴尬就有——

其一，"物华天宝"，"人杰地灵"，大概小学生都知道这八个字，出自于"初唐四杰"之一的王勃的洋洋大赋《滕王阁序》。这八个字以及这篇文采斐然的大赋，确凿无疑地是献给"南昌故郡,洪都新府"的,为此公元675年的那一天,洪州阎都督专门为这位年仅二十几岁的才子设宴,后者临行时,又送了他五百匹绸缎作为礼物。看来,史书上未载其名的阎都督,不但尊重知识分子,而且还多少有些了解知识产权的意思。

当然,国家专利局不会出具证明,但这八个字的专利,板上钉钉是属于江西了。事实却是,这些年来,在国内介绍各自地区的报道与其他宣传材料上,在形形色色的展览会、招商会上,这八个字,一对词组,是使用最频繁的汉字,它们好像已经匿迹了的全国粮票,昔日放之四海而皆准。从不与你商量,更不会来支付版权转让费,用了就用了,而且用在他那里,往往更觉得是真的,用在自己这儿,有时反倒像在卖假酒一样,心口有些发虚。你能够怎么样呢,如同活字印刷是我们的老祖宗发明的,可日本人学去后,又做成了电脑卖给中国人,我们再气急败坏,联合国也不会管这件情感官司;这事,你再觉得无视于你,甚至无视得那眼角的余光也未把你放进去,可告到了国家专利局,它一样不会受理……

其二,在中国革命的各个历史时期里,江西仅有名有姓的烈士达二十六万余人,大量没能留下姓名的无名忠骨更是恒河沙数,这是江西的光荣,也几乎是建国以后江西的唯一的优势了。我们不知疲倦地叙说着、充满挚情地歌吟着井冈山、红土地、英雄城。前几年说得少、历任中央领导人来得也少的地方就是赣南了,据说建国后不少中央领导人,如毛泽东、邓小平,当年都在赣南遭到错误路线的无情打击,虎落平阳,胸郁难伸……

一位历史学家独具慧眼,这样告诉我:江西如此热衷于在自己革命历史上造势,其潜意识里一定蛰伏着一个情结——要在中央的眼里取得正统地位,这意思倒不是哪个个人想在中央谋取高官显职,而是说对新中国的诞生作过巨大奉献的江西,无论

7

是在何种情况下，都有资格在大蛋糕里多切一块。

现在，大概只是在每年的一两个纪念日里，能够感觉到三山五岳投来的敬意；只是在"希望工程"一类的慈善事情上，可以发现老区的孩子们常常被善良的人们作为首选目标。除此之外，犹如雪崩一样正日愈深地卷入市场经济的中国各省市，决不会因为你有井冈山、英雄城，就对你网开一面；而且，也可以与《红灯记》中的李奶奶一般诉说起革命家史的黄土地、黑土地，眼下都在打着一场不见硝烟却在资金、技术与市场上争夺一样激烈的大战，更不会见了红土地便视作贵妇淑女，自己去做在一边文质彬彬等着的英国绅士……如此叙说了歌吟了，有多大的回应和效益呢？可如果不叙说不歌吟，在别处众多的优势包围下赣地再没了声音，此时的处境就不仅仅是尴尬，我看还多少有了些悲凉的意味。

其三，这几年出了不少谈地域文化方面的书籍，其中主要的我都浏览了一遍，我发现它们多半都回避了谈赣文化。在一套上下两册、名为《人文中国——中国的南北情貌与人文精神》的书里，作者们如数家珍地娓娓道来："钟灵毓秀浙江人"，"精明海派上海人"，"俭朴尚学安徽人"，"辣劲冲天四川人"，"古风犹存西南人"，"叱咤风云湖南人"，"随和机巧湖北人"，"敢赢敢拚福建人"，"独领风骚广东人"，"浩荡一脉齐鲁人"……

从江西的周边地区看，所有的省都全了，唯独没有江西。从传统的华东行政区域看，除了江西，所有的省市都在那书页上森罗万象，鱼龙曼衍。只要不是傻瓜，谁都能够看出来，这里存在一个绝非粗心留下的空白，这空白对江西人来说，无疑便是又一个尴尬，但对作者来说，则多半意味着历史知识里的一个盲点。

关于"叱咤风云湖南人"，可以说的是，谭其骧教授在三十年代初就读于燕京大学研究院时，作了一篇题为《湖南人由来考》

的毕业论文,它告诉世人:

> 湖南人来自天下,江、浙、皖、闽、赣东方之人居其什九,
> 江西一省又居东方之什九,而庐陵一道,南昌一府,又居江
> 西之什九……
>
> 大抵自峡以东,汉民族在长江流域之扩展,由东向西。
> 是以江西之开发,后于江东(泛指江、浙、皖),而先于两湖。
> 晋之渡江浔阳郡(江西北部)已为多数侨民所归注,至有宋
> 而江南西路人才辈出,与浙、闽相颉颃,可以想见其财富户
> 口殷盛之一斑。以视荆湖南北,则其时盖犹土旷人稀,鲜经
> 开发。赣、湘境地相接,中无巨山大川之隔,于是自密趋稀
> 之移植行动,自然发生矣。故江西人开发湖南,鲜有政治的
> 背景,乃纯为自动的经济发展……
>
> ——(《长水集》)

江西人不但胼手胝足开发了湖南,像已经有据可查的毛泽
东、胡耀邦的祖籍都在江西,江西人也将自己的风俗习性流布在
了三湘的天地间。

"江西妇人皆习男事,采薪负重,往往力胜男子,设或不能,
则阴相诋诮。"湘女也以刻苦耐劳著称,"衣服之上,以帛为带,交
结胸前后",每每背着乳儿在田间劳作,或者压着小山似的柴薪,
踽踽地走在山里的羊肠小道上……(宋·范致明:《岳阳风土记》)
在江西的民间传说里,晋朝为躲避战乱而迁居南昌的许昌人许
逊,一对火眼金睛,看出南昌的地面下为蛟精巢穴,于是他在城
南的井中,铸了一根铁柱,下面伸展八条铁索,钩锁住了地脉,从
此南昌水妖绝迹,水患消除。赣人历代奉祀许逊,为其建许祖行
宫、许真君庙,俗称万寿宫。人们可以发现,在湖南境内,也遍布

着大大小小的万寿宫。赣人重宗祠牒谱,顶顶放在心尖上的是先人们的墓园。范致明注意到,在湖南的赣移民的后代,即便更历数世,其支繁派衍也清清楚楚,而且清明或是冬至,总会有人不远千里归省扫墓……

关于"古风犹存西南人",可以说的是,迁徙于云南、贵州等西南边陲的江西人也很多。明朝万历年间任云南澜沧兵备副使的王士性,一任下来,几乎随时随地都能看到江西人,他们有的经商,走街过坝,有的居住山寨,与当地少数民族打成了一片,乃至一不小心,蒙厚爱混上了部落头人。王士性写道:"作客莫如江右,而江右又莫如抚州。余备兵澜沧,视云南全省,抚之人居十之五六。"(《广志绎》卷四,《江南诸省》)

1958年,云南文史界在楚雄地区搜集到了彝族民间史诗《梅葛》,其中第二部《造物》唱到蚕丝的来源,说是江西人发现的:"江西挑担人,来到桑树下,看见了蚕屎,找到了蚕种。"同书第三部《婚事和蛮歌》里还说道:"江西货郎哥,挑担到你家,你家小姑娘,爱针又爱线……"我想,整日里穿行在面若桃花的异族姑娘之中,江西货郎哥们的心叶,不知会不会扑簌簌地叩动,好似大理蝴蝶泉边那总在绽开一片绚烂的蝴蝶?

关于"随和机巧湖北人"、"辣劲冲天四川人",也能够说上几句。

过去有一句老话:湖广填四川。实际上是江西填湖广,再湖广填四川。湖广是块跳板,填来填去,犹如民间立冬前做香肠的肉糜,填的大多是江西人。四川的夔州、叙州、重庆、梓潼、松潘,都有江西移民的后代。毛毛的《我的父亲邓小平》一书中提到,邓小平的祖上也是江西人,不过与移民大潮无关,是出外做官后再没有回来。湖广地区物产丰富,气候与自然环境与故土相似,更让江西移民前赴后继不已,恍若过江之鲫。因明代家居湖北省公安县、文学史上称之为公安学派的袁中道、袁宗道、袁宏道三兄弟,其家谱便确凿记载了他们系江西移民的后代,其祖籍可能是在南昌与丰城之间的袁渡。汉口的盐、米、木材、药材、布和当铺,人称六大行业,都有江西人在经营。尤其是汉口的药材业,江西清江商人几乎垄断了这个行业。在湖北的洪江、郧阳、钟祥、天门,也聚居着大量的江西商人。明清时,湖广一带流传着"无江西不成市场"的民谚。

还不仅是上面提到的这几个省。历史学家注意到,在明太祖、明成祖时,苏州的富户人家被迁去了安徽的凤阳守皇陵,但事实上外迁更多的是江西人。从明初到清嘉庆时,官方有组织的移民,再加上民间自发地外迁,有统计说达到了几百万人。

在广东,孙中山的祖上是赣南宁都的客家人,赣南可谓是广东客家人历史命运的重要驿站,其熊熊血脉由北方迤逦而来的高亢一波。在安徽,桐城地区有百分之五六十人的祖上系南昌移民,至今在全国八大方言区里,桐城话被划归于赣方言区,听听黄梅戏《天仙配》,便会感觉戏中人物的话与南昌话的差异是很小的。籍贯绩溪的胡适先生,在一次与帮他写了《胡适晚年自述》的弟子唐德刚教授的交谈中,两人都说起自己的先人均来自江西……

赣地的先人,筚路蓝缕,风中雨中,真像是一把把革命的种子,不管是抛在了大邑通途,还是扔到了寒山瘦水、僻壤边寨,都能够扎下根来,而且薪传火播。倘若有机会,我真想到鄂豫交界处的大别山和陕南的商洛山里走走,有史家告诉我,在这两座遍布史诗与传奇的大山中,也遍布着赣人的孑遗。

据说,哪里在种红薯、玉米,哪里的先民便一定有赣人。明代,红薯由南洋传入,玉米由美洲传入,经福建而江西。江西多山区,冷浆田里难种水稻,却适宜栽种这两种粗放型的作物。于是,它们的流布方向,便成了考察历史上赣人移民大潮的一大线索。据谭其骧先生的弟子曹树基博士考证,在明朝,如同山西洪洞大槐树是中国北方的一个主要移民点,在南方的主要移民点中,江西境内就有两个,一为鄱阳的瓦屑坝,一为南昌城里的瓦子角。它们均是由官方设立的,我猜想,其作用会不会有些像"文革"大串联中的红卫兵接待站?

在前文提到的那套书《人文中国——中国的南北情貌与人文精神》的封面上,印着这样一段话:《人文中国》不是《丑陋的中国人》,这是中国文化的另一种读本。

打柏杨先生的"酱缸文化"一说出来以后,要谈的每一个文化问题,都几乎在这"酱缸"里过了一遍。可以理解,该书的作者很想高蹈远举,另辟新途。但遗憾的是,如果回避了古代中国南方、乃至北方的开发进程,各地汉民族先民的奔突迁徙,离散融合,怎么可能讲得清楚南北情貌和地域文明?

记得余秋雨先生说过,上海与中国文化不太和顺。与之相反的是,在我下面的几章里,读者一定能够感悟:江西倒是与中国传统文化和顺,和谐,彼此间像是瞌困时碰到了枕头,香黯时移来了红袖……于是,又一个更具分量的问题发生了——在未对赣文化进行一番勾沉梳理之前,怎么能粗率地号称"这是中国文化的另一种读本"呢?

先生们,在眼下一个浮躁得咸鱼也想翻身的年代里,我曾对你们充满敬意,因为你们选择的是一项最不允许有半点浮躁的工作。可是我现在失望了,在你们的书里,我发现你们,要不尚没有读懂中国,要不,在精神生产的作坊里磨了洋工,还是表现出了某种浮躁。

其四,江西地处江南西部,在漫长的小农经济和后来的计划经济中,作为农业省份的江西,的确是安定而又富庶的。赣江、抚河、中国第一大淡水湖——鄱阳湖,再有水墨画一样温润展开的赣抚平原,真可谓是鱼米之乡。即便是在湮灭了几千万性命的二十世纪中期三年大饥馑中,江西也没有发生"万户萧疏鬼唱歌"的景象,相反,还一次次地从自己的嘴边调出不少粮食,去解救一些地方的危急——

1960年的四五月间,时任江西省委第一书记的杨尚奎到北京开会,星期天会议休息,他却接到通知,说是周总理想找他个别谈谈,请他不要出去。大约十点半钟,总理进了他的房间,眉宇间深藏着一种忧郁之色,显得心事重重。杨尚奎一下想到,总理这个时候找上门来,八成要谈的是粮食问题。果不其然,总理告诉他,去年全国有好几个产粮省,包括四川这样的粮食大省都遭了灾,估计今年的生产形势也很糟糕,所以国家在粮食问题上局面日趋严峻,眼下北京、上海、天津等大城市的粮食库存都已经挖空,如果不马上调一批粮食救急,后果将不堪设想。接下来,总理的口气很是客气:

"江西已经调出了10亿斤粮食,作出了很大的贡献,而且你们自己也有困难。但是,和别的省比较起来,你们还是好的。所以我今天特来与你商量,能不能再增调两亿斤,支援中央,以解燃眉之急?"

杨尚奎向总理汇报了江西的情况。在中央调出10亿斤粮食之后,江西再次压缩了群众的粮食定量,在粮食情况最好的县,居民最多定量为每月24斤,每天合到八两米。但在猪肉、食油、禽、蛋之类都少到几近没有的时候,一顿吃一斤米下去,也不过像三伏天里囫囵吞了一根冰棒。在困难的地方,那就要靠"瓜菜代"了。临来开会前,他去临川县一些公社看了看,公共食堂里开出来的"饭",大抵上都是红薯叶子。不要说群众了,就是干部们见到省委第一书记也喊饿。他当然有愧,可不管这场饥饿

13

是什么原因造成的,也不管日后谁该负主要责任,可现在他不准干部们喊,更不准干部发牢骚。他们都答应了,表示要嘴一闭,牙一咬,挺下去。说到这里,杨尚奎的声音哽咽了,眼眶里也是一片潮湿……

总理感叹了:"好同志呀,都是好同志。江西的干部群众历来有艰苦奋斗的好传统。"

"总理,我说这些不是向中央叫苦,而是让中央知道江西的情况。我们既要识大体,顾全局,又要考虑江西这个鱼米之乡的群众对饥饿的承受力。至于再增调两亿斤粮食,总理提出来了,我们说什么也得支持。我回去再做做工作,统一一下认识,就是再勒紧一次裤带也是要给的。"

周恩来英气逼人的脸上,一下恢复了往日的亮堂:"尚奎同志,我代表中央和人民谢谢你!"又一手扶着杨尚奎的肩膀说,"放心,我不会给你们再加压力了!"(水静:《特殊的交往——省委第一书记夫人的回忆》)

这一年秋天,我刚进初中,吃的就是每月 24 斤粮食定量。刚好在抽条长骨架的男孩子,自然感觉到饿,每天上午一到第四节课,满教室里此起彼伏、比什么都响的准是辘辘饥肠的奏鸣声,为此学校取消了体育课。晚上九点钟,一个个便瘫去了床上,脑袋里满是各种食品的展销会。我曾幻想过的天下最美味的东西,后来才知道实在是太小儿科了,不过是煮一锅面糊,再往里面放上半瓶猪油,一斤白糖。实在熬不住了,又爬下床,幽灵似地飘去学校围墙后面的农民菜地里,偷摘一颗包菜或是几个萝卜,匆匆洗了,扔去又洗脸又洗脚的一个盆里,下面架砖点火,就这么没有油没有盐地煮了吃……

我曾以为,除了战争外,自己正经历着人类两百年来所有的苦难。没有哪个大人告诉我们,正在江西之外许多地方发生着的一切,也让无日不压迫、吞噬着我们的饥饿感变成了小儿科。在共和国的形势严峻得有一口饱饭常常就能够救活一条人命的那个年代,再度调出去的两亿斤粮食,却至少相当于每个赣人嘴边又挤走了两个多月的口粮。人们脚上有了浮肿,脸上漫有菜色,但每当看到来自安徽或是河南的乞丐,在马路上抢了孩子手里正吃着的馒头,屡屡听说哪个县里又涌来广东、福建的饥民……,那时赣人的心态,仍是有些像"二战"时期和平而又富足的瑞士,在打量着一个战火弥漫、支离破碎的欧洲。

终于,赣人们很长时间里那良好的心态支离破碎了!

有几年中,在官方公布的统计数字里,除了少数民族地区外,江西是中国经济发展最缓慢的省份之一。祖籍江西永新现在联合国任职的刘大任先生,前几年回故土走了一圈后,感慨与他跑过的中国其他省份比较,江西是胆子最小的地方。山东不等北京批准便解决了与韩国的通航,而江西人真碰着了个什么机会,则恐怕要在中央三令五申以后,才会像刚刚钻出鸡壳的雏鸡一样怯生生地往外张望……于是,便有了点"撑死胆大的,饿坏胆小的"的意思,他不无沉重地写道:江西省面积16万平方公里,人口不到4 000万,大约分别是台湾的四倍和一倍,可它在1990~1991年的工农业产值,尚不到150亿美元,不过相当于台湾一个大财团的资产。

对于历史与现实深处的真髓,或者某个玄机,洞察得愈是深入,便愈是需要足够开阔的空间和足够距离的时间。既不是搞历史的,又不能像刘大任先生这样周游列国,落在一般江西人身上的最直接、也最关要害的尴尬,便是所谓"特区的物价,老区的收入"。

在1994年,全国工资水平最高的五个省市,在江西周边就有上海、广东、浙江,江西自己则位于倒数第一,仅为全国平均水平的 76.7%。而江西同一年的城乡居民消费水平却稳居全国高峰，不但消费价格指数超过全国平均水平，在这一年的多数月份也高于周边发达省市。好似剪刀两个锋利的切面，这无疑造成了江西人生活空间与心理空间的双重失衡：周边省区又尤其是沿海地区的消费水平，上扬了本地居民的消费水平；而本地大量农副产品源源不断地流出，又持续导引江西的物价水平攀升。

珍珠港事件，发生在一个早上起来天空湛蓝海水也湛蓝的星期天。江西人一切经历过或正经历着的尴尬，都登陆于二十世纪八十年代初。

（二）

一切都是在没有大波大澜、大惊大恸中发生的：

不知不觉里，市场上本地的工业产品越来越少，外地的工业产品越来越多，我们看着"长虹"彩电，用着"容声"冰箱，衬衫穿着"红豆"，牙刷上涂着"蓝天"，在消费观念上，现代市场与现代广告，正不动声色地将我们变成一群没有地域的人。春去秋来，隔三岔五，同事、朋友、熟人里，不断有去了沿海地区尤其是广东的。听说了，或是送行回来，感觉便如同当年在乡下插队时，想方设法调回城的为正常，能走却要留下来作种的，反倒是脑袋里搭错了哪根弦。只有到了很想出去走走的日子，却猛地发现自己的社交圈缺去了一大角时，才会有些茕茕孑立的苍凉……

曾经有那么一段时间，每当我们和外地的朋友在一块聊天，最想知道而又最不想知道的是对方的收入水平，那强烈的反差，几近能使上了些年纪的人一下高血压或是心肌梗塞，纷纷送进医院抢救。但渐渐地，人们修炼好了那一颗颗皮实的心，听也就听了，没有愤懑，甚至都懒得发牢骚，如同当年的红军战士早已经习惯了红米饭、南瓜汤。

已经在外地工作的赣人，那心则多呈麻花状，被强烈的自尊与强烈的自卑所扭曲。周围每有人以轻慢不屑的口气谈起故土，他们的每根神经旋即进入了战斗状态：从中古时期的辉煌到为新中国的诞生作出的巨大牺牲；从庐山、井冈山、龙虎山的绮丽风光，到自1977年恢复高考连续几年里江西录取的分数线位居全国前三名，即使是近几年，每年的录取线也要高出北京、上海等地方一百多分。迄今中国科大少年班中，江西已输送了四十多名学生，仅汤显祖的家乡——临川一所中学，一年里就送了五个……为了让对方明白"物华天宝"、"人杰地灵"的版权真正是属于赣地，他们说得手舞足蹈，天庭放光，乃至牙床出血。但如果对方在待之以恭后，又问起江西如此高的分数线，为何却没有一所重点大学，或者如许出去的学子现今的下落———一句话，一涉及到现实的江西众多的困窘时，脸上刚刚还炯炯如炬的目光便暗淡下来，他们也不得不哑口无言……

江西的官员，还有学者、专家，去首都或是外地开牛毛一般多的各种会议，越来越习惯于坐在后面，极少发言，像树林里油亮的木耳盛满了春雨的沙沙声，伸长耳朵静静地听着别人的慷慨激昂，纵横捭阖。久而久之，别人对江西便有了"不吵不闹，不叫不到，不给不要"的印象。渐渐地，我们也习惯了从不叫唤。在当今无论大狗、小狗、饿狗、饱狗都在叫唤的日子里，江西常常沉默着，这是一种可以称之为大度、可以称之为自卑、也可以称之为矜持，其味道复杂得似罗宋汤一样的沉默……

一切又像是一次猛烈的突袭，一场猝然而至的政变！

曾几何时，江西在漫山遍野的红杜鹃里绽开着笑靥，在嘹亮、圆润的兴国山歌中升腾着目光，在"八一"军旗的金色流苏里抖擞着风韵。"文革"时，江西是中国政治地图和情感地图上的

17

一个举世瞩目的热点,写作于十年之前的拙著《历史沉思录——井冈山红卫兵大串联二十周年祭》(《中国作家》,1987 年第一期),便极力想记录下 1966、1967 年冬春之间,连美国侦察卫星也注意到了的中国大地上,踏着半是冰雪半是雨水的泥泞,一场百万红卫兵向着井冈山的大气磅礴而又不无悲壮地进军……

不过像是发生在昨天的事情。

突然间,自豪被沮丧所代替,爽朗被压抑所代替,希望被失望所代替。

你只要去广东走一趟,便能够体会这"突然",像一堵高墙一样訇然倒在你心上的分量。几年前便是这样,在整个珠江三角洲地区,凡是镇以上的医院,都有江西去的医生。凡是县以上的中学,都有江西去的老师。即便是华南师大、佛山大学等高校,在一些基础系里,其骨干教师或基本力量,也不少来自江西。并不属于全国分配的江西医学院,其弟子在粤成立了一个校友会,会员已经达到了八千多人。据说该院每届毕业生大约只有五六百人,这等于改革开放的十几年里该院的毕业生,大抵都去了广东……

这仅是江西的一所大学,还有其他的十多所大学。

这仅到的是广东一地,还有江西周边其他的经济发达省市。

但不能称之为"人才掠夺"。"南霸天"并没有竭泽而渔,相反,倒是"吴琼花"们摩肩接踵、争先恐后而来。在经济发达地区与经济欠发达地区之间,必然存在着一种残酷的人才落差,这是一个世界性的现象。我在拙著《移民美国》(《钟山》,1997 年第一、二期)里提到,我在美国转了一圈下来发现,改革开放以后以留学的名义去美国的中国人中,至今大约只有百分之一到三的人回国了或是打算回国……

不回来并不意味不爱国。我体会多数如絮如萍的游子,在

18

看到涌起无边雪浪、绿绸似的太平洋时，便会想起"惊涛拍岸，卷起千堆雪……"在登高望远一览叠翠铺金却罕见人迹的乡野时，就会哼出"独自莫凭栏，无限江山……"任凭温热的泪水滑下脸颊，一滴一滴地落在异国的土地上。很多时候，去国倒是对爱国情怀的最佳操练。但离开江西的人们有所不同，他们极少留恋江西，倘若老家没有人了，大抵不会想到要回来看看。我感觉，不会是所有的人，但确有相当多的人，在对待千里外那块故土的文化认同上，一批批地变成了"甫志高"。

大量的人才毫不犹豫地离去，更多的人因为年龄、家口或是惰性不走了，心却未能随之留下来。人们仍在各个单位里工作、劳动，编制着、或是完成着有关江西省国民经济的形形色色的数字，在这之中，总有好些数字不带着心血的温度，漫不经心得似草丛里猛地蹦起来的蚱蜢。那份多出来的心血，很可能便集中在一只老母鸡的暖腹下，就是晚上也在孵化自己的仕途或是财路。而一些文化人自视清高，或者没有蛋好孵，咽下去一肚子的酸水，不得不自视清高，不翻江西的报纸，不看江西的电视，凡是本省的信息，哪怕刺激得像一根针，在其身上也戳不出一滴血来，颇有些"哀莫大于心死"的意思……

一边是冷冷地麻木，一边又是幕燕釜鱼般的焦灼。

外地有了些什么新鲜玩意，江西，起码是南昌很快就会有。先是进酒楼，彼此间互傍的大款与官员们，一个个吃得红光满面，肚皮下凸起女人怀胎六月似的脂肪；而后再进桑那房，他们忙不迭地加炭加水，引来浓浓包裹着的蒸气，以挤去那些黄澄澄的脂肪。现在当然丰富多了，从KTV到保龄球、泰式按摩，从乡村俱乐部到钓鱼馆、洗脚屋……恨不能够将现世所有的歌舞升平、灯红酒绿，都快速地"克隆"过来，即使难翻腾起墨绿色的大海，那也不妨先搅动一片气喘咻咻的泡沫。我感觉，在这有时颇为惊人的麻木与常常令人晕眩的焦灼之间,其实深藏着的,是一片全方位的文化心理迷茫。

据说现在的南昌市内,几十层的高层建筑,已经有了两百多幢,它们真是些花里胡哨的家伙,争先恐后往身上贴着马赛克、铝合金、真真假假的幕墙玻璃,远远看去像一件硕大无朋的百衲衣。尚不能要求它们为城市展示一种呵然一气、又各具特色的美学风格,但却应该给南昌至少得给市中心的广场一条明快的建筑天际线。可在广场那被切割得一块碎玻璃般的天空上,还找不到一条建筑天际线;在这一片全方位的文化心理迷茫中,人们也看不见:对于过去的历史,我们应该珍惜些什么,可以扬弃些什么,面对因为兔起鹘落而更需要披坚执锐的下一个世纪,江西的位置究竟会在哪里?

对江西的历史稍稍有些了解的人,多半都会感喟:

事情怎么会变成这样呢?

(三)

举国正是一个不见硝烟、胜似硝烟的态势,粤港文化、江浙文化、齐鲁文化、湘楚文化、中州文化……都在各自的经济方面军中击鼓鸣金,咄咄逼人。像一块鱼骨一样卡在喉咙里,咽不下去可又吐不出来的是赣文化。

1994年春,决意将其喊出来,并如炸药包一样扔向人们迷茫的文化心理上的,是一批文化界、教育界的知识分子。在其后的大半年中,文化人呼唤着赣文化,成了省会里官方与市民社会都能认可的一道颇为热闹的风景。

为走出经济上的困窘忙得焦头烂额的官方,大概一直无暇制定文化发展的总体方略,而面对民间的文化讨论,他们也无法引纳，除在形式上的支持外缺乏实质性的参与；市民社会能够含羞草似的感知股市、邮市与菜市场的阴晴涨跌，却很难感觉一个硕大、无形的蛋，蛋黄是经济，文化则是悬住它的蛋清；在他们眼里，能够热烈地投身于这一场呼唤的，都是些用不着考虑企业效益、这个月能不能发得出工资的人。对此，他们在抱着几分兴趣的同时，也就抱有了几分隔膜……

在这道风景里，我听到了不少非常有见地的意见。

比如，恰当、准确的文化描述，有可能直接创造人文景观，如范仲淹笔下的岳阳楼，并促进当地文化特征的形成；不恰当、不准确的文化描述，却会产生负效应。建国以来江西人对自己的文化描述就有一个定位的偏颇问题，很多的宣传部门喜欢说"老区"，习惯说"老区"，"老区"似乎成了四十多年一成不变的品牌标志。江西文化描述的单一属性，必然导致赣地文化心态的狭隘封闭，对包涵有青铜文化、书院文化、理学文化、佛道文化等等在内的博大赣文化传统的切割；而且"老区意识"的长期弥散，于有意无意之间包含了对自身贫困的宽容，仰仗他人扶危济困时的心安理得，在永不愿意落下的一面"老区"的光荣旗帜下，很可能在实行的是对革命精神的静悄悄的消解……

而且，由别人嘴里喊出来的"老区"，也不一定真意味着尊重。我在电视里见过这样一幕，南昌电视台的一名记者采访中国明星足球队的啦啦队，一位颇受观众喜爱的小品女演员，俨然是曾在全世界乱飞着的基辛格博士，表示自己倘若时间安排得过来的话，一定会去参加一个多月后在南昌的一场球赛。坐在旁边的一个眯缝着一对小眼睛的男演员跟着马上说了：我也去。

去就去吧。所谓的明星们去给上场的明星们吆喝，在很大的程度上是表演，是矫情；与一般的球迷去给自己崇拜的球队做啦啦队的那份真诚与痴醉，不可同日而语。年轻的记者却显然

想从中挖掘出一些丰厚的意思来,赶紧将话筒伸过去:

"你为什么要来南昌呢?"

"当然要来南昌。我是共产党员,江西是老区,怎么能不来?党和革命的事业在江西有大的发展,希望我来后,也会使自己的事业与生活有大的发展……"

这是哪儿跟哪儿呀?如同这类自以为在巧妙放饵的记者很少下岗,这类总嘻笑着的北京侃爷式的面孔,这些年也没少在屏幕上晃着。

还有"老表"这一称呼。

有一说是,在宋代对道士的称呼叫老表。因赣民间迷信色彩颇浓,以迷信为职业的人不少,故索性以老表为赣人的统称。但比较公认的说法是,这一称呼首创于湖南人的口中,因为历史渊源,赣人旅湘极为频密,在二十世纪四十年代,长沙不过是一个几十万人口的城市,赣人却在这里为自己的子弟创办了豫章、庐陵、昭武等五所私立小学。临近湘江有一条名叫"坡子街"的小街,是当时长沙市里最有名的金融街,街上的不少钱庄和批发商行的老板,都是江西人……自然,两省百姓间互通婚姻的很是普遍,彼此间有着姑表、姨表等关系的人比比皆是。天长日久下来,湖南人见了江西人,便一概称之为"老表"。许是从曾国藩办起了湘军,并威风凛凛几近打遍天下无敌手之后,这有几分亲密感的俚称也随之推广开来,最后成了国人给江西人注册的专用名词了。

当今,这个称呼咂在嘴里品味品味,好像已经有了另外的意思。有学者如是说:江西在人们心目中是一个欠发达的农业省,用"老表"这个带有"乡下人"色彩的词称呼自己,似乎有点有意突出自己落后一面的意味。语言是一种约定俗成的东西，不管我们怎样努力按原义为它定义，它目前在大众交往中已成为一个微含讥诮的称谓。赣地当前最需要的是振兴工商经济，不摘掉这顶将赣人与农业社会扣在一起的帽子，赣人在心理上就翻不了身……

也许，这一说法有些危言耸听。"老表"只是一个人云亦云的称呼，许多人跟着喊了却并不知道它的来历。与昔日挥舞着的"反革命"、"右派"一类结结实实的帽子相比，它毕竟有着本质的不同。但是，人们可以从中发现，赣地的文化人，在有关江西文化形象的评价上，其心理状态是异常敏感的，而且在敏感里还透着几分脆弱。没有比一种文化的衰微、乃至陨落，更让受其滋养、熏陶的文化人焦虑不安、危如累卵的了，于是在一篇文章里，我看到了一段不应该只是属于作者一个人的文字——

该是我们立志的时候了！
我们要到赣江去，
对我们赣人的母亲河——滔滔赣江水，
我们起誓：
不崛起，勿宁死！

在这道有些似小孩撒尿一样稀稀沥沥，总算是有长长短短的声音无奈坚持下来的风景里，我亦有些遗憾。

除了未能够将知识精英于四面楚歌中的悲壮一呼，转换成一场真正震撼广袤赣地的思想解放运动外，就文化人自身的理性阵营而言，还缺乏强有力的"打击力度"。讨论中，大概是出于善良的打气，还隐约有这样的逻辑：因为有着昨日的辉煌，江西便一定能够获取明日的辉煌。或者对于江西前景的改变，过度地注重器物层面的条件。当时,一次性复线的京九铁路正在江西南北全境内铺着,其长度占到总长的三分之一。真可谓庐山转身,梅关回眸,十有八九的江西人,都预期着就要穿越自己家园的钢铁大动脉上,将会隆隆地驶来一个百年难逢的历史机遇。

在这之前我就想,大京九列车不会只卖单程票,仅售出去的,不售进来的。倘若走不出去,面临的就会是更加汹涌的铁桶般的围城;倘若我们新生的还不能壮大,该消亡的还不见消亡,赣经济的空壳化及赣文化的老年痴呆症,将是难以避免的。那时,自然江西还在中国的行政区划上,可中国文化的版图上它已经杳如黄鹤。自然还会有赣人在干着各行各业,他们在生命质量上,却不比在铁路沿线上刨几根甘蔗、煮一锅茶叶蛋上车去卖的孩童老妪高出多少……

以下的这段文字,作为诗歌来欣赏,其想象力是颇有气势的——

宋代的赣文化与发生在江西境内的现代中国革命是赣文化的两个辉煌,这一古一今刚好形成了一个哑铃状的文化现象。豫章古城的滕王阁与英雄城南昌的"八一起义"纪念塔,又是赣文化另一个辉煌的哑铃。这两个哑铃,分别跨越了时间和空间,它由"赣巨人"高举着,面对着中国乃至全世界做着扩胸运动。

关于前一个"哑铃",宋代的赣文化将放在后文中细说。这里可以先说的是,现代中国革命在给了赣地以巨大光荣之外,是否也给赣水抹上了一层残照般的凄怆?

1927年,松涛莽莽的井冈山。

边区特委开会,每一个与会者的胸前都必须挂一根红布条,上面得写上各人的出身,工人就写工人,贫农就写贫农,知识分子便写知识分子。起初,陈正人心里颇有几分得意,他在吉安师范读了两年,实际上初中都未念完,在这些肤色黧黑、手大脚大的劳动者中间,就算是知识分子了……一次开会选举特委书记,一公布计票结果,他当选了,会上当即便像水开了锅:

"不行,不行,共产党是无产阶级的政党,一个知识分子怎么能当书记?! 重选,重选……"

结果选了在印刷厂做过学徒的谭震林当书记。此后谭震林老呆在湖南那边活动,特委这边的工作还是陈正人干得多,可他就是没有"书记"的名分。近四十年后,在"文革"中的"牛棚"里,当想起这件往事,他如是感叹道:"我们党在幼年的时候,就很厉害呵……"

对陈正人还是挺客气的。1930～1931年,在江西苏区发生了整肃"AB团"的冤案和中共党史上著名的"富田事变",一支开创了横断江西半壁江山、纵横700公里、人口400余万的赣西革命根据地的红二十军,从军长、军政委到副排长以上干部,除个别幸存者外,都被自己人处决了,全军为之覆没解体。大批地方干部亦惨遭杀害,仅在湘赣革命根据地的中心——永新县,据不完全统计,被打成"AB团"遭错杀的便有1 890人。

在苏区中央局的指示下,中央湘赣临时省委在各县设立肃反委员会,在审讯中大搞逼供信,"严刑拷打,苦打成招,招了就定,定了就杀"。凡是出身不好的党员、干部,一律视为"AB团"分子。凡是字写得好的人,讲话有条有理的人,即被当成"AB团"给杀掉。半个世纪后,籍贯万安的康克清对党史研究人员如是说道:

"只要你胸前插上一支钢笔,就被视为知识分子,就有遭受迫害的可能。如果戴上一副眼镜,那就更糟……"(《文献和研

究》,1984 年第一期)

　　一股滥杀无辜的整肃狂潮,使整个江西苏区陷入人人自危、噤若寒蝉的地步。一个最典型的例子是,时任赣西南特委书记的陈毅,一次被召去总前敌委员会开会。因他反对搞刑讯逼供,反对凭口供和钢笔、眼镜抓人,也被怀疑为"AB 团"。临行前,他对新婚不久的妻子萧菊英交代:如果下午六点我还未回来,你就快走,去老家信丰藏起来。也许是慑于陈毅的声威,此次开会他赴的并不是"鸿门宴",他早早踏上归途,不料途中遇到白匪袭击,马被打死了。他与警卫员绕道步行,直到晚上八时才匆匆赶回兴国驻地。而在这之前不久,以为丈夫已被扣押的萧菊英,竟跳井自杀了!陈毅悲愤异常,唤人将妻子的遗体打捞上来,就这么湿淋淋的抱在怀里,当众失声痛哭……

　　关于后一对"哑铃":滕王阁因王勃一手锦绣文章而誉满天下,王勃则是去遥远的南方交趾探望被贬在那里做小官的父亲而路经南昌。这更多的是属于文学史上的一件逸事,给了南昌一些偶然而杜绝了另一些偶然,比如王勃若没有下笔千言、倚马可待的才情,或者船过彭泽马当,遇强风受阻,他在此多耽搁了几日,再来南昌时,那滕王阁上的胜友如云、笙歌弦舞已成了明日黄花……

　　"八一起义",在大雾弥天的长夜里,打响了向国民党反动派开火的第一枪,这当然是中国革命史上一个必须用大幅金字镌刻的日子,但真正在南昌却不过热闹了几天,来也匆匆去也匆匆,而且其主要人物,大抵都是中国最早投奔了马克思主义的外省青年。这事件,与法国大革命时期巴黎整个城市的第三阶层都起来进攻巴士底狱,显然不可同日而语……

　　这前后两个"哑铃",在未能以现代眼光去勾沉梳理之前,就以为它们一边托起了赣文化的发轫与发育,另一边托起了赣文化的凝聚与传递。然而,高举着它们,"赣巨人"是否真能对中国乃至世界做出雄壮的"扩胸运动"呢?

一个超常稳定、十几年前还超常良好的传统心理框架,在拒绝外力的打击上,似乎比抵挡原子弹爆炸时冲击波的水泥板还要坚硬。

(四)

进入十九世纪以后,在天朝大国这远看还金碧辉煌的大殿里,种种的尴尬,便犹如一层层的糊墙纸一样在不断撕下来。但似乎这大殿后面紧靠着鲁迅笔下的未庄,面对着火轮舟车、洋枪洋炮,西方世界的宗教和科技对中国的渗透与影响,阿Q们的姿态当然是:我们先前比你们阔多了,你们算什么东西!

仅仅是不久前,京城上演的一出话剧里,有人对日本人说:"当初秦始皇为了找长生不老药,派了五百童男童女满世界找,结果找到了你们那里扎下了根,这不,以后就有了你们日本人!"又一出话剧里,有人在提到美国的历史时说:"才两百多年,还没我们养鸟的历史长呢……"这两段台词都博得了满堂的亮彩,比十全大补膏还要补的笑声!无须列举了,在有着丰富历史土壤回应的一百多年前,阿Q们的说辞更会美轮美奂,他们是化解中国一切尴尬的心理大师。

只有在这一天之后——

1842年8月29日,钦差大臣耆英、伊里布去了停在南京江面的一艘英舰上,在全部是由英国人拟定的条约上,盖上了自己的关防并亲笔画押。仅仅在几天之前,道光皇帝在收到了耆英关于英国人漫天要价的奏折时,还朱批曰:"何至受此逼迫,忿恨难言!"

《南京条约》签订了,十朝古都保全了,英军撤退了,一场前后打了两年的鸦片战争结束了。一名英军军官在自己日记的结尾,用大写字母写了一句:

CHINA HAS BEEN CONQUERED BY A WOMAN

这句话的意思是,中国被一个女子(指英国女王)给征服了!

从此,中国人才有了灵魂撕裂的大不安,才有了深入骨髓的切肤之痛。

死于《南京条约》签订前一年的浙江人龚自珍,描写当时自己的心情是,"履霜之屦,寒于坚冰,未雨之鸟,戚于飘摇,痹痨之疾,殆于痈疽,将萎之华,惨于槁木"(龚自珍:《乙丙之际箸议》)。他已经预见到神州大地山雨欲来:"山中之民,有大音声起,天地为之钟鼓,神人为之波涛矣。"(龚自珍:《尊隐》)

还可以提起的是一个江西人,名叫陈炽。

在今天倘若提到江西瑞金,大概所有的人都会想起它是当年中华苏维埃共和国的首都,可能极少有人,也包括江西人乃至瑞金本地人知道,就是在这片后来被称之为"红都"的偏远小县,却诞生了近代江西打开眼睛看世界的第一人。他便是陈炽,字次亮,又称瑶林馆主,曾任刑部郎中、军机处章京甚久。他遍历沿海大埠及香港、澳门,留心当世之务,梁启超在给朋友的一封信中说:"弟在此新交陈君次亮炽。此君由西学入,气魄绝伦,能任事,甚聪明。与之言,无不悬解,洵异才也。"(丁文江、赵丰田:《梁启超年谱长编》)

陈炽在1893年写成了"乃探综合古今中外全局"的《庸书》(内外)百篇。在这部煌煌大著的自序里,他回忆起早年在家乡老人那里听说了英法联军攻掠北京时的沉痛心情:"炽束发授书留心当世之务,自髫龀至于弱冠,闻长老述庚申之变,亦常流涕太息,深恶而痛绝之。"

……

正是志士仁人们灵魂撕裂的大不安,才一并撕开一个外面富泰、光滑而里面却有着百年霉烂、晦暗的巨大的蚕蛹,从而导致了必须富强唯有富强的观念,闪电一般战栗于中国的夜空;

正是中国人普遍地有了深入骨髓的切肤之痛,一个慵倦惯了的身影才站起来,又脚步沉沉地走出未庄,走到一张民族命运的桌子前,扔出了第一张牌——戊戌变法,这张牌开始了将一个旧时代陷于稀里哗啦的多米诺骨牌的进程。

虽然对现在的江西来说,不存在着民族危亡问题,却存在着文化危亡问题。可在牢骚、沮丧或是麻木、迷茫之外,什么时候,赣人有过如此的灵魂大不安和切肤之痛呢?

打击它,进一步打击那个传统心理框架。

可这并不是一场可以隔山观望、无关自己痛痒的炮火,对赣地的文化人而言,这也是一场向着自己倾泄的猛烈炮火……

还记得在拍于"文革"前的故事片《英雄儿女》中,那遮天蔽日的硝烟里,志愿军战士王成对着报话机呼唤"向我开炮!"的镜头。

二、锦缎包裹着的软垫

似乎能够这样说,当神州大地的政治、文化中心均在中原的皇天后土时,江西成了一块锦缎包裹着的软垫,经济上已经得到深度开发、远比北方繁荣的南方,伏在这块软垫上端恭地叩拜着中原的皇权。

(一)

后人只有去浩如烟海的古代诗文里,才能触摸到宋时月儿弯弯照豫章城头的赣地,还有明代马蹄声声踏破梅关晨雾的江西。

在这两个朝代的诗文中,江西常常是一派悠然的田园风光,让一位位高山流水的行吟诗人,卸下了满肩的风尘——

稻秧正青白鹭下,桑椹烂紫黄鹂鸣……

泥行扶犁咤新犊,野饁烧笋炊香粳……(陆游:《小憩前平院戏书触目》)

芳林不断清江曲,倒影入江江水绿……

暑风泛花兰芷香,秋日篱落明青黄……(范成大:《清江道中橘园甚伙》)

谁家寒食归宁女,笑语柔柔陌上来……(辛弃疾:《鹅湖归病起作》)

我家江南摘云腴,落硙霏霏雪不如……(黄庭坚:《双井茶送子瞻》)

水底笙歌蛙两部,山中奴婢橘千头……(苏轼:《赠王子直秀才》)

稻谷,桑麻,茶叶,柑橘……还有山岚与天籁随四季更迭的丰富色彩,将一个江西滋养得精血饱满。北宋每年由东南六路漕运大米六百万石给京都,其中江南西路居第三位。到了南宋,"惟本朝东南岁漕米六百万石,以此知本朝取米于东南者为多。然以今日计,诸路共六百万石,而江西居三之一,则江西所出为尤多。"(宋·吴曾:《能改斋漫录》)考虑到两宋时期,饶州、信州、南康军还属于江南东路,加上这几个州的税粮,江西应该与两浙路不相上下。宋徽宗崇宁元年,是1102年,这一年里作过一次统计,全国户口总数为2 026万,其中江西则是201万,约占十分之一,为全国之首。到了明代,江西人口开始次于浙江,居全国十三个布政司的第二位,但每年交纳给中央的税粮超过了浙江。

在云锦一样拂荡的窑火前,在打造舟船的工棚里,江西也是一个汗光闪闪、胸背上的肌肉一块块紫铜般饱绽的汉子——

宋景德元年,即1004年的一天,真宗的视线跨越千山万水,落在了一个属饶州浮梁县名叫昌南的小地方,他钦命此地建镇,名为景德镇。从此,西方人关于古老而又神秘的东方的遐想,就孕育在这里一片片"色白花青,光致茂美"有"饶玉"之称的瓷器上,在彼岸,他们握着鹅毛笔写下的关于此岸的第一个词,是"CHINA",即是"昌南"的音译,后来以此作了中国的称呼。到了明代,"天下窑器所聚,其民繁富,甲于一省。余尝以分守督运至其地,万杵之声殷地,火光烛天,夜令人不能寝,戏目之曰四时雷电镇"(明·王世懋:《二酉委谭》)。这时期的景德镇瓷器,便如二十世纪八十年代的日本电器,不但在中国境内,上至皇宫贵族,下到市井之民,而且在世界很多地区,都流光溢彩地登堂入室……

江西的精血饱满,还在于北宋,她处于中国南北向的一条大动脉——连接中原地区与岭南地区——的中段,南宋定都临安(今杭州),她又处于沟通东西的一条静脉的要冲,在中国漫长的封建社会的版图上,这是一个罕见的黄金交叉点。前一条动脉上,广东南雄至江西的大余,为90公里旷谷间的坦荡陆路,尔后接章水,经赣江,出鄱阳湖,沿长江而上运河,便能一路北上。水路,自然成了赵宋王朝的生命线,虽然还谈不上是一个海洋民族,但那时人征服水的贲张力量,足以让人感到在日后真正面对海洋文明的挑战时,江西的勇气大大地式微了。在洪州(今南昌)、虔州(今赣州)、吉州(今吉安)、江州(今九江),官营作坊制造供政府所需要的战船、使船、漕船,民营作坊制造商船、游船等。供内河航行的船只里,有的高达十余丈,深三丈,有的载米重一万二千石。而远涉重洋的海船,到了南宋其规模是北宋的几倍。宋仁宗时,仅虔州、吉州两地的造船量,便占到了全国总量的38.8%。

在清代中期以前,将中国人对于世界的触摸推进到最为广远的,不是沿海地方的什么人,竟是来自内陆腹地、说着一口南昌话的航海家汪大渊。元代至正初年,他两次乘这样的远洋大船,到了台湾地区、东南亚和非洲,回国后,他撰写了一本著名的书《岛夷志略》,至今该书还是人们研究十四世纪中外交通史的极为重要的参考文献。

宋明两朝间,江西不但对于文人,满目的田园风光可以卸去旅途的风尘,频繁地来往和涌流的信息,能够激励或是慰藉他们那颗总是显得多愁善感的心;赣地对于商贾来说,在流水般哗哗淌着的金子银子眩目的光圈下,也是他们能够举行一场生命欢宴的所在——

明万历二十三年(1595)四月的一天,已在广东的肇庆和韶州住了12年的意大利传教士利玛窦,带着两名随从,由大庾岭进入了江西境内。他看到,从此到大余不足百公里的道路,用砖石修砌得颇为壮观,下雨时并不粘泥湿脚。"大道两侧建有不少别墅、民房和旅馆","路上行人不少,约有两千以上","有的肩负着行李货物,有的用牲口驮着",还有"大型车马,可载人,也可载货物"。在小镇南安登上了顺赣江而下的小舟,他惊讶于"河桥为活动的,可以开关。当有船要通过,便把桥打开,完货物税后,便可继续前行"。一路上,"江中民船无数,好像有什么商展会似的,熙熙攘攘,络绎不绝"。(《利玛窦书信集》)

吴城镇,也是一个可以描述的地方。它位于赣江、修水交汇鄱阳湖之处,下可由赣江及其支脉,通达全省80%的地区,上可假鄱阳湖而入长江,抵达皖、苏、浙、鄂、湘诸省。这里,大舟如山,万商辐辏,可谓"货聚八闽川广,语杂两浙淮扬"。赣地的漕粮、瓷器、纸张、茶叶、木材、麻纺布,以及铜、铅、锡、铁等矿产和一包包的铜钱,皆由此外运,宋代的江西已是全国铜矿开采、铜钱铸造的最大基地。由粤闽,或由东南亚经广州而来的食盐、蔗糖、海产、百货、犀象、香药……则在这里中转疏散去省内各地。历宋而明,其全盛期在清代的康乾年间,全镇有人口七万余,码头八座,每天停泊的船只多达千艘,有"装不尽的吴城、卸不完的汉口"之誉,与当时天下人几乎无人不知的景德镇、樟树镇、河口镇一起,被并列为"江西四大名镇"。

似乎真应了阿Q先生的那句名言:我们先前比你们阔多了……

（二）

这里存在着一个误读的可能。在宋明两朝,江西经济的长足发展,无疑走在了中国的前列,但这并不意味赣地也是中国最富庶的地区。

普通百姓,尤其是农民生活依然困苦。一边是经济繁荣,一边是人口过剩,以宋神宗元丰三年,即1080年为例,这一年官方统计到江西在册的总户口为136万户,其中客户(外来户)就占到了36.2%,而临近的两浙,客户的比重不过21%。人口过剩刺激了豪族大户对土地的兼并,无地的农民竟占到了三分之一左右。

为解决土地有限而人口过剩,一个通常的办法,是进山区开垦可耕地。不说在当时的生产力条件下,能够向地老天荒要出些地来,也是非常有限的,就是真花明柳暗,蛙鸣稻香,有了点气候,统治者们总要想办法将他们再逼出来,唯恐后者"啸聚山林"。在赣地沿用至今的一些山区县名上:奉新、靖安、武宁、定南、安远……我们不难看出在一次次武力扫荡之后,统治者们永远怀揣的一颗满是祈愿的羸弱之心。再一个没有办法的办法,便是所谓溺男、溺女、洗儿、淹儿了,这一残酷杀害婴儿的习俗,自宋迄明,一直在赣地农村地区很为普遍。

更让百姓遭罪的,还有官府的繁役重赋,藩王世家、乡绅豪族的蚕食鲸吞。前者,如南宋偏安,对金战争军费浩繁,眼皮底下的江西被当成了一头可以祭大蠹的肥羊,"于是郡县横敛,铢积丝累,江东西之害尤甚"(《宋史》卷一百七十九,《食货下》)。后者,如明朝封在江西的藩王有宁王、淮王、益王,三府中宁王府为害最烈,益王府为害最久,淮王府中,流氓恶棍尤多。三府男女成员,繁衍至世宗嘉靖(1522～1566)后期,每年所需禄粮折银11万余两,均由江西十三府人民负担,此外,还得摊派"冠服、婚丧、屋料屑琐,不啻米盐,而往往乞请不已也"……(许怀林:《江西史稿》)

赣人期待脱贫的手段,大抵有三——

一是"下海"从商。

有论者注意到,江西商帮,即官私撰述里所称的"江右帮",其成员的构成,与中国历史上晋商、徽商、宁波商等著名的商帮都不一样。人口过剩的结果,便是流民的运动。明太祖洪武年间,已见端倪,到了明神宗万历六年,江西便锐减了22万户、224万人口。这些背井离乡的人们,相当一部分又掘出了一口口新井,仍以稼穑为业,在乡音渐渐消弥之处,来自田野的风,漫过那些世世代代都布满沟壑的黧黑的脸膛,吟唱着"乡间同井,出入相友,守望相助,疾病相扶持"(《孟子·滕文公上》)的井田文化的欢乐颂……

也有许多人在流徙过程中,开始做起了买卖。他们没有让岁月湮没家乡的那口井,他们却背离了祖业。明清的江右帮里,有70%左右的商人原是家境贫寒的农家子弟。据近年来研究江右帮的资料,几乎大多数江西县上都有一批在外经商的人,最为突出的是丰城,"商贾工技之流,视他邑为多"。其次是抚州人与南昌县人,"远出经商亦习以为常",有"行旅达西裔"者,有"弃妻子老死不归者"。在读书人和官宦出得多如牛毛的吉州,外流谋生居然也蔚然成风,明代的名儒显宦、吉水人罗洪先曾说"吉郡地虽广,然生齿甚繁,不足以食,其人往往业四方,岁久不归",尤以吉安县人"商贾负贩遍天下"……。

二是"多设智巧挟技艺,经营四方"。

所谓"智巧"、"技艺",指的是堪舆、星相、医卜或做小木一类的手艺,其中在国内最富有影响的是堪舆之术,即俗称的风水先生。也许因为江西地处"吴头楚尾",楚、越文化共有之淫祀巫风,必然会在赣文化中有所回应,而张天师又在赣东北龙虎山开出了道家新的符箓派,即以画符念咒、驱鬼辟邪为主的天师道;也许因为江西民俗"好讼"由来久远,早在北宋时,在虔州(今赣州)、吉州(今吉安)、袁州(今宜春)等地方,走在街上、乡间,多见村夫野老、走卒贩丁者流,将一支笔插在耳背或是脑后发髻上,他们倒不是要张扬自己的肚皮里有多少"之乎者也",因为士大夫们用不着随身带笔,真要用了自有仆役一边侍候。他们带笔,为的是方便诉讼,出门若碰到件什么纠葛麻烦,立马就能拔笔写成状子,递交官府。被士大夫们睥之为"珥笔"、"簪笔"的斗筲之民,竟让官府老爷们大大头痛了,北宋真宗景德年间,做过袁州知州的杨侃如此叹道:

> 自皇宋削吏权而责治术,天下之郡,吉称难治,而袁实次之。何者?编户之内学讼成风,乡校之中,校律为业。故其巧伪弥甚,锥刀必争,引条指例而自喻,讦私发隐以相报,至有讼一起而百夫系狱,辞两疑而连岁不决……(光绪《江西通志》卷六十七)

既有源远流长、揉杂众方的信仰,又在一场场"巧伪弥甚"、"锥刀必争"的诉讼中获得了实战锻炼,一些赣人的那张被南昌话称之为"卖狗皮膏药"的嘴,便稳稳地成了江湖上的主流嘴。翻翻"三言两拍"、《儒林外史》等明清小说,里面写到的道士、算命先生、风水先生,大抵上都是江西人。在今人创作的长篇小说《曾国藩》中,也有一位姓陈的道士,虽神龙见首难见尾,有可能忽略过去,但只要仔细看,便会发现此人两次应邀进了曾国藩的官邸,因遥测星相预言战事颇获后者的青睐。作者在五湖四海中,独独将陈氏的籍贯定在了江西,大概也有着一定的史料依据。

江西的风水先生在一些地方可能是"集团作战"!势力大得"卧榻之侧,岂容他人酣睡"!几年前有报道说,在湖南岳阳发现了一个张姓村庄,系由早年江西的风水先生移居此地而成,村里的整个建筑,排列得像一个让外人进去了却出不来的八卦阵。明清时期历朝皇帝都信奉风水,尤其看重墓地堪舆,草泽民间见缝下蛆的江西风水先生,往往一下就堂而皇之地成了国宝,他沿罗盘看下去的视线,片刻间便划定了一个王朝的气数命脉……

著名的明十三陵,堪称是堪舆术的经典作品。打明成祖朱棣定都北京,就派员四处寻找自己和未来皇帝们永远的"天堂"。先看中的地方是口外的屠家营,可进了屠家出不来的就是猪了,偏偏"猪"、"朱"同音,咱大明皇上姓的就是朱,是为凶兆。接着昌平县西南山脚下的一片平畴,被视为吉壤报了上来,可日后再审,好似香喷喷的几颗花生米吃进嘴里,又咬到了一颗臭仁,附近发现了个叫"狼儿峪"的村子,"猪"旁有"狼",岂不朝不保夕?再逶巡良久,位于西郊的燕家台扑进眼中,前头两回失算,惹怒龙颜,不敢造次,反复秤量,终察觉"燕家"两字与皇帝驾崩称"晏驾"同音,如是用了岂不有诅咒圣上之嫌……

最后,礼部尚书赵羽工保举了一个风水先生来,后者看中的地方在昌平县北面的黄土山,这里山环水抱,东、西、北三面为苍郁巍然之峰,南面是一条河流,河南小山两座,恰似"青龙"、"白虎"守陵，整个地貌既气势非凡，又蓄势藏风，堪庇荫王朝万代基业。那天朱棣的脸，一定笑得像淡淡的秋风中披离的金菊，只嫌"黄土山"一名太俗，改名为天寿山，于是打朱棣起，在这里排着队葬下了十三个皇帝，明代有了近三百年的寿命。而奉献出了这个依然在山水间静静地与二十世纪苍茫暮色共存的经典作品的人，叫廖均卿，正是江西人。

三是考科举走仕途之路。

开端于隋朝的科举制度，堪称是封建国家机器内的一次不大不小的革命。虽然皇上还是天命神授，世代相袭，却冲破了少数豪族等门阀势力长期把持各级政权的僵死局面，造成了社会上层与下层的相对流动。于是，也成为最佳的一种脱贫手段，既避免了种田吃苦，经商难堪或是囊空如洗，一旦金榜题名了又能行上大远，光宗耀祖。当然，这也是最难走的一条道路，可在这条崎岖的小路上，好像从古到今，都波澜壮阔执著不拔地走着世世代代的赣人，自然今天不叫科举，叫高考。

那份执著由此可见一斑：在被称之为"千古一村"的乐安县流坑，据村中大族董姓（据称为董仲舒之后裔）族谱记载，从明洪武至万历的两百余年间，该族获秀才以上功名的为四十八人，但其中仅一名进士，而宋元两代，流坑共有三十二名进士，到了清代则几近削了光头。多亏了一个叫董光乾的老人，以老眼昏花、齿落牙摇之躯，日日拼搏于青灯黄卷之中，年年辗转于雨泼雪浇的赴京之途，终于在他九十九岁上，同治皇上为其年迈志坚所感，特恩赐他进士出身，并授四品翰林院编修，时号"赏老翰林"。董光乾却还没有创下清代恩赐科名年长者的最高纪录，乾隆三十六年（1771），江西百岁老人李炜进京会试，"著赏给国子监司业衔。时天下年老应试，序齿无出李炜上者"。（光绪《江西通志》卷三十六，《选举表·恩赐》）

老翁如此，孩子亦然。宋神宗元丰七年(1084)四月，江西饶州(今鄱阳)年仅十一岁的朱天锡赴京应童子科。考试那天，从七种经典里各选出五篇要他背诵，他面无惧色，口若悬河，竟无一字错漏。几天后，神宗亲自接见了他，赐进士出身外，又获赏钱五万。同年十月，他的堂兄、只比他大一岁的朱天申到京应试，又震动了考场和礼部，朱天申能背出在十种经典里各抽出的十篇。神宗叫来宫中，亲试这孩子的本事后，更是一番厚赏……朱家一下福从天降，蓬荜生辉，引来饶州人人翘首，万户效仿。孩子还只有五六岁，不过刚认识几个字，大人们便要他们去背"五经"。孩子坐不住，童心总被这枯经外的鲜活世界吸引，好些乡里用了同一个法子来对付孩子，好像抗战时整个华北平原都用地道战、地雷战来对付日寇：大人将孩子放进一个箩筐里，再将箩筐吊在大树上。能够背熟一篇，便放下来吃饭喝水，背不出，就由其像蝉一样去餐风饮露。据叶梦得《避暑录话》里说，在饶州，这样被调教出来日后做了"神童"的也有，但更多的孩子被逼成了木头人，甚至活活给逼死。

其壮阔波澜，以蠡测海，那蠡可见于利玛窦1597年9月9日写的一封长信。此信里，在介绍到中国科举制度时，他描述了当时正在南昌举行的乡试的场面："人山人海，考生都带着佣人和书童，应考的秀才多达二万……街道为之充塞，连走路也不可能。"利玛窦以为科举制度是一种"公平竞争"：考场"四角有瞭望塔，监视一切动静"，考生交卷后，"使誊录把所有考卷重抄一遍"，其上不存考生姓名，由此"所有房官或大主考想偏袒某生也不可能"等等。(《利玛窦书信集》)

这些年的高考，刺激得形形色色的补习班、强化班，蚁群一样麇集在各地中学的寒暑假里，它们的头上是一片漫天大雪般飞舞的人民币；宋明两代如此壮观的科举队伍，在江西也招惹出一派林林总总的官学私学,它们是否也是奔白花花的银子而来?好像不是,起码对于官学来说不是。

北宋中期,在江西州县开始有了官办的学校,很快这类学校发展到了八十多所。一般情况是,学校置有学田,岁收租谷以为办学之资,以及生员日后赴省赴京应试的旅差费用。安仁县,就是1958年毛泽东在听说此地消灭了血吸虫,而"夜不能寐,浮想联翩,遥望南天,欣然命笔"的那个余江县,即使是在今天,该县在江西也算是个小县,可那时的县学之经济实力,便有"土田五千三百余亩,为钱一百六十四万有奇,岁收约官斛四百石",大概会让今天余江县的老师和毕业生们心向往之的。它还能做到"安仁至京师数千里,自是赴功名之会,俱无裹粮之忧"(光绪《江西通志》卷七十一)。看样子,通过"学田",官办学校里的学生享受到了人民助学金制度。而官府,似乎早在一千年前就有了今人们的觉悟——"再苦不能苦了孩子,再穷不能穷了教育"。

为学术界一致公认的,还是始建于江西也在江西发达的中国书院教育。

书院一般为私立,或是由乡绅大族创办,以供本族子弟读书为主,也吸收外族学子。在乐安流坑,据《董氏族谱》记载,明万历时有书院学馆26所,清道光时有28所,桂林、心斋、樽斋、环山、雪峰、蓉山、子男……面积不过3.6平方公里的一个村庄,竟书院荦荦,书香盈屋,书声朗朗,其情状为"为父兄者,以其子与弟不文为咎;为母妻者,以其子与夫不学为辱"。(洪迈:《容斋随笔》卷五)

书院或系名官显学之士创立,如朱熹在南康军知军任上,于一片榛莽中重建了白鹿洞书院。一度闲居老家金溪的陆九渊,在林茂泉清的象山设"象山精舍",他病卒后,经其再传弟子奏请,宋理宗赐额为"象山书院"。朱陆两人皆为各走一峰的理学

40

巨擘,两院自当名声大噪:前者由朱熹亲自制定的院规,及其教学模式,被天下诸多书院奉为圭臬。后者,生活学习条件异常艰苦,没有课堂宿舍,陆本人仅居一方丈大小的草堂,弟子们则以此为中心依山势高低各自结庐,自带书外还得自带粮来。但陆九渊在此讲学的五年里,经他解惑授业的弟子达到了数千人……

此外,颇有些名气的还有濂溪书院、鹅湖书院、白鹭洲书院、道源书院、怀玉书院,以及建在南昌的东湖书院等。根据1987年江西省文化厅和原江西大学历史系的一次联合调查,自唐至清,江西有书院1 071所,数量居全国首位。尤其是宋代书院之林立、学规之完备、影响之深远,更显示了江西的确是中国古代书院文化的硕大母腹。

在宋明两代,虽说赣地还称不上是中国最富庶的地区,可不管怎么说,却是赣人脸上溢满了风光的年代。

套用今日的话来说,虽不是"经济特区",却已是"文化特区"——

在封建社会里,看一方地域文化和政治发展的一个重要尺度,就是看其科举取录、为官入仕的统计。唐代,江西共考中进士65名,状元2名,居全国前十位。到了宋代,共考中进士5 442人,状元122人,至南宋时已飞递为全国第二位。同时,根据专家从"二十四史"中的人物籍贯统计得出,《宋史·列传》里列入赣人219人,占全国第一位;明代稍逊,却也占第三位,赣人姓名在《明史·列传》里随处可见。这些金榜题名者,有许多披红挂紫,成了朝中重臣。在吉州的吉水,有"一门三进士,三里五状元,十里九布政,隔河两宰相"的阵势。在乐安的流坑村,两宋期间,伯叔子侄,昆仲邻里,援朋引类,呼之欲出,上至宰相、尚书,下到主簿、教谕,竟达一百多人。而明代,则有"翰林多吉水,朝仕半江西"的说法了。自己就当了相当宰相(参知政事)的欧阳修,在东京的官邸里也曾遥望南天,只见一片俊彩星驰,紫光闪闪,不禁吟哦道:"区区彼江西,其产多才贤"……

利玛窦像是充分注意到了赣地的"文化特区"特色。

既想到中国来传播教化,又想到东方文明里探骊取珠的利玛窦,在广东呆了12年下来的感觉,大概像是一条闷在了河滩上的鱼。这条鱼,心目中,最理想的路线是经赣江、鄱阳湖到长江,游去南京,或者再游过大运河到北京。不知其时有没有《保密法》,当1595年5月里,鱼儿终于翩翩地游到了南京,找到了旧日的好友——原任广东兵备道而现在在某部做侍郎的徐大任时,前者一下明白了,一条西洋鱼,几乎只有一个办法能够在南京呆下来,那便是做成味美的鱼汤。神父不得不退回去了,退到了他的一位学生与好友早就向他推荐的一个城市——南昌。6月底的一天,透过迷蒙的烟云,站在船头的利玛窦喜悦地看到了夕照下美丽的滕王阁。从此,他一气在这座城市里住了三年。

"南昌是江西省的首府,较广州更漂亮,更高尚,出了不少文人,人人有礼,性格也好,房舍美观,街道宽广又直……""四周皆为绿色的平原","它的面积以我的看法较翡冷翠(注:即意大利佛罗伦萨)大两倍,文风极盛,不少文人官吏出生于此"。南昌街头可见许多雕刻的美轮美奂的牌坊,按中国人的习惯,"凡家中有出任高官者,在其诞生地建立牌记"。而此间的牌坊"比比皆是,几乎无空间可以再树了"。(《利玛窦书信集》)

(三)

或许是史书上的一个故事,让朱元璋读得心里怦然一动:

南宋初期,宋高宗、秦桧决意向金乞和。官职并不高的赣人

42

胡铨上书,请斩秦桧等三人的头,称其为"竭民膏而不恤,忘国仇而不报"。宋高宗大怒,以"狂妄凶悖,鼓众劫持"之罪,将其革职流放到岭南、海南岛,长达二十多年。秦桧死后,胡铨结束流放,孝宗即位,才恢复官职。可在朝中又讨论和议时,在场的文学侍从和谏官共十四人,其中一半人主和,近一半人依违两可,持反对议和的唯有他一人。胡铨为社稷民族而半生磨难终身不屈,广为天下所知,他弹劾秦桧的奏疏,江南一带雕版传诵,金朝也偷偷派人来购买,终感大宋有人而不敢轻举妄动。

明太祖获天下后,赣人当给事中的特别多。给事中是专门给皇帝提意见、又被授权监察文武百官的谏官,颇有些像那时专抓"反腐败"的"中纪委"。为此,赣人常被称为有"强项",即脖子硬。朱元璋本是个卸磨杀驴的主,可有时也欢喜在历史的舞台上演几出"一沐而三握发,一饭而三吐哺"的小品,因此让你脖子硬,你就硬,若要你不硬,你的头就得低着。所谓官场,就是一个文人向官僚的转化过程,通俗点说,就是在皇帝老子面前得掌握好的"强项"与低头的尺度。

又是一个赣人的解缙,可谓学富五车,才高八斗,毛泽东的一篇文章中,引用过他的一副对联"墙上芦苇,头重脚轻根底浅;山间竹笋,嘴尖皮厚腹中空"。他十八岁上参加江西乡试,获第一名解元,次年又与长兄、妹夫在京参加会试,同榜登第,一时轰动了京师。当他被授官中书庶吉士,得以侍从于朱元璋左右时,民间传说比一张饭桌高不了多少的他,却毫不萎缩,反而潇洒、自负而又疏狂,以为堂堂大明需要自己如廊柱般站在这里砭弊匡正,没有半点想到自己不过是一出小品里的一件道具!

上任刚一个月,地点在宫里的大庖西室,朱元璋向解缙谈了一会时政后说:"朕与尔义则君臣,恩犹父子,当知无不言。"下去后,解缙当天便写好一封万言封事上呈,他批评朱元璋"用刑太

43

繁",文中为后世创下"国初至今,将二十载,无几时无变之法,无一日无过之人"的名句。解缙又规劝朱不必去读《说苑》、《韵府》一类杂书闲文,应该重用士大夫进行以儒学为核心的修书,以平息一些知识分子们私下"士不为君用"的牢骚云云。

这就是著名的《大庖西室封事》。明太祖对其见识和封事里飞扬的华彩表示了赞赏,同时也在朝廷上树立了一个直言时弊的"劳动模范"。

解缙更想穿皮相之论,作黄钟大吕之声,先是献上字斟句酌煞费苦心的《太平十策》,他以为若要安邦治国,得在诸多方面改弦易辙。这已经犯了一个大忌:是按皇帝的愿望来治理国家,还是按你解缙矮子的面貌来改造朝廷?接着他替工部郎中王国用起草奏疏,为李善长所谓"佐胡惟庸"谋反鸣冤叫屈,此公当年与朱氏同一心,出万死,朱氏得天下后,被封为韩国公。良弓藏,走狗烹,这是人人不说、但人人心里雪亮的事情,他却偏要"哪壶不开提那壶"了。

不久,解缙又代同官夏长文草疏,弹劾其上司都卿史袁泰。大概是因为奠定明朝基业的关键一仗——朱元璋大战陈友谅,是在江西境内打的,明太祖对赣地民间好讼之风有些了解,洪武十五年,他曾命户部榜谕江南,内称:"进来两浙江西之民,多好争讼,不遵法度,有田而不输租,有丁而不应役,累其身以及有司,其愚亦甚矣。"现在这"愚亦甚"的陋习,居然被解缙搬来了朝廷上,他处处代人草疏,事事口诛笔伐,上司不放在眼里,对皇上亦屡加诘问,对现实瞪着一副牛眼,已成了历史尘灰的也要伸进一条腿,无疑即便是对现代的统治者而言,这也多半犯下一个大忌。

为王国用起草的奏疏,真是一篇极为精彩的辩词,在结尾处,他写道:

李善长已死，但"犹愿陛下作戒于将来也。天下孰不日：'功如李善长，今尚如此'，臣恐四方解体也……且臣至疏浅，非不知言出而祸必随之。然耻立于圣朝，而无谏诤之士。"（《解文毅公集》卷一，《代王国用论韩国公事状》）

一个好打抱不平、敢于佛头着粪不惜甘就鼎镬的书生形象，可谓跃然纸上！难怪打"拗相公"王安石起，世人对于赣人的印象中便有了"执拗"一词。

明太祖心里一定七上八下，可终究没有让自己树的这位劳动模范胸前的那朵花开去脑门上，他要解缙随父还乡，"益令进学，后十年来，大用未晚也"。这自然是一张空头支票，可在若干年后，一个机遇居然为他兑现了这张支票：

虽然在这之前，解缙孤凄过，谪贬过，沉默与碌碌无为过，但在史称"靖难之变"即藩王朱棣夺位登极成功后，在南京的仕林里他却有了清白之身，永乐年初成祖成立内阁，阁臣开始参与机务，内阁逐渐成为明朝的权力中枢，解缙以进内阁第一人而名载史册。有几年里，凡"大制作"，皆出自他手。有时半夜他也被叫进宫中，已上床就寝的朱棣赐坐榻前，告以机密重务……

他应该珍惜这远比劳模更高、更实在的地位，在还乡那冷雨敲窗的日子里，他也检讨过自己"率易狂愚，动遭谤毁"。但宛如几百年后一个伟人的眼里——知识分子好像永远不能脱胎换骨，不能得"道"一样，一个浪漫无羁的文人的解缙，总是压倒了一个想谨小慎微做官僚的解缙。他的敢作敢为、好动好说，总像冬日萧条的树枝，在春天的气息里一下浸入水似地膨胀开来：

例如，永乐二年，这届的一甲进士，状元曾棨是永丰人，与解缙有旧。榜眼周述、探花周孟简，既是曾棨的弟子，又是解缙的同乡吉水人。二甲进士的第一名杨相为泰和人，第二名宋子环为吉水人,第三、第四名,加上前面的这五位,即本科前七名进士全出自于江西吉安府。而这一次主考会试,不久又担任廷试读卷官之一的,正是解缙。自然,解缙是否漏题了的狐疑沸沸而来,还有传闻说他在考前便答应了让曾棨夺魁云云。他淡然一笑,对瓜田纳履、李下整冠,全然不放在心上。还有比这更严重的事情——

先是,储位未定,淇国公丘福言汉王有功,宜立。帝密问缙。缙称:"皇太子仁孝,天下归心。"帝不应,缙又顿首曰:"好圣孙。"谓宣宗也。帝颔之。太子遂定,高煦由是深恨缙。(《明史》卷一四七,《解缙传》)

本来这场立嫡之争,与解缙干系不大。皇二子朱高煦长得峻峭彪悍,勇猛善战,在"靖难"中征战有功,且多次解救其父于危难,当时朱棣便向他透支了这番意思。极想拥戴他为皇储的,还有以丘福为首的"靖难"武臣们所形成的一个军人集团。皇太子朱高炽,体胖性仁,有儒雅之风,爱和文人们泡在一起吟风唱月。首劝明成祖立太子为储的是兵部尚书金忠,靖难期间金辅佐太子居守,对其仁厚之心有所感应,此外还有一班文臣,他们强调的是王朝政治里立嫡以长的传统。

对解缙来说,这是一个两难的选择,作为文人才子,他显然不愿效力于一个"秀才遇到兵,有理讲不清"的朝廷;可公开支持太子为储,在逆拂了成祖的凤愿、又开罪了那个因"靖难"而头角峥嵘的军事集团的情况下,便等于为日后的仕途埋下了一筒火药。解缙最终不能不作选择。但他昔日长期遭贬在外地,与高煦、高炽谈不上有多少历史渊源,虽人在中枢,这事上却可暂退几步,待大局明朗后表态,或者做个呢喃几声的鸟儿,在他人的喧嚣里埋没掉，尽量将风险释放到最小的程度。

然而，解缙的表现让史家们目瞪口呆了，当金忠将立储之争一事告诉他时，这事还大抵处在青萍之末、嚆矢之先的时候，已年届不惑的他顿时做了热血青年，其态度之鲜明，其游说之频繁，一下让金忠退居二线，自己则成了高煦、丘福等人梗在喉咙里的骨头，扎进脚板上的鸡眼。后者随之将解缙之议在朝中传播开来，并在成祖面前告了他"泄禁中语"，本来就心境恹恹不快的朱棣，一下发作雷霆之怒……

不仅仅是解缙的境况，历史上很多文人都是这样，一方面指点江山、臧否滔滔，自以为字字珠玑冰释了黑暗，句句剑戟捍卫了公正，真理因之昭然于天下，方圆因之井然于红尘。另一方面，率性而为，胸无城府，有着几分孩童般的可爱，仿佛早上开门见一派清纯晶莹的雪地，谁也舍不得来上面踩上一脚，自以为凭着这单纯与可爱，上帝便注册了自己有不会被人暗算的特权。

其实，他们的良好感觉必须有一个前提，那就是如来佛的巴掌不翻过来。他们的"剑戟"在不断地戳出别人的漏洞之时，多半其不拘的小节，还有沿途那巫师一般狡黠的笑幕，也一路布下了他们一个又一个的漏洞。这些漏洞，暂时还是一地的鸡毛，似乎没有谁想到要捡起来，用去什么正经地方；但那个巴掌一旦翻了过来，这些漏洞，便落叶一样纷纷飘去了他们的身上，既像是一百张嘴，它们再怎么颤动如羽开合似风，也无法将主人推出困顿之境；又像是一副软沓沓瘫在地上的破烂渔网，毫无防御力的他们，说倒就倒了，而第二天的黎明，红彤彤的太阳又升了起来……

解缙先是被赶出内阁，命其主持编撰《永乐大典》。接着，遭贬黜为广西布政司右参议，可能只身一人刚到任上，又被谁暗扫一脚，命他去更偏远的交趾。一年后，他入京奏事，正值明成祖

47

在那雄赳赳军事集团的簇拥下北征,解缙谒见了监国的太子朱高炽后南返交趾。此事很快传到朱高煦耳朵里,他以"私觐太子"有谋反之心向朱棣状告,解缙被投入大狱,开始了长达三年半的缧绁生活。

当年那个意气风发地站在明太祖左右、恃才傲物地走在庙堂中的青年人,恍若隔世了,眼下的解缙,灰白的乱发长裹,深陷的眼睛好似碎了的冷冷玻璃,蜡黄的脸上鼓皮一样绷得紧紧的,全然没有了生命的质感与活气。大概唯有在碰到一样东西的时候,他才像还阳了——野火似的红晕顷刻间跳上了两颊,目光里欶欶地抖动起鼠类的利索与贪婪,这东西便是酒。

关于解缙的死,史述不甚详,但能肯定的是也与酒有关——

十三年(注:指永乐十三年,即 1415 年),锦衣卫纪纲上囚籍。帝见缙姓名曰:缙犹在耶? 纲遂醉缙酒,埋积雪中,立死。(《明史》卷一四七,《解缙传》)

在雪地里冻死的解缙,年仅 47 岁。随后,其家产遭籍没,家属被迁徙辽东。让后人感慨万端的是,彻底地颠覆了解缙命运的那个人,尚不是朱高煦,而是此时还在金銮殿上高坐着的朱棣!

当时的赣人,却不必因为解缙在高层的"路线斗争"中翻了船而脸上灰灰的。永乐初年,和解缙一道被挑选进了内阁的,除了来自浙江永嘉的黄淮、来自福建建安的杨荣之外,还有老家为吉水的胡广、泰和的杨士奇、新干的金幼孜、南昌的胡俨。解缙,和后面四位同乡,时人皆称之为"股肱之臣"。也就是说江西人的影响远远地盖过了外地人,难怪黄淮心里总感觉杯弓蛇影,最终瞅准了火候对解缙落井下石。解缙虽然被打倒在地了,但用个中国老百姓没少用的政治术语来说,"江西帮"还在,其代表人物是杨士奇。

在官场的这所学校里,解缙毕不了业,杨士奇却有博士生导师的资格。

解缙从贬出内阁起,他的老乡还是好友的杨士奇、胡广等人都没有站出来为他讲话,为此整个朝廷上也就一片鸦雀无声。二十二年过后,却是已经年愈古稀的杨士奇,满怀深情为解缙写了一篇十二分褒扬的墓志铭。在对待立谁为储的态度上,解、杨两人的想法一致,可结局则北辙南辕:不怕贼偷,就怕贼惦着,解缙就被朱高煦惦了一辈子;杨士奇讳莫如深,不咸不淡,不热不冷,可一旦真神下界,巧妙地打在了朱高煦的"七寸",既让朱高炽终于得以继位,又替九泉之下的解缙报了一箭之仇,本人终成党国元老得以平安着陆。

在提携同乡上,解缙不见得弄虚作假,可给人的感觉在弄虚作假,而且如巨橡倒林,訇訇声势令人心中为之一颤,似乎他在招降纳叛,终有一日会去炸平庐山;杨士奇则谙熟两手抓,在他执政期间入阁的马愉和曹鼐,一为山东临朐人,一为北直隶宁晋人。可他着力关怀的两个老乡,一位是进士王直,在他去世的前一年被安排做了吏部尚书,相当于今日的中组部部长;另一位是状元陈循,在他去世后补入内阁。按既定方针办的结果,由"江西帮"主持朝政的局面,从永乐初,一直延续到了成化前期,大概是 1404~1468 年左右,前后达六十余年。

解缙彻底获平反,恢复翰林院学士兼右春坊大学士之官衔,已是在死后 175 年了,这时已是万历十八年,即 1590 年。在这前几十年,正是明朝政治全面走向腐败的嘉靖中后期,大厦将倾了,感觉天花板上随时会有什么东西掉下来的官僚们,犹如人类总是通过神话来缅怀自己的童年时代,他们那灰暗而且被压得像一张张照相底片的心,开始怀念起自己走上宦海风浪之前的清新与丰满。历史走过一片浑沌,终于触摸到了那个矮个子赣人的价值。

按说,赣人的脸上又得添上一层山青水绿,可到了这时,快近明末,江西人往昔的风光劲儿已经式微了,一个重要的标志是嘉靖期间严嵩的倒台。在严嵩权势极盛之时,江西籍"高干"们内部的政治格杀也到了白热化的地步,先是分宜人严嵩构陷了贵溪人夏言,夺得内阁首辅,其沉甸甸的分量大概同于今日的国务院总理;接着是夏言的同乡、道士蓝道行,为严嵩设下一圈陷阱。此外,还有一个内阁大学士徐阶,他的籍贯虽是上海华亭,其祖上却是由江西南昌迁来。对严嵩将其提携进了内阁感激涕零的他,在一番少不了的行贿外,又将自己的籍贯改成了江西,以做了严首辅的乡党而自誉。恰恰又是徐阶,让总悬在严嵩头上的达摩克利斯剑,一下落了下来。嘉靖四十三年(1564),在他的指使下,南京御史林润奏本严嵩之子严世蕃通贿僭侈,穿龙凤之衣,又诬其私通倭寇,聚众造反。世宗对严嵩的心理轨迹,经宠信——怀疑,终于走到了震怒,认定其"畏子欺君,大负恩眷"。严嵩因此倒台后,徐阶担任了首辅,他又适时地将自己的籍贯,如同孩子们手里扔的小石子,由赣江边上,灵巧地扔回了长江的出海口!写到此处,我不自禁地想起一根曾举世皆知的扁担,一根在井冈山时期朱德挑粮用过的扁担。

严嵩作为典型的佞臣贪官,正是嘉靖腐败政治丛林里的一束色彩妖冶的毒菇。随着严分宜的倒台,大批赣籍官员受到牵连,江西人从此全面退出中央决策层。但杨士奇埋下的某些种子仍在开花结果——

明初洪武三年,首次定下各省乡试解额,江西和浙江、福建、湖广、山东、山西、河南、陕西一样,均为四十人。过了半个世纪后,到了杨士奇辅佐朱高炽终于登极的洪熙元年,名额重新划定:江西改为五十人,浙江、福建为四十五人,湖广、广东仍维持四十人,河南、陕西则分别减为三十五人和三十人,江西在十三个布政司中位居第一。这一局面,一直维持到明朝结束。

因此,即使在最高层满身伤残的赣人一个个掩面而去的明朝后期,通过科举仍有大批江西士人满面春风,或是颐指气使,去京师及各地赴任。

在明朝赣籍的地方官员中,在百姓中最富盛名的大概是苏州知府况钟了,一出昆剧《十五贯》,使他成了后人处理冤假错案上的一方象征公正的钢青色的镇纸石。名气稍逊的,则有与况钟同在江浙做官、私交也不错的周忱,他执著地推进"田粮改革"后,江浙经济有了迅速的发展。此外,老家宜黄县的谭纶,万历初年靠着内阁首辅、大名鼎鼎的张居正的提携,由一般小吏擢升为总督两广军务兼广西巡抚,以后又总督蓟辽、保定军务,成为与戚继光齐名(史称"谭戚")的抗倭名将。

有的人走了,身影也随之消失;

有的人走了,却给一个朝代投下了长长的身影。

(四)

在宋明两代,直至清初,让志不在庙堂、身居江湖之远的江西人自豪的,大概就是他们自己了。

他们并非不恋家乡的一把热土,可家园一旦"地产窄而生齿繁"时,他们就一往无前地走了。不怕山高水长,天涯海角,颇有些无产阶级的襟怀,楚、闽、粤也好,鲁、豫、川也罢,都不过视为隔壁的邻居。犹如美国西部牛仔们当年搏击于大漠黄沙的坚韧,只要脚踩在地上,就铁了心要在上面凿一汪碗沿大的泉眼,尔后便能在旁边耸起一座林子,引来各色鸣啭的鸟儿。最后的结果是,他们在最遥远或是最为陌生的地方,又崛起了一个故乡。而后来的江西人,如同列宁所说,一个工人凭着一支《国际歌》就能走遍世界一样,他们只要凭着一口乡音,走遍古老神州,处处都能够发现一个故乡。

前文已经提到,江西人最为活跃的地区是两湖,其次为云、贵、川。毗邻江西的福建、两广,明至清初经济相对后进,自成了江西人重要市场。以产武夷茶闻名的建宁府,其茶农、茶工、茶商,几近赣人一手包圆。每年春天,数十万赣人飞蝗一样漫布于武夷山上开垦种茶。广东的主要城市广州、佛山,江西商贾"人数殷繁",吉安布商在此广设粤庄,潮、惠诸州所需棉花、鱼苗等,也赖赣人运进。广西各地,则随处可见来自赣地的药材商和木材商。

明末开始,华东沿海商品经济渐趋活跃,徽商及宁波、绍兴商帮也随之膀粗腰圆,日益坐大。江右商有些惺忪慵倦、力不从心了,竟也像条喝了水的龙一样,昂起头来将自己的触须沿长江周边划了一圈,在江北伸到了盱眙、泗州、南京,在江南伸进苏州、松江,一角余光也不浪费,投去了杭、衢、婺诸府和浙东的大山中,在这里从生铁、药材,到夏日贴身清凉如水的"莲花纱"、以毛竹为原料易写易印刷的毛边纸,都是江西商人或辗转贩运或列铺坐卖的看家货色。

北京是明清时期全国的首都,"今天下财货聚于京师,而半产生于东南,故百工技艺之人亦多出于东南,江右为伙,浙、直次之,闽粤又次之"(明·张瀚:《松窗梦语》)。江西人的身影还出现在东北、西北等边远地区,乃至外邦异域。玉山县人张良舒长年经商沈阳,积资甚富,名闻关外。金溪县人陈文楷在甘肃经商赚了钱后,盖起江西会馆,又在干旱地方推行接泉洒润法,做了不

52

少公益事业。南丰人曾氏，多次进入西藏贩运。抚州商人已深入今缅甸境内。万安县人萧明举，没有护照、绿卡，没有翻译，大概怀中唯一揣的是一颗豹子胆，将其买卖做到了远离国境的满加剌(今孟加拉)。

论财富和规模，江右帮尚不会被徽帮、晋帮放在心上，让后者感到前者隐隐间也成了一个对手的是，江西人经商的诚信之道，在世人中有口皆碑。在江右帮里，世代流传着一些有名有姓的经典故事，以强调不是来自稗官野史。在初春窗外风雨如磐、屋里烧着一盆炭火的小旅店，在秋夜算完账后拿起的水烟筒被如豆的油灯打出的锃亮光泽中，它们像红扑扑的火苗一样明净温暖，像悠悠而去的烟圈一样令人遐想。

我听说了其中的两个。一个是新城人吴大栋，父母死时在生意上欠有别人债务。十几年过去，他在广东经商有了积余，带着财物专程回了家乡一趟。这时债主本人早已去世，其家属不但拿不出当年的借据，甚至就从未听说过这事，吴大栋却坚持偿还了这笔债务。另一个说的是高安县人梁懋竹，有一回同两个朋友一起乘船去做生意。船行至鄱阳湖，遭遇了水盗，持刀强索财产。梁懋竹赶紧掏光了自己身上所携的本钱，又告诉水盗另两位是自己的弟弟。水盗们或许相信，或许为他舍己救人所感，竟不再纠缠，爽快离去。

今日正在经济的高山峡谷中作狼奔豕突的赣人应该记住，我们的历史上曾有过这样的几页——

在一个幅员辽阔，靠着油光水亮、肌腱强韧的北方大马，中枢的命令也得穿越几个月或是几个季节方可到达边陲僻壤的古老帝国里，江西人的活动范围之广，人数之众，经营细胞之盛，世人口碑之好，都是令人叹为观止的。直到十九世纪末期，一位德国地质学家利希霍芬来中国游历、考察，在其一双碧绿的眸子里仍察觉到江右帮的流风余韵：

> 江西人与邻省的湖南人明显不同,几乎没有军事倾向,
> 在小商业方面有很高的天分和偏爱,掌握长江中、下游地区
> 的大部分小商业。湖南人没有商人,而军事思想十分突出。
> 江西则缺乏军事精神,取而代之的是对计算的兴趣和追求
> 利益的念头发达……(〔德〕利希霍芬:《中国:亲身旅行和据
> 此所作的研究成果》)

今天,只要走到大街上,走进任何一家商场里,就会发现:江
西已经被洪水般的广东货、浙江货、上海货给包围了,不要说打
一场地方产品的保卫战,就是来一场心理战线的保卫战,很多人
也早就缴械,他们使用的唯一一件赣货,那就是在浴室里脱光了
衣服后的自己。此外,广东人开的餐馆酒店,浙江人开的时装屋
和烧卤店,四川妹子开的发廊与小吃店……几乎已经构成了一
条城市飞旋的流水线,那上面转着每一天色彩斑斓的日子,并像
生产脱水蔬菜一般,大批量地坚决地将赣地的人们处理得日益
失去赣地的特色。

人们或是熟视无睹,却也许在这平静如秋水的面孔上,深藏
着一副哲人以不变待万变的目光。人们或者喋喋不休地喊着:
江西人的口袋都给外地人掏干了!当然那意思,并不是要谢飞
同志、黄菊同志给我们颁发"最佳消费者奖"。我无意评说这些,
我感兴趣的只是,到底是一种怎样的内敛性,像一股股细麻绳将
日后的赣人捆成了一串串粽子,再也走不出那口铁锅?

亦或一切的文化追问都是徒劳的,历史总是在人生有限的
时间里,给我们展露它偶然性的背影;而在百年不过一串旋涡,
千年也只是一回涨潮的岁月长河中,升腾起的却是历史那被如

鞭风雨雕刻出的粗犷脸腔,这时我们看到的就是它的必然性、因果性了。

是不是当年赣人掏遍了别人的口袋,今天赣人的口袋就只能被别人掏空?

是不是当年我们有过簪缨世族,且有壮士般左牵黄、右擎苍,奔逐于大野之上的意气风发,日后我们就注定要步履蹒跚,脸色凄惶,犹如一个破落户子弟?

暂且还是让我们回到那辉煌的年代中去。

如同"文革"中随着一个个省革命委员会的成立,并没有喝过迷魂汤的亿万中国人,无比真挚无比激动地憬悟着那个全国山河一片红的日子;在那遥远的年代里,五湖四海的江西人,滚着浓浓相思的血脉,都在那些天里饱绽——每年的农历八月一日至十五日。在赣地的民间传说中,东晋宁康二年(374),八月一日这一天,许逊全家几十口人,连同他家的房屋和鸡犬一起升天。这半个月里,刚刚被金色镀亮的秋风中,一个江西与无数个江西,车马纷至,不绝于道,鼓乐喧天,势若潮涌。尔后,都匍伏在万寿宫殿堂上,顶礼膜拜,静默无哗,香烟缭绕,烛光通明……

流布四方的赣人,只要具备了一定的财力,不约而同做起的第一件事情,就是耸起赣人的"广告"。更重要的是,无论大富还是"小康",无论做买卖还是独步于江湖,大抵忘不了赣人的人格神——许真君,都得像在故土一般奉祀他老人家。每当人们生活与生意受挫,或者生活圆满生意昌隆,不必去拜一统天下的观音菩萨了,就可从江西福主镇妖除邪的救世精神中,吸取重整旗鼓、心系苍生的人格力量。自然,这"广告",还得到各地赣籍大员们直接、间接的支持,尽管他们此时官运亨通,炙手可热,可有解缙在前严嵩在后,心里却多半敞亮:宦海浮沉,风云多变,谁都难保不会马失前蹄，再回去吃四两老米。

明朝以来，在京都及各省省会几乎都建有万寿宫，其附属或是另建的江西会馆，更是星罗棋布：

天津的万寿宫，建在闹市区，其规模与南昌的万寿宫不相轩轾。汉口的万寿宫，除正殿、前殿外，还有廊庑、配殿与厢房，是一个布局严谨、错落有致的庞大建筑群，其色彩之富丽，雕刻之精细，为南昌万寿宫所不及，在武汉三镇的建筑群中亦属翘楚。南京的万寿宫，规模也不小，据老人们说，其显著特色是真君塑像端庄凝重，我琢磨它大概就是革命先烈随时准备要去就义的样子。万寿宫毕竟是民间建筑，不像宫廷建筑一定要端着副天王老子的架子，它不拘一格，可以辉煌，亦可以朴素，可以飞甍翘檐于通衢大邑，香火映红一角天空，亦能一身短打深入于广袤山野。如云南省由北向南，直抵滇缅边境，江西人盖起来的万寿宫比比皆是。闽西峰岚如攒的长汀县里也有一座万寿宫，抗日战争时期成了流寄到此的厦门大学的临时校舍。

赣人的"广告"耸得最漂亮的是京畿之地。

据南京大学吕作燮先生统计，明代各省在北京的会馆共有41所，江西则有14所，占了34%。直到清光绪年间，北京有会馆387所，江西仍有51所，还占13%，均为各省之首。它们附设于一座座大小不等的万寿宫，大抵为江西各地商人所建，既为旅外乡人祭祀和开展亲善活动的场所，又是商人以及待仕或者下了台的文人们议事与暂住的地方。

（五）

倘若你有一双慧眼，你就会看到如此多的会馆，犹如水蛭紧贴着水面稳稳不动一样紧贴着煌煌大都，这决不仅是政治、经济

活动与情感寄托的需要,它们深藏着一个历史命定的禅机:

受孕于中原文化的赣文化,当然要亦步亦趋于中原文化,而中原文化的荣枯消长,将最直接地影响到赣文化的荣枯消长。

在一所所人影如梭、常常可见觥筹交错的会馆里,远离故土的人们商量着、忧虑着、欢庆着眼前明晰不过的事情,而唯有各个角落里徘徊的文化的幽灵,在轻轻地叹了一口气前,真正烛照了这一禅机。

赣文化曾经有过的神话里青鸟似的活力,大约是不断混血的结果。数千年前赣地所谓的土著文化,本身就是赣巨人、"黑人"与楚越文化的混血。白云苍狗一番后,如果说赣土著文化是卵子的话,那么向其淋漓射精的就是中原文化了,三次高潮发生在东晋至南宋初年。一是"五胡之乱",晋室衣冠渡江。二是"安史之乱"与黄巢起义。三是"靖康之难"北宋覆灭,宋高宗南渡。每当北方陷于枭雄逐鹿、烽烟蔽日的乱世,好像赣地便成了抗战时期的"陪都"重庆。这时,不但江西人口剧增,如宁都孙氏(孙中山始祖)、南丰陆氏(陆九渊始祖)、婺源朱氏(朱熹始祖)都是在前两次高潮中抵达的;而且随国家经济被迫重心南移,赣地的开发明显得以加快。更为重要的是,赣地北临长江天险,三面群山逶迤,怀抱着广阔的沿江平原和湖滨平原。其长者白眉下似的祥和与持重,其妇人胸乳般的丰沛与静谧,皆让一代代风集影从于此的士大夫们,以及满脸仓猝流亡到此的中原文化,惊魂甫定,大气长舒……

于是,与特征相对完整与鲜明的江浙文化、荆楚文化、蜀文化、齐鲁文化等比起来,赣文化则很像一张因为聚焦出了问题而影像模糊的照片。

语言是传播文化的载体和维系文化的纽带。当我们走到一方异域时,首先感觉到文化顿然发生了转换的标志,便是那犹如瓢泼大雨一样向我们耳朵里灌着的陌生的方言。方言是一辆气浪澎湃的车头,挂上我们的旅程,它跑的地方越远,它所标识的文化疆域便越是辽阔。方言是一杆总在拂荡的旗,离开了这块土地的人们,倘若都一代代聚拢在旗帜下,方言所象征着的文化凝聚就如一堵夯得结结实实的土墙。

你在江西转了一圈后,你的旅程一定充满了"周折",因为那辆车头总是在不停地置换之中,最短的出了南昌到其郊县进贤,只有几十里路。众多的车头,在江西的版图上切割出了语言学界称之为的一个个"方言岛",所谓的赣方言,有些像昔日不过在嘴里喊喊"反攻大陆"的蒋介石先生,从来没有统一诸岛的决心与能力:赣南多属于客家方言区,九江一带多近长江官话区,上饶话里不难听出吴方言的蛛丝马迹,宜春、萍乡人不仅是在极善吃辣中,也在话语口音里,与湘人鄂人心有灵犀。各个"方言岛",大抵都是其原所属方言区在打进了中原文化后的变种。说起来真有些似联合国了,一个省几十种方言,不要说在外地的赣人,就是本地人,从南到北,从东到西,聚拢来开个什么会,第一得张罗的,就是得配备大量的翻译。否则,唯有一个办法——大家都说普通话。

早就有人注意到,江西虽然地处江南,却又不同于江南:

> 江西风土,与江南迥异。江南山水树木,虽美丽而有富贵闺阁气,与吾辈性情不相之夹洽。江西则皆森秀竦插,有超然远举之致。吾谓目中所见山水,当以此为第一。(清·刘继庄:《广阳杂记》)

是不是赣地山水"为第一",见仁见智,不为定见。但一方水土养一方人是当然的,因此我早有感觉,在一般南人、北人的传统区分中,赣人的习性风貌也不是那么明确。

林语堂先生笔下的南人是这样的:"他们习惯于安逸,勤于修养,老于世故,头脑发达,身体退化,喜欢诗歌,喜欢舒适","他们是精明的商人,出色的文学家,战场上的胆小鬼",林先生还尤其说明"他们是晋代末年带着自己的书籍和绘画渡江南下的有教养的中国大家族的后代"(林语堂:《吾国与吾民》),按说这无疑问是赣人的"标准照"了。

此外,余秋雨先生也仿佛在不经意间,传递了他对赣人的一个看法,他在《上海人》一文里写到徐光启"敢将不久前还十分陌生的新知识吸纳进来,并自然地汇入人生"时,如是说道:徐"不像湖北人张居正那样为兴利除弊深谋远虑,不像诗人海瑞那样拼死苦谏,不像江西人汤显祖那样挚情吟唱"。那意味着后者一身该是充满了罗曼蒂克的细胞。

若说赣人习惯于安逸,喜欢舒适,是有赣人满足于"薯丝饭,谷壳火,神仙不如我"的小农经济的日子,但历史上更多的赣人,在"地产窄而生齿繁"的环境下繁衍下来,又流布四方,他们显然是一批敢于与自然和命运角力的家伙。自然也会有将日子过得像五光十色的圣诞树一样光彩而又精致的人家,但多数人家居贫处穷,茹寒嚼苦。关于赣地民俗的俭朴代有记载:民间岁时之宴酒菜不多,"杯饮豆肉",众多的食客却可以吃得很执著,很绵长,"日暮尽欢乃散"。无论大人、孩子,有一身体面的衣服、一双好点的鞋子殊为不易,亲朋间往来走动,孩子去上学,一般都是等出门前才穿上。

若说赣人是精明的商人,战场上的胆小鬼,关于前者,十九世纪末来中国的德国人利希霍芬似乎也有同感。但在此几百年之前,明朝人谢肇淛在比较了当时最有影响的徽商和江右商后认为:"天下推纤啬者,必推新安与江右。然新安多富,而江右多

59

贫者。"在历史的长河里,江右帮终成颓势,出不了胡雪岩那般的豪富巨贾,一个重要的原因便是江右帮里多迂腐之人。

关于后者,一个原是英国海军下级军官后被太平天国运动所感召,投奔了忠王李秀成并为其深入敌后采购武器药品的英国人,名字叫做呤唎,回到英国后写了一本书《太平天国革命亲历记》,内称:太平军的兵士"来自不同的省份,主要来自安徽、江西、湖北、广西、广东,形成了成分十分庞杂的集体。我们所见到的最好的兵士是来自江西的山区",这应该成为一个权威的意见。而且,书中还转引了当时到了南京等地考察的另一位英国人卑治文博士的话:"每次我都发现相貌最好的,全是湖南人或者是由江西山地来的人",也给湘赣两地的渊源,作了某种回应。

若说"汤显祖挚情吟唱",可这份吟唱是在万历年间,严嵩倒台、江西士大夫的影响开始淡出明代政治之后。"临川四梦"尽管在中外戏剧史上如朗月高照,清光无极,可于汤显祖而言,由宦海识时务地转向文坛,内心一定会有几分生不逢时的哀婉。他的转捩预示着日后江西士大夫的归宿,但在这之前,中原文化的大规模南下,带来了原装的儒家传统以及以理制欲的文化密码,在它们的铸造与编程下,赣地的文人们几乎都是正统的儒者,在气质上,与六朝金粉之地的文人明显不同,他们活得颇富使命感,都长着一副"修身、正心、齐家、治国平天下"的脸;可一般来说又都活得很规矩,乃至很刻板。如同古代江西多忠臣、多烈士,它也多道学、多贾宝玉所痛骂的"禄蠹"。如同在赣地的士大夫中,后人听不到唐伯虎点秋香一类的传说,钱牧斋朝夕厮磨于柳如是的故事,当年在舟楫如雨、触舻如城的赣江沿岸,一定也难看到秦淮河上那青楼林立、熏风十里、处处燕啼莺鸣的别景……

当然，天网恢恢，疏而不漏，在一个封建专制的中国，所有的地域文化，即便是受峻岭横锁于北，自幽于岭南，且粤戏萦耳、普洱涤喉、生猛海鲜源源而来的小日子过得挺滋润的广东，也都得受中原文化的辐射与渗透。但与其他地域文化比起来，赣文化于中原文化尚不是一个被辐射、被渗透的问题，两者间在很大程度上是一个承传关系：

中原文化，在江西的青山绿水间，搅出了最完美、成熟的自然经济生产方式，达到了在封建社会中可能达到的最高阶段。

江西处于这样一个位置上：从南北朝以来的一千多年间，江南是中国经济重镇，这一经济重镇建立在以内河航运为主要交通的基础上。江西正处于长江中部，成为南北交通的枢纽。在中国南北的人文地貌里，江西也处于"中部"——既无北方气候的酷寒和干旱，但也少南方诸多地方世风的绮靡与浮荡。三面环山，恰是赣地无时无刻不在张开的一个巨耳，垂听着那跨越长江正面而来的北方的教化。乡民们日出而作，日入而息，彼黍离离，稻香渐渐，且"多聚族而居"。

清乾隆年间作过一次调查，全省有同姓的祠堂八千多个，其中最有代表性的是居于今德安县车桥乡的陈氏宗族。有两件史实，就足以让其成为一座中古文化的富矿了：一件是，中国历史上的第一个书院，便是唐朝时由陈氏宗族办的东佳书院。另一件是，也是打唐代起，这个宗族被众多的皇帝表彰为"义门"。在宋仁宗天圣元年(1023)时，这个宗族已是"聚居二百年，食口两千"，即是说整个宗族没有分家，两千余人在一口大锅里吃饭。宋仁宗一边赐给御笔"忠孝世家"的匾额，一边以难以管理为由下令分家，结果分成了十六支三百家。此后，有众多的支脉流布去了四方，据说四川陈毅、浙江陈立夫与陈果夫的先祖，均出自德安"义门"陈氏。

于是,用儒家农耕思想那双多肉筋虬的手,将小农经济的坚韧性与宗法制度所巩固的血缘承传拧结于一起的生产关系,在一片秀美的山川之间,怎能够不把江西变成宋明两代的粮仓、税仓乃至钱仓?至少可以说,皇朝的小半个屁股坐在了赣地。

中原文化,依仗科举,并依仗因科举与仕途而广为弥散的理学道统,使江西一直对其保持着至为密切的臣隶关系。

颇像是中学里暗恋着一位年轻漂亮的女老师的男孩子,他总会削尖脑袋参加女老师组织的一切活动;江西也总是向威严的北方投去热辣辣的目光,从来都是大一统的积极拥护者。有专家注意到:"这种身分和地位造就了江西灿烂的古代文明主要是近古文明,而这种文明又是中原文明(严格说是中央文明)的延伸和发展。中原兴起科举文化,江西紧紧跟上;中原兴起理学,江西紧紧跟上;中原风靡禅宗,江西也紧紧跟上,而且多有发展。致使中原推翻了皇帝,江西的张勋还要搞复辟……"(方志远:《"摇篮"说》)即便是中原的王朝随落地的皇冠有了更迭,江西在有短暂的恍惚之后,也很快"传檄而定","不劳干戈而向服",兢兢业业地做着与中央保持一致的典型。

似乎能够这样说,当神州大地的政治、文化中心均在中原的皇天后土时,江西成了一块锦缎包裹着的软垫,经济上已经得到深度开发、远比北方繁荣的南方,伏在这块软垫上端恭地叩拜着中原的皇权。

于是,江西历史上的众多辉煌,发生并成熟于一个近古的中国,即一个儒家传统与自然经济的、乡村的中国。

于是,江西历史上曾有过的一切经济、文化、人才的开放,发生并成熟于一个闭塞的中国,即一个几乎没有世界和沿海的概念的中国。

看到过赣江沿岸舟楫如雨、舳舻如城的人们……

做过一个美丽的梦,曾像羽毛一样轻拂于那"色白花青,光致茂美"的"饶玉"上的人们……

曾以为这方地域、这片山水,在未来的旅途上,会有着恢弘的气度,轻捷的活力,云蒸霞蔚的早晨,星斗嵯峨的夜晚。大概极少有人去想过,当这一切关于中国的定语发生了变化之时,江西会如何呢?

三、乡村中国发生的事情

在两次鸦片战争的猛烈炮火下,古老中华坐北朝南、君临天下的政治机制岌岌可危了。中国的被迫的有限开放,却让赣地陷入了几乎全方位的封闭,此后江西日愈深地承传起一个乡村的中国。

(一)

如果说,一方地域、一种文化的衰落,总是由隐至显、由缓至骤、由量至质的话,那么江西以及赣文化衰落的隐性阶段,大约起自于清初。

一个对赣地最不构成"利好"的迹象是,宋明两代气冲霄汉的人才"牛市",一下转换成了活不新鲜死不断气的"熊市"。江西师大历史系许怀林先生据有关资料统计,明清两代全国共有进士 51 624 人,江西为 4 988 人,占总数的 9.65%,大大高于平均水平。但在江西的进士中明代的居多,达到 64%。《明史·列传》中的赣籍人也多,约计 408 名。到了《清史·列传》中,赣籍人只剩下 104 名,而在蔡冠洛编撰的《清代七百名人传》里,被收录的江西名人更少至 23 名,占总数 713 人的 3.23%,排在苏、浙、皖、湘、闽、粤等省之后，位居第九。这意味着入清以来，在中央政权也好，在思想界文学界科技界也好，江西几乎推举不出第一流的人物。

首先看出"江西人文，往昔号称极盛，近稍靡"的，是清康熙雍正年间的一个江西人，名李绂，号穆堂。他十岁能诗，时人视为"神童"，康熙四十七年(1708)，举乡试第一，次年中进士，先后任翰林院编修、内阁学士，当过礼、吏、户、兵、工五部侍郎，又做广西巡抚、直隶总督。他又是一个解缙式的人物。一次，雍正皇帝以为他因乡土观念过甚而混淆了视听，便要杀他的脑袋。在斩首之前，雍正问他：你现在知不知罪？他答道：臣至死也不知罪。出乎满堂文武意料的是，雍正却深深地看了李绂一眼，然后笑道：那好吧，朕免了你的死罪，此后你去给我总撰《八旗通志》吧。该书为清朝一部重要史籍，从努尔哈赤由辽东起兵开始，系统记载了满清的发展沿革、典章制度及风土人物等。

李绂学问广博，对宋明理学有深刻研究。其弟子多是当时的大学者，如浙江的全祖望、江苏的袁枚(自称随园老人)。桐城学派的代表人物方苞虽非其弟子，却在其面前谦恭地执弟子礼。其古文"剪裁浮伪，直达胸膈，无所缘饰"，时人以为"欧(阳修)、曾(巩)代兴"，"腾越百家，而匐耀一代"(《穆堂初稿·黄文隽序》)。李绂可谓是封建时代江西最后一个在全国有广泛影响的人物，遗憾的是，当乐于识贤拔士的他，放眼中国当时的政治舞台与思想文化领域里，竟找不到一个可以与之比肩的同乡。他在《穆堂类稿》等著作中屡屡流露出高处不胜寒之感，并意识到江西开始了飒飒秋风旋旋黄叶中的旅途。他苦心孤诣，很想重现赣地人文盛景，却身单影只，无力回天……

两百多年过去，又一次提出这个问题来的是梁启超先生。

我尚未查到原文，但估计是在其《近代学风之地理的分布》一文中,当写到清乾嘉时期的学术成果与代表人物时,梁先生不由得提出了一个问题:在历史上人文荟萃、涌现过那么多文化精英的江西,为何在入清以来明显凋敝了,表现在乾嘉考据学"淹袭一世"之时,这个学派里竟见不到江西(婺源当时不属江西)一个拔尖的人物?梁先生下面的意思,大概让当今的赣人读了心头都会发酸——那便是,点不出拔尖的人物,我就给你点上几个充其量只有二三流的人物吧,如留下《仙屏书屋诗录》、《仙屏书屋文录》等遗墨林则徐在其面前行弟子之礼的宜黄人黄爵滋,编辑了《汉唐地理书钞》的金溪人王谟,其外甥并略有名气的诗人曾燠等。

清末民初,江西以及赣文化的大面积衰落已是由隐而现了,这个痛苦的再也难以回避的事实,对一般人而言,首先是由倾泄的战火来宣布,由血染的河山来传递的——

1851~1864年里,太平军横扫了江西十二府六十余县的广大地区,成了翼王石达开率领的西征军与曾国藩的湘军作战的主要战场。其中,在吉安,曾国荃久攻不下,曾国藩恐其弟急躁冒进,特地写信劝其要"忍耐谨慎,勉卒此功",强调不必求破城之迟早,"只求全城屠戮,不使一名漏网耳"(《曾国藩全集·家书》)。在南昌,太平军三次轰塌该城城墙,围城九十天而未得;在九江,太平军则坚守六年,终被湘军破城之日,日月无光,双方血战直至肉搏四个钟头之久,一万七千守军将士无一生还……有资料统计,在1853年,赣省尚有人口2 450万人,一场兵燹勾销了数百万人的生命,到了1873年,全省仅有人口1 770万人。

太平军起义后,清廷除收原有税粮外,又实行厘金制,即对过境商货和部分产品设卡抽税以充作军饷,从1860~1864年的四年中,江西共向湘军提供了850万两纹银,相当于这四年湘军全部军费的一半。此外,往往一场恶战过后,曾国藩便以抢掠奸淫三天犒赏部下,南昌、九江等几近空城。南昌近郊的麻丘乡,有一个叫邹树荣的士绅,给后人留下了一本《蔼青诗钞》,记录了湘军在当地的不少劣迹:"拆屋推门墙","公然上妇床","茶饭酒肉任取尝","抢夺民物持刀枪","杀劫之惨如亡羊"……(《太平军在江西史料》)

民间多有湘军官兵来赣一趟便能回去购置房舍地产之说,事实上也正是这样。尤其是湘军的高级将领们,个个腰缠百万,买田千顷,成为当时在全国范围内最豪富的新兴地主:郭松林"置田宅值十万余金",刘坤一家有田万亩,曾国藩的女婿聂辑椝则有田十余万亩。犹如当今一些标榜为"公仆"的人,并不妨碍他将主人口袋里的钱大把大把地装进自己的口袋,一向标榜履薄临深、廉洁自律的曾国藩本人,尽管一再声称"予自三十岁以来,即以做官发财为可耻,以官(宦)囊积金遗子孙为可羞可恨","余三年以来,因位高望重,时时战兢省察"(《曾国藩全集·家书》),也一样家有万亩良田。(李文治编:《中国近代农业史资料》第一、二辑)

镇压太平军战事尘埃落定后,南方诸省税卡陆续裁并,可厘金制却在赣地执行到了民国初年。纷纷林立的税卡,几近要过境去避寒的候鸟也拔下一根毛来。厘本为百分之一,其实却往往收到了百分之四五,若由景德镇运瓷器去上海,一路十八道税卡走下来,税金便交掉了本金的60%。从1870~1908年的38年间,仅厘金一项,清廷便在赣地搜刮去了5 000万两白银。这银子多数充作了军费,但也跑不脱有些在李鸿章的锦袖里转换成了扩建颐和园的开支。当新修好的园子里,处处奇花异草,一片笙歌弦舞,正做着六十大寿的叶赫拉那氏,是听不到远方赣地那被吸血抽髓的剧痛呻吟的。

北伐战争,在江西打出的又是一场场腥风血雨。1926年9月,国民革命军攻克南昌,遭军阀邓如琢反扑,几天后退出南昌。

因其老婆被群众打死,邓率部进城后,下令在全城劫杀三天,"凡青年女子亦杀无赦"。11月,北伐军再度沿赣江包围南昌,军阀守军害怕对方利用城外民房隐蔽,挖地道攻城,竟下令用水龙头喷射火油,将惠民门、章江门、德胜门外一带的民房纵火烧毁,"火光烛天,剥剥烈烈,怨声沸耳","肩摩毂击,堙塞街巷,哭声嘤嘤",百里外可见火光。仅这一次,就烧毁房屋一万多间,烧死一百多人,沿城墙一片包括滕王阁在内,均化为焦土。

谚曰:"一朝干戈动,十年不太平",而赣地远不止一朝干戈,十年乱世。接下来,国共两党在抗战前就打了十年,其中有五次酷烈的围剿与反围剿,"宁可错杀三千,不可放过一个","茅草过火,石头过刀"等口号,就是蒋介石在江西喊出来的。江西成了一只昼伏夜出、善于掘土的犰狳,身上的每道鳞片下,都密布着泥巴屑似的税捐,仅正式列入省财政收入项目的就有:田赋、契税、营业税、船税、屠宰税、典当税、烟酒牌照税、盐附税,税额之重为前所未有。其中至少三分之一,用于所谓"剿匪"。

这块土地上不甘于做缩头乌龟的人物,大多不是跟共产党走了,就是随国民党走了。后者中,比较出名的人物有谷正纲、熊式辉、程天放、桂永清、刘峙、黄维等等。而前者,从赣南于都河上走出去的三十万中央红军,到达陕北时只剩下了三万多人,据说平均下来,在长征走下的每一公里中,都牺牲有一名兴国县人。可以肯定,那沿路倒下的热血身躯终被春泥与夏虫化成了一朵朵无名小花的,绝大部分是赣人。抗战八年中,据国民党江西省军管区征募处1945年冬的统计,江西被应征从戎的子弟达到了1 037 880人,占整个蒋管区应征人数的7.5%,举凡淞沪、台儿庄、武汉、长沙、上高等各次重大战役,无不有江西健儿奋勇杀敌,浴血疆场。此后的三年内战,江西又未能够幸免……

从清末到整个民国时代的近一百年中,除了中间的五十年勉强维持着安定外，江西都是各种主义、各种旗帜以鲜血与性命为草料的大跑马场，都是伟人与枭雄、政客与赌徒、理想与野心、韬晦与疯狂搅和于一起，在地平线上调和出的偌大一片令人心悸的暗红，与沉重得叫人几乎透不过气来的铁灰！

曾国藩在这里打出了一个湘军，经济上可谓激活了一个湘省。蒋经国在这里担任过征兵处长，在他任上每年江西征兵数居全国第一，使之在蒋家王朝的中枢里，身影由蒙胧而逐渐明晰。须眉大气的毛泽东，更在这里指点江山，挥笔如椽，创立了一条以农村包围城市的中国革命胜利的道路。与此同时，暗红与铁灰色的背景中，赣人里却没有出现一个重臣大吏，如湖南的曾国藩，安徽的李鸿章，山西的阎锡山等；或如以枪杆子说话的军阀，到民国初期各地军阀割据时，统治江西的竟是来自遥远北方的直系军阀；或如带领人民走出漫漫长夜的革命领袖。有的，只是万木凋零，百业苍痍，人口由宋元两代的全国第一、明代的全国第二，急遽萎缩为民国二十五年（1936）的区区 1 380 万人，比起隔壁大多是赣移民后代组成的湖南，还少去了三分之一。

看来总想争得某种正统地位的情结，不仅潜伏在大陆这边一些赣人大脑皮层的皱折里，也让一位年已八十的赣籍台胞周仲超先生，心潮跌宕，扼腕唏嘘：

> 是故大陆江西烈士虽占全国 17%，在台江西烈士亦占三分之二，但在大陆并未换得一个元帅，在台湾衮衮诸公之中更无江西人的份。放眼目前军政高层，上将或部长，无一赣人，外交部长章孝严，身分证虽为赣人，但内情复杂，不言而知……我为此事写过很多文字，并向有关当局反映，惜以孤掌难鸣不起作用，不免为其麻木不仁感到沉痛。（周仲超《千余年来赣人赣文化由盛而衰的考证与省思》）

（二）

　　清末民初,在没有战火与硝烟的日子里,江西以及赣文化的明显衰落,则表现于赣地于一个惊心动魄的大时代中的冷清与麻木。

　　发生在 1895 年 4～5 月间的"公车上书"虽然失败了,京师的空气似乎暂时平静了下来,来自十八个省的举人们各自打道回府,但它首次突破了封建统治阶级历来的一个森严的禁网,开创了近代史上知识分子以群众活动的方式议政论政并要求变政的先河。上书的领导人康有为和他的弟子梁启超,他的朋友陈炽、沈曾植等人,仍留在北京。他们醒悟到,光绪皇帝是赞成变法自强的,他却没有办法越过慈禧及李鸿章为首的旧党,向一个岌岌可危的大清王朝作心脏移植手术。他们决意将自己的视线转去一片金瓦红墙的紫禁城外,在各色翎带如雨的官吏中,也在士大夫和科举生员里,发动起强大的社会力量,以推动维新变法。

　　当年 8 月,先在北京成立"强学会",又于上海成立"强学会"分会,"此会所办之事情为五大端:一译东西文书籍,二刊布新报,三开大图书馆,四设博物仪器馆,五建立政治学校。我国之有协会、有学社,自此始也"(梁启超:《戊戌政变记》)。也是在 8 月,在北京创办了《万国公报》,康、梁等人亲自撰文,每日报纸印发一二千份,分送于公卿官宦。随后,有严复在天津办出《国闻报》,黄式宪、梁启超等在上海办出《时务报》,一时风靡海内,举国趋之,如饮狂泉。《时务报》既出后,闻风兴起者益多,各省志士争酿资,合群以讲新学,大率不出强学会宗旨之五大端。"(同上)此后两年内,各省私立之学会、学堂、报馆等,分布于北京三,陕西一,上海九,江苏二,浙江一,福建一,湖南十四,湖北一,广

x

东十一,广西二,海外四,共计四十九个。也就是说,它们在江西的周边地区占到了二十八个,超过总数的一半还强。

在这弥漫于国中士林的灵魂的大痛苦与大躁动中,别说各地康、梁这般奔突狂狷、张空拳以呼号的热血者,就是处卿相之位、此时任湖广总督又代理两江总督,且老谋深算如他老家白洋淀上一久经风雨的老麻雀的张之洞,也瓦缸般破碎了平日里极深的城府。在又一个卖国的《马关条约》签订后的中国,他有了一种痛彻骨髓的忧患:"今日之世变,岂特春秋所未有,抑秦、汉以至元、明所未有也。语其祸,则共工之狂、辛酉之痛,不足喻也。"(《劝学篇·序》)北京"强学会"成立,他一度列名于发起人内。上海"强学会"分会成立,他捐银五千两资助。康有为来南京,二十多天里,他与之隔日一谈,每至夜深。深得朝廷垂青的一方重臣,竟和自由化人物搞在一起,他本人的自由化言论也是极其犯忌的,他告诉康:"天下有党,吾为之魁;天下有魁,吾为之党。"(康有为《与张之洞书》)那意思是说,为了变法维新,咱们得搞一个政党,我可以出面当党的领袖;如果这个党和党的领袖已经有了,我也愿意做名党员云云。尽管日后张之洞又补好了那口缸,与自由化人物划清了界限,但他心中的忧患并没有随之抹去,他仍主张变革,不过得将晚清的变革置于一种中庸的境界。

与此同时,江西境内大抵是平静的,几近方外的一座只闻梵音的古刹。这平静还异常执著,犹如在炎炎赤道线上一群身穿厚厚的兽皮我行我素走着的爱斯基摩人。与宋明两代在诸多领域开学风之先和执牛耳者相反,江西在清朝灭亡之前,没有出过一张类似《时务报》、《国闻报》、《苏报》这样传播维新思想的报纸,没有出过一本类似《海国图志》、《西学东渐记》、《时务论》、《盛世危言》这样介绍、研究西方与西学的书籍。与以上当时产生了巨大反响的著作一样,陈炽的《庸书》、《续富国策》,在外省区一再脱销，多次重版，文化人纷纷以捧读为快事，但在本省却不能出版。

赣人亦如此，海阔凭鱼跃，天高任鸟飞，在总共只有五十名成员的北京、上海的"强学会"里，都有赣人，前者里有陈炽外，还有籍贯萍乡、当着珍妃老师的侍读学士文廷式。后者里有籍贯高安的邹凌翰、籍贯修水的陈三立，他的老子是湖南巡抚并将湖南维新大业弄得风生水起的陈宝箴，他的儿子则是到了二十世纪九十年代恍如白鹤远举，尤让文化人感到其精神高洁与清迈的陈寅恪。本省有些什么人呢？不见康、梁这般的发愤长啸之人，居然在被张之洞兼管了一年零三个月的赣地，也不见张之洞这般的"中庸"人物，士绅圈子里放眼一遍，多的是守缺抱残、诋噪维新的井鸣之蛙……

（三）

颇有几分像一个玩古典魔术的艺人，穿着灰蒙蒙长袍大褂、难为人注意的江西，一不留神，有时也会从那大褂里掏出件什么新玩意来，震撼了国中，或是由此推向了全国。

1862 年（同治元年）3 月 17 日，在南昌本是春雨如帘、春风如酥的日子，城中心的东湖在往日恍若一尾雪鹭银鸥，静静地栖息在桃红柳绿的百花洲畔。这一天却变了，变得像这个城市一百零四年后 8 月底 9 月初的那些"炮打司令部"的日子，手摸一把过去，满街的空气都在发烫……

这一天，街头巷尾贴满了由湖南传过来的驱逐法国天主教士的檄文，退下来的前翰林院检讨夏廷榘，还有正在家休养的在籍甘肃按察史刘于浔等人，按耐住自己一颗狂跳的心，一昼夜便将这檄文翻印出来几万张。大街上脚步如潮，人声鼎沸，有跟着看热闹的市民,有一张张年轻而又涨红似块新鲜猪肝的面孔,多操持着外乡的口音,他们是正来省赶考的各府县的生员。中国人早就在说"不"了,不过这时人们尚不能穿着耐克鞋,吸着万宝路香烟,一边打着摩罗多拉移动电话,一边瞅着西方的传媒说"不"。这等人在前两年说"不",除了"作秀"捞两个钱外,我感觉还有几分羡恨交织下的意淫意味。而莘莘学子们穿青布大衫,踏厚底布鞋,一双双真诚投入的眼睛里,溢动着的是真诚的愤怒,先到筷子巷天主教堂育婴公所,要求进去查验女婴,遭到拒绝后,"万众同心,群相附和",捣毁了几十间教会房屋和由教徒开设的义和酒店、合泰盐店,店里的货物、用具一并砸烂。

接下来的几天,南昌郊区和邻近各县均发生捣毁教堂和教徒财产的事件。南昌街头遍是匿名揭帖,题为《扑灭异端邪教公启》,内称:"倘该国教士胆敢来江西蛊惑,我等居民,数十百万,振臂一呼,同声相应。锄头扁担尽作利兵,白叟黄童悉成劲旅,务将该邪教斩除净尽,不留遗孽。"又对中国教徒,一经发现,号召"不必禀官,公开处死,以为不敬祖宗,甘心从逆者戒"……江西巡抚沈葆桢先是隔岸观火,徐徐吐出胸中长期憋闷的一口鸟气,后又心急如焚,唯恐抱薪救火。他向朝廷报告说:"虽曾晓谕查禁,但不能查出是何人所撰。这种匿名揭帖,愈贴愈多,此处揭去,他处复贴,理谕势禁均无从下手;访问街谈巷议,都说官藉外国威逼小民,人情汹汹,深恐激成变故"。

次年5月,在安庆获得了两江总督的保证和支持的法国传教士罗安当,由清政府派员陪同,27日由九江乘船抵达南昌。船只尚未在滕王阁下码头停稳,江岸向晴空中耸出一面大旗,上书"禁止法夷入城"六个大字。随后石头土块如矢如雨,黑压压地劈将过来,一行人缩在船篷里出不来,来到码头准备接前者去行馆的差官们,也一个个头破血流。坚持了一年多的这场教案,以罗安当被迫退回九江,清政府则赔款一万七千两银子弥补教会损失而结束。

有学者指出:"近代江西有一个引人注目的特点,就是反洋教斗争特别激烈。江西并不是传教士活动最严重的省份,却成为教案最突出的地区,教案发生次数之多,规模之大,居全国之首。"(万振凡《近代赣文化的衰落及其原因》)1862年的"南昌教案"是全国各地爆发最早的教案之一,在赣地则由此发端,至民国初年,共发生与教会的冲突、斗争三百多起。到了1906年,南昌再度爆发教案,起因为法国天主教堂主教王安之要求释放所辖一名教民,并改判两年前宜丰"棠浦教案",南昌知县江召棠不为所动。恼羞成怒之余,前者持一把剪子直刺后者的咽喉,江终因伤重而死。消息传出后,全城激愤,四五万市民自发地在大雨中集合,分头烧毁了教堂四处,包括与此事本无涉的英国救主堂、美国美以美会礼拜堂,除王安之自食其果被扔进了东湖外,法文学校教师、英国教士夫妇及其女儿等不膋于祸从天降,共九名外国人顷刻间死于乱棍与飞石之下。那一天里,南昌满街丢的是菜担、箩筐,就是不见扁担。不但洋人和教徒们魂飞魄散,抱头鼠窜,就连头上戴了"洋帽"、身上穿了"洋衫"的路人,因害怕被视为教徒,也纷纷做了脱壳的金蝉,马路上还满是"洋帽"、"洋衫"……

我想,赣地较之沿海教案频繁发生的一个重要原因是,后者在被传教之外,大抵都是通商口岸,不会是互惠互利,但做着转手生意,当地人总有钱可赚。而且在欧风美雨的长期漂染下,那目光大概便会变得无所谓起来:信教就信教吧,虽然不如佛道两家正宗,好像也不如孔老夫子的"三省吾身"高雅,可哈姆莱特本要杀死他那杀兄夺嫂的叔叔时,见叔叔正做着忏悔,他举着刀子的手便一下软了下来,可见西教只要不是邪教,还是有力量阻止人们死后不滚去地狱的。

在赣地，一度有个口岸九江，但以1890年为例，这一年它的港口贸易总值，低于对岸汉口的六分之一，甚至低于镇江的三分之一。在通商十分有限、空气中难得听到钱币悦耳的叮当声的情况下，被大大凸现了的便只有传教。

这是一把双刃剑。一边，教会深入城镇和乡村后，因一些教士抱有的殖民心态，为急速扩大教会的势力和影响，圈占土地，延揽诉讼，纵容与包庇部分为非作歹的中国教民，乃至草菅人命，这一切，无不与官府的权力、地方士绅的威仪发生严重的冲突。一次，沈葆桢如是说道："天主教则藏污纳垢，无所不为，渊薮逋逃，动与地方官为难。名为传教，实则包藏祸心……"另一边，从万千生员那红卫兵小将般的斗志，退下来或是在家休养的官员们那与烛焰一样狂跳不已的心，还有从手工业工人、菜农到店员、小商人等社会各界的同仇敌忾广泛参与中，可以发现，好像一块烧得通红的铁块被扔进了清水里，所谓的教案中更嘶嘶喷溅着两种文化的冲突——

坚定地信奉老祖宗那"男女授受不亲"陈腐观念的人们，打量着教堂那高耸的尖顶、被彩色玻璃遮挡难以看清里面的窗户，发现平日里总禁卫森严即使是做礼拜之日非教徒也进不去的院门，偏又有男男女女的教民络绎不绝，或者三三两两地进出，人们的脸上便多少会挂上类似梦遗后的那种暧昧之色：他们在幽深的教堂里干些什么呢，如果说是忏悔，一个女子怎么能够和一个非亲非故的男子单独呆在一处呢？人们便感觉初夏教堂院子里飘来的勃勃的广玉兰香气中，还掺和有一股下流的气味。有些人则不会这般形而下，犹如总去树枝高处承接风露的蝉，一对闪亮的眸子总站在高处看问题，正如继沈葆桢之后任江西巡抚的刘坤一所说：

通商不过耗我物产精华,行教则足以变我之人心风俗。

（刘坤一:《刘坤一遗集》）

还有,生下来倘若养不活或是不想养,这女婴便被闷死溺死,倘若下不了手的话,就扔去街头等着有好人家抱走。大概从愚公移山起,子子孙孙挖山不止的同时,子子孙孙也如是地处理这个问题。中国是这样办的,夷邦当然也是这样办的。人们绝对想不到在一百年之后,仅纽约市里就有一千多名来自中国孤儿院的女婴,国内一家颇有影响的晚报上说,自1995年以来,中国已超过俄罗斯和韩国,成为被美国人收养孩子最多的国家。不远万里费钱又费时来中国抱走他们的美国爸爸妈妈们,都在努力给这些孩子一个幸福的童年……

人们看着常常由后门进出、与教堂一样显得有几分神秘的育婴堂,纳闷的是,这些高鼻子的洋人究竟出于何种居心要去拣来、买来这些奄奄一息的女婴? 当有人在教堂附近捡到油膏一块、铜管一根、尸骨一包时,这纳闷便有铁打的答案了:油膏是熬炼婴儿的精血而成,几寸长的铜管用来钩取婴儿的眼睛,那尸骨更是从魔鬼的嘴里吐出来的。于是,人们的愤怒与韧性,绝对也是铁打的了,不会像前两年一片啾啾泡沫一样的“不”,来也匆匆,去也匆匆……

直至民国中期,赣地还在国人的视线里掏出了喧嚣一时的“新生活运动”。

这一年是1934年,几年来蒋介石老住在南昌,因为中国共产党开创的中央苏区在江西,国民党便在南昌设立了围剿苏区的指挥所——南昌行营,一时间,冠盖如云,将星如雨,南昌成了事实上举世关注的政治“特区”、军事“特区”。如同当今不少导演能够在剧中找到风情万种的女主角,却找不到艺术感觉,当年的南昌市民们也没有一种相应的"特区"感觉,这座城市明显有负于蒋委员长的期望:街头人行车驶路线不分,交通秩序很是混乱。驾车上街总像掉进了一个巨大蜂巢的德国顾问们,向蒋建议,由省党部派出有知识的干部,去大街上协助警察指挥交通。这一工作不能要求短期中见效,在缺乏法制与纪律观念的中国人里得长期坚持下去,取得成果后再普及全国。蒋介石本人,则多次坐在小车里看到,马路边人们随意又随地地吐着痰,十几岁的孩子,嘴里老练地叼着一支香烟,云一般地游荡。一些军官和从穿着看该是行营或省府的工作人员,醉眼朦胧,步履踉跄,走出临街的酒店⋯⋯

这年4月,蒋介石的那一口宁波官话里,开始经常冒出来一个词"新生活运动",并核定其精髓为礼、义、廉、耻。他左右的谋士们以杨永泰为首,几经研讨,正式诠释了领袖的思想——"礼是规规矩矩的态度,义是正正当当的行为,廉是清清白白的辨别,耻是切切实实的觉悟。"又起草了《新生活运动纲要》,经蒋审阅后公开发表,蒋还手令各地军政长官:"新生活运动乃民族生命存亡所系,其成败关键,端在各地政府、军队方面等长官能否实行以为断⋯⋯"蒋亲任新生活运动总会会长,宋美龄则做了总会下属的妇女指导委员会会长,以便上行下效,带动起在南昌的党政军要人的夫人们,一起投入到这个运动中来。

1934年的南昌风景线上煞是热闹——

3月中旬,推行新生活运动市民大会在公共体育场举行,省主席熊式辉为大会主席,蒋委员长到会训话。除各行业各单位均必须参加大会,每户至少还要出动一人,使得当时不过二十六万人的一个南昌市,竟有十万人身穿大会规定的青蓝色制服(女学生穿青蓝士林布旗袍),云集在体育场内外。天公却不作美,开会不久便下起了小雨,开始人们尚未发觉什么,委员长那标准军人的挺拔身材,第一回亮相于广大的市民前,蒋夫人那张云鬟下丰满典雅如新月的脸,更是泊住了大片的视线。渐渐地台下有些脑袋凑在一起,私语声越来越响,像是一阵阵浪头打过会场。人们惊谔地发现,从制服上落下来的一串串雨水竟变成了黑色,自己的脚下也不见了三合土,踩着的是一方浑浊的污水……在能避雨的高台上站着的主持者们,发现的只是国民素质太低的又一个事实,大会之后按原计划坚持游行,游了一圈下来的结果,南昌的主要马路上恍然涂上了一片黑漆。

此后,大街小巷、车船码头、戏院茶馆,处处张贴着《新生活须知》,大要有:开会守时,进出会场要鱼贯而行。街道行人车辆靠左,不得拥挤争先。不得随地吐痰,帽要戴正,鞋必拔起,衣必扣齐,不得当街赤膊。妇女不得奇装异服,袒胸露臂。早晨相见,要说:早晨好。酒店菜馆餐具要消毒,宴席连菜汤一起不得超过六个,收价不超过五元。戏院要对号入座,过道不准加位,散场后马上打扫卫生……与此同时,市场上出现搪瓷的新生活徽章,在上海定制每个成本几分,售价为一角,经手此事的市商会,几天中悄悄进账近两千元。诸多商人茅塞顿开,眼泛金光,不断推出印有礼义廉耻、整齐、清洁、朴素等字样的日用商品,如脸盆、茶杯、餐具、汗衫、毛巾、床单。颇受顾客欢迎的,是一种印有一颗巨大新生活徽章的床单,床单铺开在床上,那徽章圆心里"礼义廉耻"四个字,正好垫在了臀部下……

真是难为了蒋委员长,一边运筹党国大政,一边忙着江西"剿匪",还泼出如此多的心血,点点滴滴渗透在国民的身心健康上。新生活运动进行得怎样呢? 有百姓讽刺说:"新生活就怕洋人。"那年夏天,庐山的牯岭街上也刷满了一街的口号、告示,却屡屡可见身上只有胸罩、裤叉的外国女人,像一颗颗白花花的肉体炸弹,肆无忌惮地扔在山道泉边岩下,无声地爆炸在一群群的游客中，令人一个个目眩心惊。山上不少维护治安与风化的宪兵警察，却没有谁敢上前去拆了那炸弹的引信，只能视若不见。于是，国内一些高官的太太小姐们竞相跟进，在民伕抬着进山的藤轿上，一条条擦了粉的大腿高翘云天，一个个抹了蔻丹的脚趾颤颤摇摇，好似绿丛间熟透了的浆果……而此时，蒋夫妇就在庐山上避暑。

其实，新生活也怕国人。自运动开展以来，有那么几天各家菜馆老板的脸上黯然失色，但很快就气定神闲了。在江西大旅社附设的"公余小憩"，以粤味著称的德胜路"大三元酒家"，在闽菜擅长的百花洲"海国春"，以松子鱼做得脍炙人口的臬司前的"松鹤园"……门口男女招待们佩戴新生活徽章，或者绣有"新生活"三个黄字的红肩带，满面春风地引带着络绎不绝进来的各路食客，后者不会再有风诡云谲之感了：不就是盘子不能超过六个、收费不能超过五元吗？或中菜化为西菜，一个盘子里同时盛好几种菜；或一桌化为两桌、三桌，吃起来时大家共吃，结账时则各结各。

倘若想到半个多世纪后，即1989年夏，江西在全国各省市中第一个规定凡公款吃请不得超过四菜一汤，于是有人做出来的菜也是盘中盘，而汤已是甲鱼、鱼翅汤了，你便一定会感喟：无论是在国民党时代，还是在共产党时代，不必去管好别的什么，就是管好自己的一张嘴巴（现在还得加上管好自己的钱包），对某些人来说，也成了一个老大难问题。而他们要搞起"上有政策，下有对策"来，又都是如此地无师自通，那份才情真堪称是"羚羊挂角，无迹可寻"……

如果换成另外一个人，面对这些，早就对给民众们一种新生活万念俱灰了。或许蒋介石看不到这些，"领袖"们常常被俯首帖耳的手下温柔地陷于一个精神"黑洞"之中；或许看到了这些，却益发地坚定其信仰。在他的书案上长年摆着一套《曾文正公全集》，此外，他信奉的人物便首推王阳明了。后者当年在汀赣巡抚、佥都御史任上，以文人之身行武政，多次镇压农民起义，又联络江西各地知府率兵攻取南昌，平息了宁王朱宸濠的叛乱。此公说过的一句话"灭山中贼易，灭心中贼难"，一直被蒋介石奉为圭臬。他大概深谙只有军事上的围剿，没有世风教化之配合，赣地断难根除"赤祸"。而"新生活"之世风，就是要使全体国民的生活"礼以制乱"，"义以除暴"，整齐划一，达到彻底的儒教化与军事化。

这年的6月3日，一身戎装的委员长挽着总给市民们以和蔼笑容的夫人，兴致盎然地参观了新生活运动成果展览会。两天后，他发布手令，将南昌市内的八条大街道——改名，其中两条直到今日也算是主要的街道，被改为"阳明路"和"象山路"。今日的普通市民很少有人知道这"阳明"、"象山"到底是个啥意思，可在六十多年前，即便是黄口小儿也能告诉你，这是王阳明和王学的祖师爷陆九渊，其大号为"象山"……

频频发生的教案，在很大程度上是换汤不换药。

终于风流云散的"新生活运动"，特意贴上了一张新标签，可从骨子里说，也只是陈年老酒装进了一个新瓶。

政治上的评价放置一边，仅就其中的文化意义而言，这条轨迹很长，似乎至少可以画到在此章文末我要写到的"共产主义劳动大学"——看起来江西在大褂下掏出了件什么新玩意，但再仔细瞧，常常不过是在苍白的手里被玩熟了的一只鸟儿。当然这看法还是"似乎"，我能够肯定的是，在清末民初，当中国以工业化为主要内容的现代化进程缓缓地起步，却已经在诸多的地域，风雷一般震荡了河山、撕裂了人心时，江西大抵上是河山依旧，赣人则多是古道之心。

（四）

中国近代现代化进程的一个重要标志是,在其传统社会里,已逐渐分化出一个工商业精英集团,时人称之为"绅商"的阶层。它的成员来自于两部分人:一部分先具备了功名地位,再倡导洋务运动或直接从事工商业,前者有被视为湖南、河北、安徽文化人代表的曾国藩与郭嵩焘、张之洞、李鸿章,他们都是近代中国新的生产方式的积极鼓吹者;后者有郑观应、王韬、徐润、张謇等江浙一带热心创办近代工商业的文人群体,其中最典型的是1894年的光绪甲午科状元,江苏人张謇。

金榜题名的次年,他为了在家乡南通筹建大生纱厂,风尘仆仆,四出招股,在停留上海期间,不忍动用公司有限的资金,他借住在友人家,生活费用全靠写些条幅拿到街上去卖,一时间状元卖字,成为路人围观的沪上一景。经过近两年的颠簸,机器终于装上了,后因缺乏流动资金无法开工,他又去上海请求官府支持,屡有周折,最困难时,白日他坐拥愁城,晚上与两位朋友"徘徊于大马路泥城桥电光之下,仰天俯地,一筹莫展"……(《中国近代工业史资料》第二辑)

再一部分人先具有商人或买办身分,极具有冒险精神,真如马克思所说,倘若有百分之三百的利润,他们就敢冒上断头台的风险。其赌注多押在官僚身上,一旦成功,他们又鱼贯而入于官僚之列,其代表人物首推胡光墉(雪岩)、盛宣怀。前者初为银号商人,因助官军剿太平军有功被授官职,人称"红顶商人"。后者是一只硕大的墨鱼,可能近代已有的一种社会性官商勾结的腐败体系,得以如海水被乌黑了一样在中国漶散开来,与这只墨鱼触须的几乎无限伸展有关。在先后帮助李鸿章、张之洞打理"洋务"过程中,它们遍及了轮船、电力、纺织、冶炼、银行业务,最后在 1908 年,触须集中包紧了由汉阳铁厂、大冶铁矿与萍乡煤矿合并成立的"汉冶萍股份公司",盛自任总经理。在这之前,他已获实授邮传部尚书等高级官衔……

这是一个文人不仅是文人、官僚不仅是官僚、商人也不仅是商人的阶层,他们一旦混合于一体时,就如同蚕蛹变成了蚕蛾,再从蚕茧里破茧而出,完成了一种新的变异,那几近透明的蛾翼,在诠释着功名的美丽的同时,也在诠释着财富的美丽。这是一个如按摩女一样熟谙官场与工商业的神经脉络官感布局、并擅长驾御与回旋其种种奥区的集团,如同他们功名和财富的来源极其复杂,他们于世道人心的作用也极其复杂。从一度风行官场俨然成了为官之鉴的长篇小说《曾国藩》,到前两年几家电视台争着要将胡雪岩搬上屏幕,可以发现对这批人的道德评价迄今还在继续,能够一下说得清楚的是对这批人的历史评价——

这是一个具有新的价值观念和社会态度的集团,在中西文化汇聚激荡的十九世纪下半叶,他们盱衡现今,丈量未来,对于中国迫在眉睫的一场变革会有种种的争议,但他们都不约而同地凭借已有的社会声望与眼下的金钱力量,在那堵爬有阴湿的苔藓、黄梅天还泛出白硝的厚厚高墙里,打造出一条涌满阳光与新鲜的风的工业化通道……

"大地微微暖气吹"。当获得了传统社会里最高科举功名的张謇,在上海街头为资本的筹集、在南通老家为资本的增值而殚精竭虑、手忙脚乱时,这便打出了两个关于社会风气即将发生转变的信号:第一个信号是,渊源于隋唐、至清末凡一千三百年的科举制度,就要被历史的大潮冲刷到海滩上,终将化成一具白森森的鱼骨;第二个信号是,传统社会里被视为"末务"、"贱业"的工商业,犹如一头饥饿而又寒冷的孤狼走出雪谷,爬上了红日初升的阿尔卑斯山脉,即将一跃而为社会发展的驱动力。

流星雨在夜空上射出了一道道夺目的清辉,倘若没有人注意,也就落到了哪里,悄悄地成了寸草不生的陨石。

如此这般的陨石大概掉在了江西。

(五)

无视于第一个信号,近代无数江西学子仍然孜孜追求科举功名,白首场屋,黄灯青卷,不惜终老于牖下。

一个看来颇有喜剧性的事实,仿佛是110年后"老三届"这一代命运的预演:因为"文革",我们被剥夺了上大学的机会。因为"文革"的否定和打不倒的邓小平的第三次崛起,作为当时拨乱反正的重大措施,近百万"老三届"人在七七、七八、七九这三年,极其幸运地考进了大学。只要重走一遍我们曾经有过的心路历程,我们就不难想象:

在太平天国经营江西、科举被迫中断了十年的"蹉跎岁月"里,江西的学子们面色土灰,手足无措,惶惶然如丧家之犬。而一旦太平天国失败,赣地恢复了科举制度,清政府还在政策上予以一系列"补偿",如对一般士子予以增加学额、放宽标准;对因战乱而漏考士子予以补考;对所谓"杀贼立功者","文武举人赏给进士,贡监生员赏给举人"……江西的学子们一个个热泪盈眶,摩拳擦掌,决心要把被"四人帮"耽误了的时光给夺回来。

那时,南昌市内常寄宿有来省应考学子的普贤寺、佑民寺、大安寺和塔下寺内,多见老子勉儿子,妻子慰丈夫,兄长送弟弟,无不有"他年期换骨,辛苦觅金丹"之意。在举行"秋闱"——与在京城举行的"春闱"一样,连考三场每场都是头天大早进场、次日下午出场,前后一共九天——的贡院里,最大限度地密布着一间间几近鸽子笼般大的闱号。闱号中一张张"落卷",犹如雪片似地纷飞进一个个大的纸篓里,很快就满了。清代科举对考生很是负责,考生自己不满意的"落卷",不能随意扔掉,日后要让本人领回去,或者考官们在阅过送上的卷子不中意后,还须到纸篓中翻阅同一考生的"落卷",有可能反倒会对后者中意起来。嘉庆二十一年,林则徐来江西任副主考,有几天他便专门点阅"落卷",得"爱"字二十一号卷,诧为异才,亟拔之……

两者间的情状,又不那么一致。"文革"之初,我们曾经视大学为资产阶级知识分子统治的大染缸,而110年前的学子们对于科举功名,从来就是一个不悔初衷、守身如玉的贞妇烈女。我们是在一场起初浑然不察乃至飞蛾扑火的浩劫中失学的,他们则是在一开始便加以抵制的一次革命里毁了进身的台阶……但不管怎样,结局却有着惊人的相似,在弥漫赣地一个万头攒拥的科举大潮中,仅仅通过咸丰乙卯、戊午、辛酉三科,江西全省被中断了十年左右的乡试学额,统统获得了补齐。

戊戌时期,变科举,兴学堂,为维新变法的重要内容之一。1898年6月23日,废八股谕旨诏告:"自下科始,乡会试及生、童岁科名试,向用四书文者,一律改试策论。"传统文体先获改变的七年之后,1905年9月2日,清廷又上谕宣布:"自丙午科为始,所有乡、会试一律停止。各省岁、科考试亦即停止。"与此同时,新式学堂在全国范围内开始兴办并逐渐兴盛,而近代教育的另一层面——出洋留学,也由涓涓细流,逐渐丰沛为颇具规模的留学运动。

乍看起来,这只是一个旧式教育向近代教育的转换,可守住一个停滞社会的那把铁锈斑驳的大锁,却被深刻地撼动了,变成一晃就得掉渣的酥皮饼。"科举制度的废除和留学运动,表明达到传统文化的既定价值目标所需的工具性连环已经破碎,政治系统与社会精英的传统联系已经割断,传统的读经——科举——仕进的人生正途被堵塞,整个社会的成就取向发生根本改变。"(许纪霖、陈达凯主编:《中国现代化史》第一卷)而唯有新的成就取向指引下脱颖而出的大批新式知识分子,才有可能去首先实行起一方地域由农业文明至工业文明、由乡村文化至城市文化的转换。

早在十九世纪后期,继京师大学堂的创办之后,在全国具有影响的新式学堂还有:上海的广方言馆,浙江的中西学堂,广东的万木学堂,湖南的时务学堂,湖北的自强学堂,福建的东文学堂……在这些新式学堂里,按西方标准重新分类与整理过的知识变得科学而又系统,必然会得到广泛传播,于是"学子合群,辄腾异说,相濡相染,流弊难防"。清政府极为担心"育才之举,转为酿乱之阶",并屡屡下达"整顿"士风诏,但仍然挡不住它们像一棵棵健硕的樱花大树,在春日的和风轻雷中,向各自所处的地域喷溅着新思潮流光溢彩的花雨。而且,这些新式学堂中有不少在日后演变为有着百年历史的著名大学,在今天仍标识着中国高等教育和科学研究的最高水准,犹如有着五百年以上历史的英国牛津、剑桥大学,有着三百年以上历史的美国哈佛大学。到了科举明令废止前后,各省更是纷纷敞开庭院里满是黄叶的贡院,将其改为新式学堂。据梁启超《戊戌政变记》里的不完全统计,全国又设立了19所,而赣地至这时仍无一所。

江西的第一所新式学堂——江西大学堂,姗姗来迟于1902年。好似一个犹抱琵琶半遮面的妇人,说起来是当时江西的最高学府,然而起初羞答答开出的课程:中文、历史、地理、外语、体操、植物等,却大体上是官方当时额定的小学课程。打1905年起,一觉醒来,江西的众多乡间突然发现,往日只需读四书五经的私塾已成了明日黄花之后，应该代之而起的小学，却找不到教材与先生了！乡儒们只能将本乡的人文地貌，最多再加上点看来或是听来的半懂半不懂的动植物、声光电知识，编成一段段可以吟唱的韵文，让孩子们先摇头晃脑地对付着。大概这小学的任务，便暂时只能由集全省之力的大学堂来完成了。

即使是这样，那些课程里也多有偷工减料，所谓"历史者，不过《东洋史要》、《支那史要》诸书而已；地理则本国中等地理教科书、《皇朝舆地全图》而已；英文、东文，则数日不能毕一课"。偷工减料不算，有时还挂羊头卖狗肉，大学堂总办周学铭屡屡指示学生注重《吕氏春秋》、朱陆学说，"皆宜熟读而深思之"。一个姓黄的中文教习吃里扒外，在乡试已近油尽灯枯之时，仍鼓动学生前去投考，可将"洋文、算学、地舆诸课概停止"，只需买"闱墨一本用心研究"……(许怀林、陈剑安：《试论近代江西人才状况的变化及其启示》)

近代教育在赣地起步之艰难的另一佐证，便是出洋留学人数在周边各省区中明显偏少。当时中国主要是向日本派遣留学生，从 1902～1904 年的三年间，全国共向日本派出留学生 4 308 人，其中有湖北 289 人，湖南 210 人，浙江 134 人，江苏 112 人，广东 86 人，安徽 56 人，而江西只有区区 28 人。此后，一边是祖国积贫积弱的耻辱，一边是"明治维新"几近将那狭长的岛国上满布带咸味的石头也孵化成了一个个金蛋的奇迹，更让一批批热血男儿蹈海东去，到了 1908 年，全国赴日的留学生，总计达到了近 6.5 万人，其中来自赣地的尚不到 300 人。

写到这里，心境真像是回到了去年 6 月间一个阴天的日子，我一个人独坐在纽约中央公园的长椅上。天上是一片片淡淡的水墨，公园里满是苍青的大树，在暗香浮动的轻风里簌簌地说着甜言蜜语，天破处，透出几道午后日头的微光……刹那间，我的胸间几乎没来由地溢满了乡愁，那是一种空间的、因而可以归去慰藉的乡愁。而现在，在电脑的键盘上，我一下一下敲出的是另一种时间的、因而无法归去、更无法释怀的乡愁——

对比我早一百年，或者八十年、六十年生下地的赣地学子们，我无法再经历他们有过的生活，除了在史料上宛如沙里淘金般留下来的极少数人，我也无法多讲出一个人的名字。但他们对于我来说，绝非似电线上那些站成一列的麻雀一样与我无甚关系，为着他们，我感到汗颜，我尤为焦虑，我真想随陶渊明、江万里、文天祥、方志敏这些以文章和气节惊动过神州的赣地先贤，一起跑到赣地那广袤的红色丘陵上，向着苍天发出一次《离骚》式的天问：

苍天啊，似目如止水的高僧一样，你到底念出了些什么样的偈语，为何周边地区都在火山爆发般崛起一片片"呼啸山庄"的时候，江西却多半还在儒家文化所提供的生命和生活意义，以及道德伦理法则中老成持重，乐不思蜀？

大概由此后，江西就沦落成了别一种意味的"摇篮"——

江西，依然代有人才出。一种绵长的好读书的传统，再有了近代以来科学的教育方法与内容，那一个个大脑的日见聪明，便如豆荚进入夏季之后一颗颗日愈圆滚滚地成熟。我们仅以一所学校为例：创办于光绪二十五年(1898)的南昌"乐群学堂"，创始者系南昌县月池村人熊元锷。此人师事侯官严复，其堂兄熊育钖也因他的介绍，拜严复为师，并深得严复和陈三立的器重。光绪二十九年，熊元锷获癸卯科乡试第一名，次年即随陈三立去上海筹办南浔铁路，临行前，将"乐群学堂"改名为"南昌熊氏私立心远中学"，请熊育钖代为主持。学校课程以英文、数、理、化为主，并经严复推荐教师来校任教，所教代数、几何、三角、物理、化学等课，均用英文原本讲授。从 1898～1949 年，五十余年里该校高中毕业

87

生近三千人，其中，仅著名的共产党人和民主人士，就有方志敏、张国焘、邹韬奋、夏征农、曾天宇、江宗海等二十余人。

或者，我们可以再看一个位于江西西部的小县——安福，虽难见经传，却一下给现代中国推出了四位名人，除担任过国民党中央宣传部长的彭学沛外，其余三位被人们称为"安福三杰"：罗隆基，1913年小学毕业后，以全省总分第一名考入北平的清华学校（清华大学前身），1921年留学美国攻读政治学，在哥伦比亚大学获得博士学位后，回国先后受聘于光华、南开、西南联合大学等高校教授，并参与中国民主同盟的创建，新中国成立后当选为民盟中央副主席，相当长一个时期与章伯钧一起，成为民盟中央的实际负责人。又历任中央人民政府政务院政务委员、中国人民外交学会副会长、森林工业部部长，还是全国政协第一届至第三届的常务委员。1957年的一场空前却非绝后的政治"阳谋"里，他触礁沉没于一个受毛本人钦点、日后却被证明为莫须有的"章罗同盟"……

另两位，一位是邹韬奋先生这样描述过的"这个胖弟弟的样子生得胖胖白白，和蔼可亲！他的性情又是那样天真烂漫，笃实敦厚"的王造时，抗战初期闻名遐迩的"七君子"中最年轻的"君子"，解放后在复旦大学历史系做着教授；一位是解放前夕被国民党上海警备区司令汤恩伯下令"不择任何手段，予以逮捕"，仅差几分钟，便从藏身的医院里逃了出来，一头栽进新中国的朝霞里，被任命为华东军政委员会文教委员会委员，又担任民盟上海市支部副主任委员、上海市政协常务委员的彭文应。

这三个人的命运，简直像在一个模子里倒出来的，都是小学毕业即进了清华学校，都留学美国，专攻的都是政治学。而且都像是彪悍的顿河哥萨克一样，在旧时代可谓荆天棘地的政治环境里，高举着独立意志之长刀，奔突着自由精神之大马，处处掠起红色的旋风;他们却都中箭落马于新时代那不可测的政治风暴中,一个个悲愤莫名,临终也死不瞑目……

这份星光熠熠的名单,要拉下去还不短:

除了前面已经提起、天下无人不知的国学、史学泰斗陈寅恪,还有中国近代植物分类学的奠基者胡先骕,与叶企孙、严济慈并称为我国物理学界"四大名旦"的饶毓泰、吴有训,中国生物医学工程的奠基人之一、杰出的胸外科专家黄家驷,文学史家、北京大学教授游国恩,词学大师龙榆生,国画大师傅抱石、黄秋园……在八十年代之前,沪上的著名高校里,有四位赣人担任过领导职务,他们是复旦大学党委书记夏征农,交通大学校长程孝刚,戏剧学院院长熊佛西,中医学院院长程门雪。仅我所知,在全国重点大学里尚有八十年代北京师范大学校长王梓坤,刚卸任不久的华中理工大学校长杨叔子。

如果考虑到,现代中国革命战争也是一所伟大而又特殊的学校,她也是培育人才的广阔基地,那么还应该举出的是,在1955～1965年间,中国人民解放军共授将军衔1 604个,全国平均每三个县有两位将军,但将军们的籍贯并不均匀,有的省没有出一位将军,而江西一省就有将军325位,其中上将有萧华、陈其涵、彭绍辉,中将有张国华、王恩茂,以及后来作了林彪死党的邱会作、李作鹏、吴法宪……占全国将军总数的五分之一强,当然地居全国各省之首。在"文革"之前或之后,担任了省部一级高级领导职务的赣人有:内务部长曾山,八机部长陈正人,石油部长余秋里,山东省委第一书记舒同,四川省委第一书记以后又做了西南局第一书记的李井泉,新疆自治区第一书记王恩茂,西藏自治区第一书记张国华,贵州省长李立,上海市委第一书记陈国栋及书记胡立教、夏征农……

历来在我眼里,这份名单与其说是给今天的赣人们提供了

一份轻薄的自豪,不如说更多提供的是一份不无隐痛的思考:

　　名单中的人物,绝大多数都是在走出了故土之后,才拥有了事业的大成就、人生的大境界,或者人格的大气象。换言之,当中国近代以来,无论是政治、经济、文化的华彩高潮,渐行渐远地离开了赣地之后,难以给人才一个施展抱负与才华的大舞台的江西,其仅能为人才的早期成长提供一个"摇篮"的几分无奈,几分萧索荒寒,便让赣文化始终处于一种被挤压的状态,好像哪个角落里一只用剩下的牙膏锡管。当然,靠着一份轻薄的自豪,这锡管似乎也能饱满起来,但只要赣地还是步履蹒跚而无法甩开流星大步,一切有文化意识的赣人便都能摒弃那份轻薄的自豪,并感觉出仅仅充当人才"摇篮"的无奈,正是江西对于历史与现实的众多隐痛中最大的隐痛……

　　无视于第二个信号,众多的赣人还在无奈而又迂腐地经商。

　　所谓无奈,在他们的心目中,商人并不是一个体面的身分,经商只是一种"脱贫"的手段。当他们刚操起算盘时,多少有些良家女子进了青楼第一回把自个儿涂得粉白黛绿的意思。一旦家庭走出了"小康",很快便有了"从良"之意。最想到要做的事情,是为自己或子弟延名师,盖书楼,办书院,指望着能因此跃上龙门,光宗耀祖。现今流坑村一处清代商人旧宅内尚存有一副对联,下联为"读书能存真种子,看后裔接武上青云"。倘若本人已鸡皮鹤发,眼滞视茫,儿子偏偏又不争气,靠读书入仕的可能性失去了,那就以银子去铺成阶梯。要想真实地感知功名的欲望,几近春夜里一条欲火中烧的狗一样在折磨着江右商人,乐安流坑无疑又是一个缩影——

　　在村里近二百幢明清时代民宅的大门上,常可见"儒林郎第"、"登仕郎第"、"大夫第"、"州司马第"一类的匾额,它们一个个凤舞龙飞,多出于宋代江西巡抚及州县的地方长官笔下,给人以漫卷的书卷气;却又一个个架大笔粗,镂金镂银,犹如斑斓的虎头豹脑,令人有持重的压迫感……这些高悬的匾额下,究其实是一个个赝品的贵族。流坑商人多以做竹木生意发家,随即纳财于官府,捐得儒林郎、登仕郎等散秩,同知、千总一类官职或监生、贡生的身分。即便是身分较低的后者,也得捐银百两。如同他们曾拥有的满山满谷的竹木,到头来留下的只是这一方最多百斤的木匾;他们经手过的瀑布般倾泄的哗哗银两,最后变成的也只是给自己与后代的一个无法兑现的面子。

在清代的流坑,这却是一个热门货的面子,据专家统计,如董族文晃公房,清代共计捐监者41人,捐散秩者29人,合计70人,而真正的秀才不过取了22人。董族各房,两者间不成比例的更有,复彦房捐纳三百余人,秀才只有40人,坦然房捐监12人,秀才仅2人。尽管如此,坦然房无比坦然,没有谁会害怕"打假",相反,倒是村中一些屡屡科举不中家里又掏不出银子搭梯的寒士,对此投来几分幽怨、几分仰慕的热光……有资料表明,在太平天国运动之前,江西是以钱财捐来监生最多的省份。

在从朝廷获得了名分以后,江右商人再一个要做的事情,多半会去家族中猎取声望。这便是将自己还有富余的钱献给宗族,去修祠堂、祠庙,续修谱牒,铺路建桥,购置族田族山以有收入支持祭祀活动和资助本族子弟进学。此份热肠,既出自于被坚韧的宗法制度强化了的血缘关系,也不无良苦用心:多少自视为牛溲马勃,深恐于先人牌位前与宗族谱牒中名不正而言不顺,便有了仿腊月二十四过小年给灶王爷供奉糖饼一举,以摆平宗族里那些不屑一顾的灰眼睛,还有那些嫉妒生血的红眼睛。此举还真管用,已有专家发现:"清代流坑族谱有一明显特点,即谱头所存文献(如传记、墓志铭和记序等)多与商人有关,其记一般

91

族众独言生、殁、配、葬而已，而商人事迹则所记甚详，褒语连篇。"（邵鸿：《五百年耕读，五百年农商》）

所谓迂腐，在江右商人里，世代积淀有一套无形的准则。其首要一条大概是，生意中既不要去骗顾客，可也不要为他人所骗。他们的眼里，有些"宁可错杀三千，不可放过一个"的意思：如果有家伙走来向你寒暄，然后热情地给你兜售货源，或是介绍一单什么可获大利的生意，你便尽可以将他当作骗子。他们一般是十两银子就做十两银子的生意，不相信倘若运作得好，资本的增值便是一个神奇的游戏：十两银子能够做出百两银子的生意，或者无需本钱，像玩"空手道"似的，也能做出十两银子乃至更多银子的生意。

现在倒不一定了，在南昌常能听到的一句话是，"拿刀杀猴子"。所谓"杀猴子"，便是宰人之意。在合法经营里挣来的钱，某些商贩们已经不看成钱，唯有去马路上捉几只"猴子"来杀的一类非法、野蛮行径中骗来的钱，捏在他们手里，才有打了一针肾上腺素似的快感……可在一二百年前，倘若做一笔小生意，赣人绝对是大可放心的生意伙伴。要做大生意，则不要去找赣人。否则，两个人间疑云密布外，"井冈山"上，你还常得面对由他发动的"红旗到底能够打多久"的路线斗争……

再有一条，就是生意尽量不要脱出家族的背景。因赣人多为"脱贫"经商，起始资金靠借贷，借贷一般在亲朋邻里间进行。有些家族，还专门设有"生息资"，由各户共同出资为本金，借贷给族人做生意。借贷双方，即便是亲朋之间，均立下字据，规定到时必付出的本金和利息。此所谓"肥水不流外人田"与"亲兄弟，明算账"是也。这一小额借贷的方式，再加上经营管理上也是家族式，必然使得江右帮具有资本分散、行当分散、小商小贾众多的特点，搞竹木的，搞瓷器的，搞药材的，搞纸张的，搞夏布的……各有码头，各自成市，且地域分布辽阔，从赣南到赣北，从赣东到赣西，没有统一的方言。与此恰成对比的是，晋商多从事票号，集中于平谷为中心的几个县；徽商以搞典当和盐业为主，多在古徽州地区，各自有着统一的方言，所从事的行当又比较集中。因此，在规模与团队精神上，江右商要远逊色于前者就是必然的了。

可能还有一条，它表现了江右商人们对金钱的一种独特看法：犹如水满则溢，月满则亏，钱财聚敛到一定火候了，便不是自己的了。其内涵颇为复杂，是知足常乐的达观？是谨慎成性后的预警？是眼红他人时的阿Q式心态平衡？临川李宜民是清雍乾时期江右帮里颇有名气的人物，他就说过："物聚必散，天道然也。且物之聚，愁之丛也。苟不善散，必有非理以散之者。"

丰城熊琴感同身受，打经商赚了几个钱后，最缺的就是睡上一个安稳觉了。他以此话告诫子侄辈，众人漫不经心，还有掩面窃笑者。他随即讲了一个绝非稗官小说的故事，它在江右帮的野史上也堪称一个经典：明代正德年间，瑞昌商人董伯益生意兴隆收益颇丰，赣东北一带几乎尽人皆知。宁王朱宸濠谋反南昌，欲打进南京，路经此地，将其儿子抓去做了人质，须纳金千两充作军费方可放人。董伯益不敢不办，却在此事中悟出一个道理，他对回了家的儿子说："千金活汝，亦几杀汝。"于是，日后尽散家财。于是，熊琴的子侄辈面色凝重起来，个个颔首，深以为是……（范勇：《中国商脉》）

既不追求享受，也不谋取发展。

既没有当豪户巨贾的野心，也没有做豪富巨贾的实力。

做着生意，却表现不出资本经济的活跃个性，要对得起天上的祖宗，要获得地下族人的认同，要盘点生前的生活，要预支死后的声名，一条丰硕的羊腿，就这样变成了一堆模样统一、吃一口还鲜多吃几口便要起腻的羊肉串。

人还在商场上,人还在路上,那遍及大半个中国的万寿宫里,渐渐暗淡下来的香火前,还在叩拜着农耕社会的一个简朴理想,仍在吊祭宋明两代日愈遥远的辉煌。几乎没有一个人听到外面那一声比一声更加有力的枪响,一部写了近千年的中国商帮史被击中了,发黄的纸页大雪似地落了下来,透过纸页上一个个蓄满了生气的弹孔,能看见宁波帮、江苏帮等一副副正蜕皮换骨移向新途的境界……

或遭兵燹火灾,或年久失修,倾圮败坏,万寿宫加快变成嘴巴里只剩最后一颗牙齿的老人。分布于各地的赣人后裔,大把掏钱的日子已成余音袅袅,再有,十几代下来,原本红亮的血脉淡化成了水,就地为籍后,在至多一声不无凄凉的喟叹外,谁还会去为这个老人做点什么呢?据说当今在云南、贵州一些地方尚保留不少万寿宫,可真正被赣人后代作为一个文化认同标志,以此经常开展、组织同乡间联谊活动和慈善事业的,唯有海峡彼岸的台北、高雄万寿宫了。而在其他省区,这个老人早已悄然倒下,好像被搬走的一捆干柴……

万寿宫的命运,便是赣商的命运。

(六)

我们终于看到了,江西的衮衮士林中,即便给谁大哥大、小车、水灵又窈窕得几乎可以插进花瓶里的秘书小姐,也极难走出张謇式的人物;而在江西本土的商人里,哪怕用手枪顶在脖子上,也走不出胡光墉、盛宣怀一类的"大款"。

近代以来,中国以工业化为主要内容的现代化进程,靠的是一种非制度力量的推动,这力量大抵表现于西方文明的影响,和受其充分濡染的绅商阶层对于陈旧的王朝政治、经济体制的改良与腐蚀。赣地既不处于沿海口岸,虽位于赣北的九江一度对外通商,其偏低的贸易份额却不足引美雨欧风进窥江西腹地;而绅商阶层又未能瓜熟蒂落,虽也有一些鼓吹江西工业化的有识之士匆匆来去,如深通西学、有"洋务英才"之称的黄懋材,在本省却如龙游浅滩,无所作为,只有另谋用武之地。文廷式在原籍萍乡集股合资,打算采用新式机器开采煤矿,结果全县士子张贴揭帖,群起攻讦,只能胎死腹中……于是,当周边各省均以极大的热情拥抱工业化之时,江西与工业化的擦臂而过,又是必然的了。

美国经济学家刘易斯有一个著名的观点,那就是十九世纪的最后 25 年是一个非常重要的历史时期,当今世界上工业国与非工业国,现代化国家与非现代化国家的基本格局,就是在这个时期确定的。

大概同一时期,在中国南方陆续出现的工矿企业,俨然成了希腊神话里伊卡洛斯那用蜡做成的双翼,他一飞近太阳,蜡翼就会融化,而要不坠海而死,"伊卡洛斯"们便要避开那太阳——江西:

如新式煤矿全国共开办十六座,其中在湖北有四座,安徽有两座,江苏有一座。新式金属矿全国共开办二十三座,其中湖北四座,安徽、福建、广东各一座。打曾国藩引进西方技术与设备,在安徽建立中国近代历史上第一所军工企业——安庆军械所之后,各地纷纷仿效,全国共有军工企业二十一个,其中江苏、广东各三个,上海、福建各两个,安徽、浙江、湖南、湖北各一个。唯独拥有煤、铜、钨等丰富矿产资源的江西,直到二十世纪初才出现了第一个称得上是近代工矿企业的萍乡煤矿,而且还附属于盛宣怀的"汉冶萍股份公司"。(张国辉:《洋务运动与中国企业》)

有学者粗略地查阅了清代道、咸、同、光四朝江西巡抚们的奏议,从中发现:"除了有关镇压会党、如何征税等之外,几乎没有一个人通盘考虑过如何适应全国的形势,发展江西的工商业。光绪八年,邻省工商业正在蓬勃发展,这时江西地方政府却向光绪上奏,反对江西发展工商,提出江西的田赋漕粮'历朝重视,实为国计之根,而大小可为缓急之序……'认为田赋漕粮应是江西的头等大事,提出要'合官民之力为之'。其他如办企业、发展工商等只不过是'其小而缓者',认为只要'鸠民力治之'就可以了。光绪接奏后'详加批阅',认为可行,从此就定下了江西近代经济发展的基调。"(万振凡:《近代赣文化的衰落及其原因》)

　　对于周边各省出现的越来越多的钢铁怪物在聚嚣,没有半点迫在眉睫的恐惧;

　　对于在一个大时代的激变中再难布下悠然的田园风光,也没有一丝洞烛机先的预感;

　　江西,几乎是在一种类似"安乐死"的状态中,将自身放逐于以工业化为主要内容的现代化进程之外。

　　这一格局的后果,到了1949年解放前夕,便看得很清楚了。以南昌为例,这时全市所谓的民族工业,约有八百多家,涉及到四十个行业,绝大多数都是手工作坊,或半机械化式的手工作坊,仅有几家机械设备的工厂,全市的工人总数约五千人左右。而且,由于通货膨胀,民不聊生,大多数企业不是濒临破产边缘,就是把资金投入到原料或其他紧俏物资的屯积倒卖上……赣地,大抵是从农业社会那一块被千年风雨剥蚀了的青石板上,一步跨进了新中国的门槛。

　　顺便说一件屡屡听到人们说起的往事。七十年代初期,中央大体上决定了将第二汽车制造厂的工程放在江西。江西某位主政者知道后,第一个反应是:这么大一个工程,总有几万人,要吃掉咱们多少粮食？在江西罕见地对北京说了"不"之后，这个工程才放去了与江西一江之隔的湖北。据说，时任国家计委主任的余秋里，在日后来自赣地的人们说起他对故土没有关照时，他总要举出这件事情，言辞间大有恨铁不成钢之意……

论及江西以及赣文化的衰落，无论如何，还不能不提到这样一个日子——1843年11月7日。这一天，在明末清初不过是仅有十几条小巷的蕞尔小邑的上海，正式在中国的近代历史、也在世界的文明史上开埠了。

表层的变化是，只要不是傻子，谁都能看出来，至1865年，上海已占到国家内外贸易总额的近半数，它博大的跳动视之为中国经济的心脏的话，其他的口岸不过成了血管。随着中国贸易中心由广州移至上海，江西境内的那条连接中原与岭南、繁荣了千年的商道，渐渐地成了漫长的封建王朝遗留在这片红土地上的一个黑匣子。在昔日大雪天也蒸腾起一片汗气，而此刻空无一人、只有野兔和田鼠在萧瑟的荒草间悄然出没的大庾岭梅关上，你很容易地就想起了刘禹锡的诗："山围故国周遭在，潮打空城寂寞回"，或是"朱雀桥边野草花，乌衣巷口夕阳斜"……

接着，二十世纪初穿越中国腹地的京广铁路，吝啬得连一串串汽笛声也不舍得让赣地的山水听到；而本省境内的南浔铁路，分别向日本财团和台湾银行各借银款500万两，先后修了八年，虽在1915年开通，却仍未走出境外，不过由省城，通到了长江边上贸易额小得几近毛细血管的九江。但无可否认，正是上海，这个新文明的天之骄子，在中国经济新格局的跑道上，大有舍我者其谁的劲头，率先一对巴掌虎虎生风地掀了过来，将如同一种旧的经济方式一般古老的江西，掀到了江南孤零零的一隅。

要看出深层的变化，便需要一双慧眼。

上海的开埠，还标识着中国另一类新型城市的诞生。不但在经济上还在文化上，唯上海马首是瞻的这类新型城市，有天津、汉口、厦门、福州、宁波、南京、大连、青岛、广州、香港……宛如布满了五颜六色的小灯、彩带和各种小玩意的圣诞树，它们的怀抱里布满了海关、赛马场、博物馆、教堂、招商局、工部局、巡捕房、报馆、洋火枪、八音盒、显微镜、洒水车、电影、电灯、电话、煤气、西餐、舞会、油画、律师、有着美人头像的洋烟、洋纱广告……

还带着罢工、游行、飞行集会，带着喝着咖啡、威士忌，爱吃法国大菜的文人们激烈的民族感情，严厉的道德批判，以及热血志士的胸膛上那被罪恶的枪声绽开的猩红杜鹃。它们绝对是充满了矛盾的城市，集骄傲与屈辱、繁荣与罪恶于一身，在电影和小说里常走过它们最邪恶、放荡的身影，又常燃烧着那在自由竞争和价值原则的激励下最富有进取心的灵魂。然而，正因为这些矛盾的聚涌消长，它们如一个个刚烘制出炉的面包一样，在中国人的眼里展示了一种无比新鲜的特质。这种特质真正使它们从一个乡村中国的身上剥离了出来，它们开始符合起"城市"的本来定义，施本格勒在《西方的没落》一书中如是说道："人类所有的文化都是由城市产生的——世界史就是人类的城市时代史"，我感觉这话说得有点过了，但我相信，世界上任何一种伟大的文化，都是由城市创造的。

与此相映照，在两次鸦片战争的猛烈炮火下，古老中华坐北朝南、君临天下的政治机制岌岌可危了。中国被迫的有限开放，却让赣地陷入了几乎全方位的封闭，此后江西日愈深地承传起一个乡村的中国——

不是说她的怀抱里没有城市，也有，但城市倘若不仅仅是指由水泥、钢铁、玻璃……更有自身眼花缭乱、几无穷尽的欲望削成的街道和谷湾的话，那么在这之中好似激流漩涡一样涌动的社会心理，大约多半只是由宗法关系、血缘关系，再加上自然经济投影下的乡村心理的放大。不是说在她那一片高楼大厦的森林里，永远不会生长起现代物质文明的花果，她也有电灯，灯下却没有新思想光芒毛茸茸地辐射；她虽有几家报纸、电台，却更多地复制他人的声音。少有对话，而"对话是城市生活的最高表现形式之一"（芒德福：《城市发展史》）。更不会有批判，任由城市这头巨兽在日升中天或万斛星光之时，摇晃着两腿，目露讥诮之色，俯看脚下一片为填饱肚皮或是圆满功名而蚁群般涌动的生命。英国诗人王尔德写过这样两句诗："我们都生活在苦难之中/但总有人仰望星空。"可在这里，不管是生活在苦难之中还是幸运之中，已经没有天目慧心去仰望星空了。她的街道和谷湾里，本也潜泳着一尾尾闪亮的银色小鱼，或许它们能够对话，但多半它们的天性和向往是属于大海的，只要有了足够的气力，它们便很快地朝那茫茫风涛的入海口游去……

直到前几年，一位美国研究中国文化问题的硕士生到了南昌之后，她的印象，恰恰与整整四百年前也到南昌的利马窦的印象调了一个头，她问我：怎么街上走着这么多乡下人，难道他们无需种田？

听者可以对此嗤之一鼻，认为这是巴尔扎克笔下所描绘过的巴黎人对外省人的轻意，或者以为这是来自一个超级大国的超级化了的心态。我却知道她深爱着中国，而且藏在她那一头金发下的海蓝色双眸里最大的向往，是去中国卧龙山国家动植物保护区照料熊猫，或是进联合国难民救济署，去非洲、前南斯拉夫地区，抢救那些在战火与饥馑里奄奄一息的妇女儿童……她的话当时让我好一阵思索，窃以为在她这脱口而出的印象中，是否蕴藉着一个锐利如锋的文化评判——

不妨想想，每年高考，屡屡见我们的孩子考取了北大、清华、科大、复旦、交大，仅南昌市这些年每年考入全国重点大学的就有 1 200～1 300 人,但每年毕业后被分配回来的只有 240～280 人,仅高考一项,全市每年流失人才一千余人。即便是回来了的,多数魂也没能回来,几乎椅子还未坐热,就想着要去和魂儿团圆。再有,遍及各个行业的不少出类拔萃者,已经或正在转着念头,要向沿海地区进行"胜利大逃亡"……

可在这同时,是些什么人,一边搬来林林总总的行装,一边扛着些什么样的观念、习俗,在不断地膨胀着城市的户口,并且不抽烟的买上几条"三五"、"中华",不喝酒的拎着几瓶"五粮液"、"人头马",按照南昌话里"造角"之说(所谓"造角",即打通关系,没有总角之交,那就造出一只角来,南昌话里颇多语汇的形象性由此可见一斑),被安排进了一个个已超编或尚未超编的单位……

城市,绝对和某种文化签订了一份无纸的契约。考核这种文化的属性有诸多指数,但其中最重要的是知识化的程度。要预测一个国家、一座城市的前途是日升中天,还是日下江河,只要看看这个国家、城市的人们的知识化水准,或是知识在与权力、金钱的排列中,列于什么位置,就一清二楚了。

(七)

可以给你讲一件大约只能发生在乡村中国的事情,以作为本章的结束。

1934 年夏,一日,蒋介石与国民党江西省主席熊式辉同游庐山秀峰,眼下一片苍天寂地,幽丽绝伦,蒋公兴致大发,脱口而出:此处最宜讲学,是办大学的好处所。熊式辉即建议,由江西来办这所大学,可定名为"中正大学",以满足桑梓父老亟盼有一所综合性大学的夙愿。此议当时便获得了蒋公的"嘉纳"。

1936年,蒋介石拨款100万元,作为创办基金。次年爆发"七七事变",此计划被迫搁置。1939年3月,南昌沦陷,此后大批专家学者和青年学生从东南各省沦陷区涌入赣中、赣南,客观上为在江西创办大学准备了师资和生源。熊式辉再提旧议,于8月底邀请邱椿、许德珩、罗隆基、王造时、雷洁琼等著名学者组成"正大"筹备委员会。成立计划蒙蒋核准,又增拨基金100万元,"饬速成立"。1940年4月,国民党行政院会议决定,将"正大"由计划中的省立改为国立,直属教育部领导。同年10月1日,国民政府任命的校长,早年留学美国获哈佛大学博士,回国后任国立东南大学生物系主任、国家静生生物调查所所长等职务的胡先骕教授(江西新建县人)到职。31日,"正大"正式在国民党江西省政府的流亡所在地——泰和县杏岭成立,蒋介石和陈立夫发来贺电。

由于经费充裕,蒋公原拨200万元作为"正大"基金存入银行分文未动,另外每年尚拨有经常费与临时费,在1941年,前者为76.6万元,后者为60万元,又拨美金2万元在国外购买图书仪器。再加胡校长呕心沥血,谋划有方,在他任期的四年里,"正大"在教学、学术研究及硬件建设上,都获得了长足的发展,很快跻身为东南地区的知名学府。抗战胜利后,"正大"本拟按原议迁往庐山,终因交通、校舍等方面的困难,迁来了南昌。1949年8月,"正大"更名为国立南昌大学。

1952~1953年,全国高等学校进行大规模院系调整。南昌大学分别向武汉大学、中山大学、华中工学院、中南土木建筑学院、中南矿冶学院、华南工学院、中南体育学院、湖南师范学院、中南财经学院、华南师范学院等院校,分三批调出学生1 300余人,教师159人,其中,正教授65人,副教授46人。得注意,五十年代之初的高级职称,可不像今天这样,随便在校园里碰到个下巴上长了胡茬的人,不是教授,也是副教授,如同校园外满世界都在派发着的名片上,几乎不是总裁,也是经理。这样两组数字,即便是摊在今天的北京大学、清华大学,也非得叫它们大口出血,一下晕眩了不可!

俨然股民们看见低迷了多时的股市终于拉出了一根大大的阳线,领导者们的心情一定不错,或许回到家还会呷上两口老酒。有关的评价是"江西从大局出发,为全国、特别是为华中、华南地区的教育科学事业的发展作出了重大贡献"(《江西师范大学简介》)。殊不知在命运的轮盘赌边,一输,输走了几十年的光阴:好容易才将近代以来教育的差距给补上的江西,却因此而拆胳膊卸腿,大伤了元气。堂堂的一所国立综合性大学,仅变成一个地方师范学院,已有的人才星散外,未来的人才也留不住了……

1958年8月1日,江西共产主义劳动大学总校和附设在全省各个垦殖场的30所分校正式开学。在那个充满了乌托邦幻觉与呓语的年代,自然也有让天下工农子弟都走进学堂的善良愿望,在江西,有不少人是如此来理解与阐述这一天在中国教育史上的革命性意义:何谓"大学"?"大学就是大家来学"。何谓"共产主义劳动大学",办在山区,办在田间,办在农民的家门口,"江西有多大,共大有多大","整个江西都是我们的教学基地",是一所最群众化、也最革命化的大学。中国的教育史上,从未见过这样的大学,不少分校里教师奇缺,但没有关系,"上课了就有,不上课就没有。教员可以选举,主席可以选,教员为什么不可以选呢?"有学生就会有老师,学生中会劳动的教不会劳动的,这便是能者为师。此外,"世界上最老最有名的专家是农民,只有农民才能种出稻子来。农民群众是共大用之不尽、且无需发薪水的老师"。一些分校学生上课没有教材,却一样能排出课

102

程:组织学生上山砍毛竹,毛竹砍下来,又一根一根地扛下山,这门课就上完了,名曰"毛竹砍伐运输学"……在"共大",简单劳动的技术和经验,被当成高深的学问而倍受崇拜;真正科学、系统化的专门知识,却不时被视为影片《决裂》中"马尾巴的功能"而被嗤之以鼻。

想想井冈山斗争时,被选上了特委书记的陈正人又被拿掉,还有在反"AB团"的整肃狂潮中,如康克清所说只要你胸前插了一支钢笔,就被视为知识分子,而知识分子必定遭受迫害……一块原本崇尚文化和尊敬读书人的土地,似乎被一场狂飙突进的红色革命给高度意识形态化了,"谁打击贫农,谁就是打击革命",农民及乡村生活的经验得到了极大的高扬;与此同时,"高贵者最愚蠢,卑贱者最聪明",又将知识和知识分子,以及城市文明,始终贬到了来历可疑乃至面目可憎的境地……

这一在"共产主义"的招牌下却弥漫着民粹主义那久远气息的"大学",如其学员"社来社去",其分校不过几年间便纷纷作鸟兽散了。总校则是在中国人的政治激情渐渐到了枯水季节之后,努力向正规院校靠拢,除专科之外,还开设了本科,并由国家分配工作。粉碎"四人帮"之初,大概是因为毛泽东曾在它成立三周年时写过一封表示祝贺的信:"你们的事业,我是完全赞成的……我希望不但在江西有这样的学校,各地也应有这样的学校",共大总校被列入了国家重点大学之列。时代风气为之一变,"两个凡是"灰头垢面之后,共大总校也成了泥牛入海。今天,就是查阅八十年代编撰的《江西通观》一类权威的地方志(人民日报出版社1986年出版),也查不到"江西共产主义劳动大学",恍若它只是一个梦魇,根本没有在这块红土地上存在过……

八十年代以后,改革开放中的江西,因为不得不涉过一个"四无"(无重点大学,无学部委员,无博士点,无博士生导师)的大沼泽,正是一个在各省区人才与教育的竞争中倍感吃力的江西。九十年代初,江西省委、省政府决心不计一切代价,花大力气,搞大投入,在原江西大学和江西工业大学的基础上,创建一所文理工学科齐全、既有国内高水准又服务于江西经济文化建设的综合性大学,即新的南昌大学。1994年5月4日,南昌大学正式挂牌,并延聘籍贯江西瑞昌的著名科学家、中国科学院院士、清华大学教授潘际銮为校长。几年过去,在全校师生的共同努力下,全校的教学、科研、管理大踏步地前进。在全国省属高校中,第一个通过国家教委的"211"工程的验收,终于将那个"四无"的大沼泽,结束于乡村中国的历史。

有位领导同志说过这样一句话:"办好南昌大学很重要,二十年三十年以后,会越来越看到这件事的重要。"

我亦深以为是。这是往日后看,但倘若往以前看呢,在嘴里泛起几分野菜似的苦涩的同时,我不自禁地想起一支流行歌曲《驿动的心》里的两句词——

> 到今天,我才发现
> 从终点又回到了起点……

四、一面做了150年的镜子

　　明朝嘉靖万历后开始的江西及赣文化的衰落,恰恰同时伴生着江浙沿海沿江一带资本主义萌芽的兴起与实学思潮的涌动。然而,后者并没有在中国普遍成长开来,从而引起新的生产力与新的生产关系的巨变;倒是赣地成了整个中国衰落的先兆。

(一)

　　近代以来,江西之所以滞后,在其他的因素外,还有一个重要的因素,那就是未能进行一次人文环境的大廓清。

　　江西的人文环境,在很长的时间里,是与古代中国的要求相契合的。俨然一片颜色深似铁的虬曲老藤,紧缠着中国社会并深入于中国人灵魂的宋明理学,几乎通体都被打上了赣地的烙印。中国历史上的大多数理学家们,都是在江西的鹃声雨梦里成就着他们岸然的道貌——

　　宋明理学,原称道学,《宋史》中即有《道学传》。其序里说,两汉以来,"得圣贤不传之学"的道学开山鼻祖,首推周敦颐。他虽是湘人,一生中的大部分岁月却在江西出仕,先后当过分宁主

105

簿、南安军司理参军、南昌知县、虔州通判,最后任南康军(今星子、都昌等三县)知军,终老于庐山莲花峰下,并凿池种莲,著有《爱莲说》。又建濂溪书院,看来他是真欢喜上了这片青山绿水,二十世纪八十年代曾在书院遗址里出土了一块碑石,为他后人所刻,却提到了他当年的一个交代:"余之子孙,世代为江州人氏。"

周敦颐的承传弟子,是河南人程颢、程颐两兄弟,后者的父亲曾在虔州(今赣南赣县、兴国等十县)任上,与周交谈,"知其为学知道,因与为友,使二子颢、颐往受业焉"。一百余年后,一个叫朱熹的江西婺源人,于南康军任上,也在这莲花峰下一片"濯清涟而不妖"的花影里神交了周敦颐,又获程氏真传。他其实并不心境恬淡,倒是一个头上长角、身上长了刺的人物,在南康军和随后的其他地方官任上,不断地对朝纲提出批评,在其所历仕的四朝里总有大大小小的纠葛发生,要不冒犯了皇帝,要不得罪了重臣。美籍华裔历史学家黄仁宇先生评价到:

> 十二世纪至十三世纪之交,中国面临着一段艰苦的局面:一个庞大而没有特长的官僚机构,无从掌握一个日趋繁复而多变动的社会,在全面动员长期预算膨胀下,南宋已经险象环生。而以财政上之紊乱为尤著。朱熹指出这些弱点非不真切,同时他做地方官的记录,也证明环境需要他破除陈规,以便对专门问题,找到合适的解决。他不强调这些技术上的因素,而偏在半神学半哲学的领域里做文章,因此产生很多不良的影响。(《赫逊河畔谈中国历史》)

最终落得罢官回家、凄凉死后连宗祠也不让进的朱熹,在死后的第二十四年(即公元 1224 年),紧接理宗赵昀登基之后,却

106

也一步登堂入室了，一个寂寞的亡灵，一下做了文庙里又一尊红光满面的菩萨。南宋此刻，更是烛影斧声，距大归的日子可谓一箭之遥，赵昀对朱熹昔日的批评丝毫没有反应，但从历史的尘埃里拣起他的那一套半神学半哲学的东西，欣喜若狂，如拥天宪，将其追赠为太师外，还长叹曰："恨不与之同时"。由此，孔子与弟子们的那些语录式的对话，经过两程和朱熹的阐述与发挥，成了网罗大千世道的正统儒学。

元朝，蒙古人马上得天下。可那一身散发出羊膻味的彪悍劲儿，怎么也拢不了普天下汉士子的心。一个名叫程巨夫的江西人，上书元世祖忽必烈，劝其重用江南士子。果然是一条汉子的忽必烈，在贵族的一片反对声中说："汝未用南人，何以知南人不可用！自今省部台院，必参用南人。"（《元史》卷一百七十二，《程巨夫传》）当即受到重用的程巨夫，又荐举了更多的江南士子得到任用。他们心有灵犀，第一想做的，便是不能让已经有数百年历史的科举制度，在蒙古人的马蹄下断了香火。终于恢复科举后，程巨夫受命起草诏书。这是一个名气不怎么响亮，可其历史作用无论从哪边看都十分重要的江西人：他既为一个异族的王朝"保驾护航"，又为在异族统治下的汉民族传统文化的核心部分"保驾护航"。在诏书上，他写明：考试专以《大学》、《中庸》、《论语》、《孟子》等内容出题，而答案则以朱熹的有关注疏为标准。于是，随着"四书"、"五经"及朱熹集注正式成为中国读书人的必修科目，儒学彻底进入了人们的日常生活和思想意识之中。此后，朱熹俯瞰着高照的香火下那一代代迤逦而来的士子们，冥冥之中将他们的血肉与精神统统投入到一个公司的股份中去，而他本人出任着这个无限公司的董事长……

赣地是程朱理学的渊薮，又是阳明心学的故园，后者的宗师是与朱熹同时代的江西金溪人陆九渊。如果说朱熹这家公司，挂的招牌是理学中的客观唯心学派,那么陆九渊的公司,挂的则是理学中的主观唯心学派。淳熙三年(1176),在信州(今上饶)鹅湖书院,两者间曾有过一场轰动一时的论战:朱熹宣扬"格物致知",天下万物各有其理,一物不格便缺一物道理,格物既可"格"大自然的一草一木,比如在其春日欣欣向荣中"格"出一派盎然生机,由此感知仁爱之"仁",亦要读书穷理,书也是物,"格"此物便是与圣贤交谈,恭听天理;陆九渊则以为尧舜禹三代圣贤辈出,民风醇厚,那时无书可读,可见"此心此理,我固有之,所谓万物皆备于我",他注重发明本心、慎独、静坐冥思,只要以道制欲,去欲明理,"保吾心之良",不必读书,"人皆可为尧舜"。

似乎一向外,一向内。如同前者气定神闲地端坐在文庙里,却远不如孔子他老人家那样注重身体力行,朱熹在所格之物中究竟能够"格"出些什么,实际上还是唯心的;而以为后者真不读书也是皮相之论,陆九渊本人所办的象山书院规模宏大,不但前后有上千弟子跟随他,堪称当时的北大、清华,而且考中了进士的也很多,要奔科举而去,就不可能不读书。据史料载,陆九渊去世后主持象山书院的是其学生彭世高,他便下山为书院买书,并造访朱熹,向其求书。其实,两家公司倒腾的,都是一种精神领域里的畅销货——理学,早在他们那个时代便有人看出,朱陆之同远大于两者之异,"同于扶纲常,同于别义利,同于修己治人,同于爱君忧国"(宋·吴子良:《三先生祠记》,见光绪《江西通志》卷七十三)。

明代中期的正德年间,即1516年,浙江余姚人王阳明两手都没能够闲着,一手是武的,面对当地统治者闻风丧胆,乃至有巡抚之职也不敢赴任的赣南农民大起义,武宗授他为右都御史、巡抚南赣汀漳,有提督赣南、闽西、粤北等八府一州的军务大权,他威风凛凛,身先士卒,在两个多月里拿下八十余处险拔的山寨,五千多被杀被俘者的鲜血,如章水、贡水一般顿时漫过赣南的大地,这场延续数年、盘踞千里的起义终于得以平息。一手则是文的,踌躇满志的王阳明,以自己眩目的战绩,在赣地迅速地完善并推开其心学哲学,将理学提领到了高峰,一时间在他的麾下,犹如姑娘在嗑着瓜子,一个个大大小小的理学家,瓜子仁一般纷纷从江西各地跳了出来:

崇仁的吴与弼,余干的胡居仁,泰和的罗钦顺,安福的邹守益,永新的颜钧,吉水的罗洪先,永丰的罗伦、何心隐……他们的著述极为广博,据光绪《江西通志》之《经部》里的统计,明代有关《易》、《书》、《诗》、《礼》、《春秋》的注疏有 489 种,有关《孝经》、《五经总义》、《四书》、《乐》、《小学》的注疏有 223 种。赣地几乎成了心学的一统天下,直到清代仍有心学之余波,如明亡之后隐居翠微山中讲学躬耕、修身养性的"易堂九子"。

在"存天理,灭人欲"上,心学当然集朱陆之大成。但在唯心程度上,如果说陆比朱"左",那么王阳明比起陆来,还要更"左"。"唯心"并不一定就是个贬义词,陆九渊有一名言:"若某则识一个字,亦须还我堂堂地做个人!"又诗云:"仰首攀南斗,翻身倚北辰,举头天外望,无我这般人。"无不展示了昂扬大气的主观世界下一种洁身高远的人格气象。王阳明更是强调要保持意志的无比坚强,则必须将人的主观能动性推至极处。日后王学传到日本,与那个岛国本土的神道教混在一起,成了以菊花和刀为标志的武士道的精神源头之一………

王学最致命的是,在明后期,其禅宗化大大加深,而江西正是禅宗的大本营。自六世祖慧能(638～713)以顿悟对传统禅学进行脱胎换骨以来,禅宗的五家七宗里,赣地占了大部分——沩仰宗(湖南宁乡的沩山,江西宜春的仰山),曹洞宗(临川的曹山,宜丰的洞山),临济宗(祖庭在宜丰黄檗山),杨岐宗(萍乡的杨岐山),黄龙宗(修水的黄龙山)以及青原宗(吉安的青原山)。慧能一条有名的偈语是"菩提本无树,明镜亦非台,本来无一物,何处惹尘埃",或者干脆是他的一句话:风吹幡动,不过是人心在动,便叫无数个血肉身躯,用一袭深色的僧衣断了诸缘,收掇起万念,在江西的环山幽翠间将尘世与人生看空!在禅宗的濡染下,王学日益走向了空虚、贫乏和简陋的绝境,如果说在这之前,它还有些修己治人的实学因素,可在这之后,它大抵上已经被半是玄说、半是臆语的空言所取代。

变儒教为道学的程朱学派,与南禅化了的陆王学派,相依又相折为宋明理学的背影。很长的历史时期里,这个在江西的山川精气间逶巡、在赣地的人文环境中婆娑的背影,如果可能勾勒的话,既能引热血男儿"生当做人杰,死亦为鬼雄",吼一阕铜琶铁板唱大江,又能让更多的男人活得纸一样苍白、风一样空洞、乃至鼠一样猥琐与贪婪;既能升华你燃烧你造化你成就你,又能麻木你痴迷你梦幻你毁灭你,它大约该是属于一位年轻的女子,其肤色白皙,蜂一般的黑眸,深邃、热辣而又湿润,体态弱柳扶风,身上的绮罗氤氲出一片奢华与暧昧的气息。这美,美得羸弱,美得阴柔,也美得狐疑。这份狐疑,直到1994年,一批知识分子发动"赣文化"的讨论后,才有人比较集中将它拿出来抖一抖,去六月的阳光下晒一晒……

(二)

宋明理学中,至少有以下几点值得条分缕析——

所谓正统性。

理学之正统,即是以儒学精神为主体,它十分强调传统儒者的生命价值:"修身、正心、齐家、治国、平天下"。十分推崇正道直行、任重道远、死而后已的儒家理想化人格。自然,这两者都以中原文化的认同为原则。唐以来,尤其是入宋后,一代又一代赣籍知识分子,晏殊、欧阳修、曾巩、王安石、黄庭坚……擅长诗文,才华横溢,不但是中国思想史、文学史上的重要人物,且以安邦济世的巨大热情,成了北宋政坛上的重臣大吏。其中王安石,因其"天变不足畏,祖宗不足法,人言不足恤"的昂扬精神,被列宁称之为"中国十一世纪的改革家"。而在国难当头、民族危亡之际,他们又以斐然的文采,化作直冲牛斗的剑光,以读书人悠然的采菊东篱,化作英雄侠客登高一呼的黄钟大吕,更成了赣地士风的主旋律。

穿过七百年历史的烟云,在那面已被战火撕成破絮一样的旌旗下,我们看见了一支冷兵器大多被打得卷曲了的队伍。走在前面的,总是曾经头上戴着方巾的江西书生们:洪皓、胡铨、谢枋得、文天祥、刘辰翁……每一个名字,其实都是汗青上的一颗星辰,但国人家喻户晓记住的,唯有文天祥。

南宋开庆元年(1259),元军攻占了鄂州(今湖北武昌),宦官董宋臣鼓噪迁都,一时间,整个京师为之汹汹。三年前即高中状元、又为父守制三年的文天祥,正在临安等候授职,他明白董宋臣系皇帝宠妃的兄弟,却依然上疏,"乞斩董宋臣,以一人心",并建议御敌之计,未被采纳。1275 年,元军东下,京师危如累卵。赣州虽在两千里之遥,但在此任上的他却没有坐视,而是组织义军勤王临安。有好心人劝道:"君以乌合万余赴之,是何异驱群羊而搏猛虎?"他不无苍凉地答道:"吾亦知其然也",以身殉国之意溢于言表。次年他任右丞相,被派往元军营里谈判,遭拘押。逃脱后,流亡到福建,他又发动起新一轮抗元斗争,此时临安已破,宋恭帝正式投元,他的信念并未为之崩塌,胸中依然一垒铁色礁岩,并执著地打出"社稷为重君为轻"、"君降我不降"的精神大旗。端宗景炎三年(1278),他的队伍弹尽粮绝为元军所败,他本人在五坡岭(今广东海丰北)被俘。在缧绁大都(今北京)的三年里,他经受了残酷的肉体折磨,抵御了诱人的高官厚禄,于至元十九年(1283)1月9日在柴市被害,时年47岁。在他的囚禁地、后人辟为北京文丞相祠的庭院内,至今仍存一株传说是他手植的枣树,虽老态龙钟,却枝繁叶茂,金秋时节还能结出累累果实,且枝干向南自然倾斜,大约与地面成四十五度角。站在这北方的枣树下,参观者们莫不以为它深情留住的,是文天祥那一片至死不忘南方故国的魂魄……

人们能够普遍地记住文天祥,并视其为一种中华民族不屈不挠的精神象征,其中一个重要的原因是,他从赣州起兵勤王,到北京英勇就义,所经历的一个个惊心动魄的事件,一幕幕可歌可泣的场面,尤其是他遭际的种种难以想象的艰难与困苦,他都及时地用诗歌记录下来,收集在《指南录》、《指南后录》、《吟啸集》等诗卷中,让后人得以在热泪潸然中想象与触摸。我想,他是一位极富有角色意识的人,但与人生舞台上一般自醉于小趣味的小角色不同的是,他以全部的身心,去始终自觉地塑造了一种舍身取义、正气浩然的大角色,并让其附丽于诗歌而光耀于史册。每每读到文山公最后写于狱中的感怀之作《正气歌》:"在齐太史简,在晋董狐笔。在秦张良椎,在汉苏武节……或为出师表,鬼神泣壮烈。或为渡江楫,慷慨吞胡羯。或为击贼笏,逆竖头破裂",我就想起了另一位伟大的乡贤,即二十世纪的一个有着中共党籍的"文天祥",也在狱中写下了《清贫》、《可爱的中国》……

理学的正统性,在很大的程度上,其实也就是对中原文化的依附性。在中央集权制度和自给自足的小农经济环境中,它有利于封建社会的稳定和发展;在民族危亡、抗敌御侮的非常时刻,它更能激发起世人以恢复社稷江山为己任的爱国精神。但是正统的另一面便是极端的排他性，往往表现于滞缓与保守，可平日里你看不出来，它是一个在绿茵茵的草坪上雍容而又闲适地打着高尔夫球的阔佬；一旦社会发生起深刻的历史变动，天下股掌于中原文化的固有模式有了转掇，或者近代工业化正叽叽地敲打着小农经济的核桃壳时，宛如大腹便便的雌鱼在河里下籽一样，它就大批地产生着乘高头大马、举起棍棒去弹压新观念新秩序的警察，还有面容矜持得仿佛前五百年后三百年的事情都已洞晓一遍的一堆堆看客……而这，正是江西及赣文化自近代以来衰落的一个重要原因。

　　这方面代表性的人物，莫过于江西奉新人张勋了——

　　后人提到他，多称其为"辫帅"。民国已经好几年了，他不但自己刮得一片瓦青的脑袋上留着一条粗大的辫子，而且麾下的五千多官兵也都留了辫子，世人笑称为"辫子军"。他在安徽督军任上，由时任总统的黎元洪专程请到北京，本是要让他调停总统与靠着枪杆子掌握了北京政府实权的皖系军阀段祺瑞的冲突，他则假凤虚凰，金蝉脱壳，用武力裹胁只有十二岁的溥仪战战兢兢坐上了金銮殿，随后他长辫下甩出一身蟒袍拜倒在地，领着一班遗老遗少，高呼万岁，捣蒜似地磕头。当天，他发布"上谕"：改民国六年7月1日的这一天，为宣统九年五月十三日。中央设议政大臣、内阁，各省督军改称巡抚或总督，而他本人为议政大臣兼直隶总督、北洋大臣，集军政大权于一身……后人回眸这段仅仅十二天里便成了一枕黄粱的历史花絮，大概都会视其为那鼻子上抹了白粉的小丑们上演的一出复辟闹剧。

　　但"辫帅"的脑海如一口锃亮的铁锅，搜刮不来半点油星似的小丑意识。张勋绝对以为自己是个解社稷于倒悬的伟丈夫，上演的是一出风云变色、江山注目的正剧。有材料表明，复辟失败后，段祺瑞达五万人的"讨逆军"，向驻扎在天坛的"辫子军"发

113

动了强大进攻,张勋在京的亲友们担心他的命运,劝其早日解除武装,到外国公使馆请求保护,他神色凛然地答道:

> "本人图谋复辟,非为一己之权势利禄,实欲赌出个人的生命,扭转乾坤。且国家元老徐世昌、副总统冯国璋及各省督军等都早已表示赞同,本人只不过是付诸实行而已。至于共和政体之前途大不可为,段祺瑞本人恐怕也从其自身的痛苦经验中知道得很清楚了。故诸君与其致力于张某生命财产之保护,倒不如力劝段氏赞成复辟。只要段祺瑞赞成复辟,张某既不要政权,也不要兵权,但愿洁身远引,退居泉林,虽死无憾。"

在此期间,消息不断传来,段军已节节逼近张勋在南河沿的住宅。他却声色不动,一本初衷。不但自己决心一死,也不准携来北京的妻儿离开他,大有一家人共赴黄泉之意……(《近代史资料》总第三十五号《张勋与佃信夫》)

这类拘古不化的死硬派,在江西还有一个很突出的胡思敬。此人为宜丰人,字瘦箬,晚号退庐,寓居南昌。清光绪年间先后做过翰林院庶吉士、吏部主事、御史。民国成立后,"岁出游无定止",与蜷伏于各地的图谋复辟人物暗中联系。在"辫帅"穿了一身蟒袍的日子里,他被授予副左都御史,可未等到职复辟已成泡影。胡思敬一生著述颇丰,有《退庐文集》、《退庐诗集》、《戊戌履霜录》、《九朝新语》、《国闻备乘》等。后一部书,是在京都十年的从政生涯中,他利用"趋职之暇,时有所纪"的成果,其中"见而知之者十之七八",不啻于一部现场的目击纪实,其史料价值显然为一般的野乘稗史所无法比拟。如同要感受维新中坚们那救亡图存的强烈忧患,盛倡革故鼎新的战斗激情,后人们应该去看看浙江人郑观应的《盛世危言》，广东人梁启超的《论中国积弱由于防弊》，湖南人谭嗣同的《仁学》，福建人严复的《原强》……而想要了解，与此同时守旧派又尤其是保守官僚们，对于戊戌变法的不满与攻击，后人们倒必须看看胡思敬的《国闻备乘》——

　　盛宣怀办洋务三十余年，电报、轮船、矿山皆归掌握，揽东南利权，奔走效用者遍天下，官至尚书，资产过千万，亦可谓长袖善舞矣。

　　本朝最重科目……江西人嫁女，必予秀才。吉安土俗，非士族妇人不敢蹑红绣丝履，否则哗然讪笑，以为越乱。新翰林乞假南归，所至鼓吹欢迎，敛财帛相畀，千里不赍粮……今不然矣。诸生焚弃笔砚，辗转谋食四方，多槁死。翰林回籍措赀，俗名"张罗"，商贾皆避匿不见。科举废，学堂兴，朝局大变，盖不独江西为然也。

　　凡文士轻率浮躁，好为大言，建奇策，欲以功名自见，用之不慎，皆足以误国殃民，其失职无聊者尤可惧也。陈宝箴以信用梁启超而败，翁同龢以信用张謇、文廷式而败……当新政盛行，各督、抚奉承新事，奔走急急不暇，其实皆三五少年狡狯之技。天下兴亡，不亡于长枪大剑而亡于三寸毛锥。吁，可怪矣！

　　近世倡革命者，恒借君主专制一言为口实，其实诬也。总管太监李莲英有养子四人，曰福恒、福德、福立、福海，各捐郎中，分列户、兵、刑、工部候补，亟请于孝宗谋实授。一日，刑部尚书葛宝华入见，孝钦以福海托之，宝华曰："与以小乌布则可,补缺当遵部例,臣何敢专?"孝钦默然,不敢言破例也。鲁伯阳进四万金于珍妃,珍妃言于德宗,遂简放上海道。江督刘坤一知其事,伯阳莅任不一月,即刻罢之。是用人之权,君主不能专也……孝钦初兴园工,游百川、屠仁守先后入谏,几罢者数矣。李鸿章等虽善迎合,不能不借海军报效之名,掩饰国人耳目。是用财之权,君主亦不能专也……

从讥讽盛杏荪办洋务,到痛惜科目盛景不再,从抨击朝臣延揽不当,到不厌其详辩君主专制之诬……举凡那些令古老的中国终于有了虎虎生气的日子,对胡思敬来说,都像是有条绳索勒在了他的脖子上。他的又一部《戊戌履霜录》,书名便满透着沁骨的寒气。这绝对是个没有掺水的原装汉人,可也绝对是个清腐朽王朝的铁杆保皇派。

赣人崇尚节义,重视名分,忠于朝廷。虽然时代不同了,但流风所布,深入后人。"文革"的狂风暴雨里,在一个群情几近脱缰野马的中国,不但靠边站的陈云放在江西,被打成了"第二号走资派"的邓小平也放在江西。政治上如蛋一样毫无防御力的邓公,在赣人中却安然无恙,日后得以三度出山,在祖国的高原大水间写下他生命最精采的华章,这或许不能不说是谙熟赣地民风的周恩来当初的一番深谋远虑。

赣人再加上性格上的"倔",其负面影响便是历史因袭沉重,不谙时务的变化,却极其敏感于"异端"的蛛丝马迹,并努力将其歼灭于萌芽状态,宛如"文革"初期的中学生,谁能够发现更多的阶级敌人而又下手力气最大最狠,谁就是毛主席的好孩子。还记得八十年代中期,不少省市在努力抓着非国有经济的成长,在江西则几乎是一块空白。人们满怀着深厚的阶级感情,耗费了大量的精力去为老区脱贫。自然,这在政治上,远比花心血在个体户、私营老板和外商身上保险,也能让从江西出去的老同志们感到欣慰。但在江西的整体经济力量没有得到根本改观、新的经济增长点没能培育出来之前,所谓老区的脱贫,在很大程度上不过是缘木求鱼,治标不治本……

　　来自北方的声音,总是在赣地的山水间得到最快的回响,而其他的一些地方,那声音或许会拐个弯,视当地的情况过滤一下,或修正它,或筛减它。据说有一年,要在农村开展新的"社会主义教育运动",各省市中有三种情形:一是广东、山东等省鉴于本省实际情况,打算延迟一年后进行,这一延迟便拖过去了。二是上面布置后,即开始搞第一期"社教"。三则是江西和少数几个省,在别人搞第一期之时,已经开始搞第二期了,而且在一些农村,"千万不要忘记阶级斗争"的大幅标语,早就赫然写在了墙上……

　　赣地难开新的风气,难拓新的境界,身心俱在一天天地老去,却嗅不到自己老去的气味;即便偶尔有点失落,但一看到别人的新与年轻,犹如时下一个头发蓬松卷曲还漂染成棕黄色、身上是一款低胸露大腿的迷你裙的女子,心态便一下有了平衡,脸上也煞是端庄起来,俨然以为在贞操观上自己高尚得有资格去做后者的姥姥。只有在新的风气绕开了江西,沿湖南、湖北和福建、浙江两厢,抵达了中原,又和沪上冉冉而来的吉光片羽相汇合,蒸腾起闪耀着金箔一般光芒的强劲的季候风,并再度返回南方时,在赣地,才能听到一串串无形却结结实实存在的锁链砰砰落地……

　　但这时,却有可能失去发展的最好时机。比如,到了九十年代,面对各省市的经济效益总量中,国有经济的成分不断下降,非国有经济成分持续上升的局面,江西的上上下下才像一只睡醒了的鹌鹑一样,从过浓的意识形态的晨雾中,急迫地扬起了脑袋,骨碌碌地睁开了眼睛。然而,当别人的非国有经济已像一头头壮硕的大鸟在市场上扑扑抢食时,要在这有限的资金、人才、技术和产品市场上,哪怕是塞进去一只鹌鹑的脚,对江西也不会是一件一蹴而就的事情……

(三)

所谓包容性。

宋明理学,加上之前的孔孟之道,两千年以来,一代代的士子文人勾索微言,阐述大义,注前人未注,疏后人难疏,可谓穷极心理,皓首牖下,乐此不疲,前赴后继。再有,宋明理学本身也有这股劲头:虽不能用两副线圈一根铁棍去发现电磁感应,朱子却能够以阴阳五行去格尽天下万物,陆九渊更是号称"六经注我,我注六经"。于是,便给了很多人,至少像我这样国学根基不过是一根豆芽菜的人,在很长一段时期里一个这样的印象,它们大概囊天括地,丰宏得当是我们这个古老民族文化遗产的主要部分。可终有一日,在对赣地历史命运的一番思索之中,却突然发现自己有了对老祖宗的大不敬之心,所谓的包容性,在始作俑者那里就是一片海市蜃楼,其实理学是很狭窄的,它的一个显著特征是排斥自然科学,而作为理学老巢的江西,对于自然科学家的冷漠与鄙视,也就是理所当然的了。

一个饶有趣味的例子是,意大利传教士利玛窦是在明万历年间到的南昌。与欧洲早期或日后殖民主义者们那种目空一切的优越感不同的是,他处处谨小慎微,不敢造次,对排他性极强的中国社会有着清醒的认识。他当然视传教为头等重要的事业,却又看到这时在中国"不但不是收获季节,而且连播种季节都不是",尚只是筚路蓝缕的拓荒阶段。专制政体最怕朋党结社,"假如我们聚集很多教友在一起祈祷开会,将会引起朝廷或官员的猜忌",如果不顾一切去"公开宣讲福音","其结果是将失去目前已受洗礼的少数教友"。利玛窦为自己第一步所设计的公共关系形象是,尽力介绍有可能让对方接受的科学技术,因"这些工作及其他类似的科学工作,我们获得中国人的信任与尊重","就是在这些科学的工作上,我们也尽量把天主的要理与教会的规律渗入其中"……(余三乐:《利玛窦在江西》)

在南昌,一位西方人让中国人在一片瞠目结舌中第一回听到了另外的声音:地球是圆的,在这个硕大无朋的球上不存在一个可称是中央的国家。利玛窦绘制了好些幅世界地图,在图上画出了中国的位置,又用玄武石制作了几架非常精致的日晷。中国古代虽然早就会制作日晷,但因为没有地球的概念,标不出纬度,不管是放在昆仑山上,还是放在吐鲁番盆地,那斜面一律倾斜36度。利玛窦做的日晷下方注有"此只适用于南昌"的字样,其斜度恰好与南昌的纬度——29℃相符。在这之前,南昌人大抵只是在《滕王阁序》里知道,自己生活的城市在地理位置上是"星分翼轸,地结衡庐"。此外,1596年9月的一天,这位神父还为南昌人准确地预报过一次日蚀。

神父将日晷和世界地图作为礼品,先后送给了江西巡抚陆万陔、南昌知府王佐和建安王、乐安王两位皇亲。接见中,巡抚大人问起利玛窦日后的去向时说:"何不留在这座最出名的城市,我们住在一起呢?"他答道:"我当然十分高兴留在这里,假如你给我必要的许可。"巡抚当即表态:"那就务必留在这里,你已经得到了我的许可。"两位皇亲均邀请他去王府作客,回赠给他高级的丝绸和银器。一时间,他的名声传遍全城,社交圈子滚雪

119

球似地扩大，总见各种人带着礼物来拜访他，他也一一回访，乃至于"我连吃饭的时间都没有"，而有些时候又不得不上顿接着下顿地赴宴，"幸亏我有一个健康的胃"，"神圣的宗教日课，也只好等到夜间念了"……（《利玛窦书信集》）

这一切，却并不意味着利玛窦公共关系策略的成功。他送出去的那些日晷，大概只成了官员们案头上把玩的小摆设，城里城外的风水先生依然抱着罗盘在行堪舆之术，南昌拒绝了他送来的科学思想。相反，这座城市不怒自威、潜移默化地改造着他，他穿了一件深紫色绸质的长衣，衣襟、袖口上镶了浅蓝的色边，腰间两条带子一直飘飘欲仙地垂到脚上。当他也乘一顶自己买的绸绒遮盖的轿子，去和士大夫和官员们见面，在互相一次次的打躬作揖后，常常得正襟危坐，听着后者滔滔不绝地宣讲理学经典……

南昌人欢迎他，他的名字并像一个难以破译的神秘谶语处处为人们所提及，在很大程度上，是由于神父那颗一头金发覆盖下的脑袋。在一次官员们为他摆设的宴会上，"我与他们打赌，任意写多少中国字于一张纸上，彼此不必按一定的程序，只要念一次，我就可背出它们来，一如所写的程序一样"。"我念完了一次，就如他们所写的同样又背了出来，他们都惊奇不止，像是发生了一件大事。我为使他们更惊奇，我又将它们倒着背出来，感觉毫无困难，从最后一个回到第一个字一字不漏。这样更使众人大惊失色……"（《利玛窦书信集》）

如此神奇的一手"绝活"，倘若移用到以苦读经书为基础的科举场上，那还不如海湾战争时美国蝗群似的"爱国者"导弹，在伊拉克的夜空上肆无忌惮地玩起焰火游戏？士子们，自然还有他们的家长们，络绎不绝地带着厚礼来登门求教，非要拜师不可，神父多半以尚未找好房子正式定居下来为由，加以婉言拒

120

绝。陆万陔的面子则拒绝不得,利玛窦将自己的记忆法,用中文写了一本《西国记法》送给他,以便巡抚大人回家后,教授日后也想一跃龙门的儿女。

在这座当时文风极盛、牌坊林立的城市里,每个月总有几天规定的日子,士大夫们会聚集一起,举行有关实践各种德行的讨论会。利玛窦大概也应邀参加过,他看到他们一个个温文尔雅,风度翩翩,讲起话来振振有词,频频机锋,仿佛人人都提领了宇宙和人生的法则。可在他悲天悯人的心怀里,犹如一盒潮湿了的火柴,西方的科技思想不管如何划上去都擦不出一丝火星来的南昌城里的这群精英,却缺乏真正信仰的光明,那"德行"不过是茫无目标地徘徊着的一场大雾,他们本人则是一群离开了牧人的迷途羔羊。在公开场合,总是显得宽容与谦恭的这位神父,私下里却写下了他颇为尖刻的真实看法:

> 因为不知道地球的大小而又夜郎自大,所以中国人认为所有各国中只有中国值得称羡。就国家的伟大、政治制度和学术的名气而论,他们不仅把别的民族都看成是野蛮人,而且是看成没有理性的动物。在他们看来,世界上没有其他地方的国王、朝代或者文明是值得夸耀的;这种无知使他们越骄傲,一旦真相大白,他们就越自卑。(《利玛窦中国杂记》)

原在广东时已经认识、其后到了北京又碰到的徐光启,可能使利玛窦对中国人的看法,有了一定的改变。真是一个鲜明的比照,在南昌三年,几乎除了一本薄薄的《西国记法》,利玛窦成了一只下不了蛋的母鸡,在这座城市里什么也没有留下。1601年终于如愿以偿,他作为第一个被允许在京都定居的欧洲人,在重逢了最早的上海人徐光启之后，穿着翰林院官服的后者，一下慑服于他满腹的科技经纶，先随他学习了外文，两人探讨的问题在宗教之后，日愈深入到天文、历法、数学、兵器、水利、经济之中，两人还一起翻译出《几何原本》，并付诸刊行。余秋雨先生在《上海人》一文里注意到，这时，离鸦片战争那惊醒国中上下一片昏然的炮火，还有漫长的二百三十多年光阴。

上海人的举世精明，打老祖宗那里起便几近天衣无缝。同样是在政坛上伏满凶险的明朝做官，与解缙、严嵩一样，徐光启日后也做到了礼部侍郎、礼部尚书的高官，可他既不像解缙那样恃才傲物，又不像严嵩那样以媚取宠。他"开通，好学，随和，机灵，一边周旋于保守的社会现实，一边心灵的门户向着世界文明洞开"（余秋雨：《上海人》），除翻译而外，他写下了《测量异同》、《勾股义》、《农政全书》等科技著作，仕途上又始终受到皇帝的重用。解缙的结局是被投入大狱三年半之后，在雪地里醉酒冻死，年仅47岁；严嵩最终儿子被斩，家产抄没，本人在87岁高龄上，孤苦伶仃，寄食墓舍，老病而死。而徐光启不但得以善终，还备受恩隆，崇祯皇帝"缀朝一日"，以示哀悼，灵柩又运回原籍安葬，得以给日后开埠的上海，留下一个国人皆知、中西文化合璧的"徐家汇"……

宋应星的遭际，却是典型的自然科学家在江西的遭际。

宋应星，江西奉新县人，大抵上与徐光启生活在一个时代，即明万历至崇祯年间。要说在中国科技史上的地位，前者至少与后者比肩而立：他有《天工开物》、《野议》、《谈天》、《论气》、《思怜诗》五种著作，其中《天工开物》一书，广泛、详细地记载了当时农业、手工业的先进技术，挖掘了一些已经失传的技术，并保留了大量的统计数字。理论上也有突出成果，在建树了一个朴素唯物主义自然观的大框架下，作者明确提出"种性随水土而分"，

122

这是世界上关于物种变异的最早的科学论断。作者又认识到各种金属自有不同的活泼程度，以及利用这一差异来分离金属的方法。尤为可贵的是，他感觉到了"质量守恒"的原理，并对其作了初步论述，在这一百三十多年后，一个叫拉瓦锡的法国人才最终确立这一原理。在物理学上，作者提出声是气中之波的见解，船舵所激起的水流使船体旋转……它们比起现代力学来当然显得简单，但倘若没有它们作为驿站，后人就抵达不了现代力学。

看来，历史上不乏这样的个案，赣人如果不在一棵树上吊死，敢于换一种活法，那么，无需多久便活了个山青水绿，而且一不当心，就走向了世界！汤显祖因得罪权柄，久试不第，虽34岁上考中进士，也做了个小小的六品主事，却又言事遭贬，就此决意走进清丽而又不无凄婉的"临川四梦"中，由此而享誉千秋，这些年来还有了一顶"东方莎士比亚"的雅冠。

宋应星考场官场上命运也颇为潦倒，万历四十三年(1615)，全省一万多人参加的乡试中，他考到了第三名，可这年他已经是29岁了。以后屡屡赴京会试，前后五次，无一不无功而返，不得不在当了20年举人后，悄悄地去本省的分宜县里做了一名教谕，大概相当于未设教委前的一名正科级的县教育局局长，官职不大，却是个能做学问的闲差，闲下来用他自己的话来说是"以文学著述自娱"。这一"自娱"的结果，便有了《天工开物》巨著。此书不知怎的竟流传去了国外，在日本德川时代以后的学术界有着重大影响，有专家高度评价道："作为展望在悠久的历史过程中发展起来的中国技术全貌的书籍，是没有比它再合适的了。"在欧洲，十九世纪法国的东方学家将此书译成了法文，更名为《中华帝国古今工农业》；而在当代英国李约瑟的《中国科学技术史》一书中，除引用此书的大量资料外，又称宋应星为"中国的狄德罗"，后者是法国十八世纪的著名科学家与百科全书

123

主编……

在一个皇帝与朝臣、骚人与隐士都能够名垂史册的中华帝国,宋应星的名字,却只有夏夜里巡弋于草地上的一粒萤火虫的光亮,稍稍不注意,就一下忽略过去。除明末方以智的《物理小识》与清康熙年间陈梦雷撰修的《古今图书集成》提到《天工开物》,并加以参考和征引,作为正史流传下来的《明史》中,不见宋应星的名字。官方主修的《四库全书》里,也未收录该书。

个中的原因,当然与赣地的缄默、麻木有关。宋应星在分宜做了四年教谕后,又做过福建汀州府推官和安徽亳州知州,总在任上伺弄着几分"自留地",又总是任期未满就想着回故园一门心思"自娱"……他的生平简要在族谱里有所交代,他所做过的官职在地方志中应有所记载,可对于1637年初版、以后两百年间又翻刻两次的《天工开物》,在任何一个朝代的地方志中,却未留下一个字的痕迹。直到民国初年,一个叫罗叔韫的中国人,在日本的一家古钱店里,惊喜地搜寻到一部该书清乾隆三十六年(1771)的翻刻本,赣人才并无赧颜地逐渐知晓,早在两百多年前,自己的一个老祖宗,就已经写出了堪称中国历史上第一部农业和手工业生产技术的百科全书。

无论利玛窦也好,宋应星也罢,在理学家们的眼里,他们的那一套即使不视为邪说,也是不入流的"奇技淫巧"。他们膨胀着自己,升腾着自己,俨然像原子弹爆炸时的蘑菇云一样俯瞰着大地,那密匝匝聚涌的乌云中,伦理之理与物理之理、心理之理混为一团。在欧洲大约也有四个世纪,人们的头脑里笼罩着这柱蔽日的蘑菇云,但在十六世纪后,沉云就给驱散了,廓清了,而此时在东方,人们还大梦不觉地走在思想的暗夜里——

　　　　以朱熹作总代表的理学或道学,不承认宇宙间各种事物有它们力所不能及、无从解释的地方……似乎人类应有的知识，都在他们的确切掌握之中。这种态度无疑的已受当日皇权万能的影响，即此一点已与科学精神背驰。如是理学家或道学家所谈及的很多事物（抽象之事与具体之物混为一谈），只能美术化的彼此印证，不能用数目字证明。（黄仁宇：《赫逊河畔谈中国历史》）

在某种意义上说，当公元 1644 年 3 月 18 日的这一天，崇祯皇帝面如纸色地跑到万岁山（今景山），吊死在寿皇亭前的一棵海棠树上时，一个大明王朝也跌扑在了王学上。当王学在明后期日愈走向空虚、贫乏和简陋的绝境，当朝野上下又被它抽干了智慧和活力，恍若立冬后墙上挂着的一只风干了的板鸭，那怎么挡得住身披黄甲、好似蔽野的黄云一样压向京城的李闯王部队，以及随后不久多尔衮的铁骑裹起的草原上年轻的风，还有他闪电一样划过长天的利剑呢？

入清后，江浙、湖南、安徽一带的文人们，纷纷怀疑起往日不可一世的宋明理学，实学思潮为之萌动。湖南的王夫之，世称"船山先生"，埋头于衡阳的船山里挥笔如雨，写下了总结历史经验的《读通鉴论》《宋论》。江苏的顾炎武，学界称之为"亭林先生"，满怀亡国之恨，回到家乡昆山组织义军，与清军奋战四个昼夜。失败后带着两匹马，换着座骑，先后游历考察了山东、河北、山西、陕西。在漂泊不定的旅途中，写出了著名的《天下郡国利病书》，凡 120 卷，200 万字，这是一部典型的经世致用之作，上至治国安邦方略，下到地方经济的发展，行行页页蕴含着他对天下苍生的关切。浙江的黄羲之，也亲自深入浙江四明山里策动抗清，失败后写出的《明夷待访录》里，以士林中空前的勇气，尖锐地批判了封建君主专制："天子之所是未必是，天子之所非未必非。"当然,朱熹、陆九渊、王阳明是中古时期的思想家,但他们与上面三位应该不是一个档次,后者可称是中国首次出现的具有民主色彩,并能像彗星一样照亮历史潮流的近代思想家……

实学思潮驱动了考据学在这些地方淹袭一时。所谓考据学,大有对宋以来的圣贤之说先统统加以颠覆,尔后一一考证真伪利弊之意,它无据不引,无证不用。赣地的文人们却与此相反,还在那里读圣贤书,写八股文,吟唱酬和,坐而论道,空谈心性。他们大抵都能写一手龙飞凤舞的毛笔字,十有七八,作的诗词也颇为行云流水,可在近代,赣地就是出不了一个科学家。看看当代,人才分布不均,尤其是高层次人才分布之悬殊,是我国长期以来存在的客观事实。以当今中国科学院、中国工程院的两院院士为例,华东地区有近两百名院士,其中上海有107名,加上南京,两地占到了总数的79%,而江西仅有两位,只占总数的1%。溯其源头,在很大程度上,与近代洋溢着科学精神的考据学在江浙一带勃勃兴旺、在赣地却是个空白有关。

我充分注意到黄仁宇先生的"不能用数目字证明"这几个字。

数字是工商业界的语言;

数字是一切科学实验的刻度;

数字是现代化那巨大的花篮上随处可见的彩带;

数字是警戒一幢理性社会大厦质量与安全的眼睛。

因此,不仅仅是理学与数字无关,几百年后我们这块土地上,"大跃进"和一个个车水马龙般的政治运动,也与数字无关。虽然"大跃进"也得要一级级往上报发射"卫星"的数字,可这是高烧谵语中想怎么说就怎么说的伪数字;虽然政治运动事前总会下达个百分之五到十的"阶级敌人"指标,或者事后总会有个冤假错案计有若干的统计,但它们从血里火里爬出来,又从青春、爱情、事业的废墟中钻出来,与其称为一个个数字,不如称为一串串高昂的沮丧，一笔笔常叹息的学费。

能否就此判断一下，理学与后两者，隔着几百年的时光之河，在冥冥中有些什么联系？现在还难说清楚，我有所察觉的只是，你可以注意，在当代人里，又多在官员中，不必知道朱熹、陆九渊、王守仁诸先生，却有可能在谁的身上悄悄地散发出一股理学家的气息：搞上层建筑如鱼得水，搞经济基础盲人摸象。抓软指标热火朝天花样迭出，抓硬指标灰灶冷锅技穷末路。善作大而化之的政治评判，畏惧丝丝入扣的科学分析。若有政绩，便在政绩中气礴云天地拔高数字；若有问题，便在问题中决不手软地打压数字……

在其精神之美的巅峰期猝然西去了的王小波先生，生前孔孟程朱的东西都读过一些。对理学所谓的包容性，他的看法是：

> ……如果说，这就是中华文化遗产的主要部分，那我就要说，这点东西太少了，拢共就是人际关系里那么一点事，再加上后来的阴阳五行。这么多读书人，研究了两千年，实在太过分……我个人认为，我们民族最重大的文化传统，不是孔孟程朱，而是这种钻研精神，过去钻研四书五经，现在钻研《红楼梦》……四书也好，《红楼梦》也罢，本来只是几本书，却硬要把整个大千世界都塞在其中，我相信世界不会因此得益，而是因此受害。（《我看国学》）

（四）

所谓"存天理，灭人欲"。

理学总给我这样一种印象：一方面"主静，主敬，慎独"，"一念之顷,必谨而察之",既合传统修身的"克己复礼"之方式,也有"文革"期间老少中国人"斗私批修"、"狠斗私心一闪念"的意味。这该是一片细浪轻吻的沙滩,秋水与心境同澄明,白鹤与君子共起舞。这该是一片桃花源般的土地,路不拾遗,夜不闭户,不知贪婪犹如不知魏晋,处处沉静似云,人人恬淡如菊。如此说来,理学精粹,便是"藻雪精神"四字。

另一方面,"不祥之气,郁于天地之间,郁之久乃必发为兵燧,为疫疠,生民噍类,靡有孑遗"(《龚自珍全集·平均篇》)。这该是一片高高莽莽的丛林,因为密不透风阳光难以射入而显得幽暗、森严,只见世世代代,数不清的人影纠缠一起,漫漶一起,野兔一般乱嘈嘈地冲撞,豪猪一般风嗖嗖地搏击。人们不知道这片丛林最终将要被金蛇似的闪电所击中,熊熊燃烧起愤怒的雷火,只忙着将一对对欲望的巨足,踩进满是水洼的草地,尔后红黄紫青的功名,便像水一样丰沛地射出来……

天理与人欲,大约在理学的巨擘那里是互为冰炭的,否则"存天理,灭人欲"这句话,不可能犹如天宪,成为近千年来指导知识分子的思想基础。而人群中,圣贤总是凤毛麟角,因此人欲便成了眼下灭不尽的卖淫嫖娼、盗版影碟、伪劣商品。而且,在封建社会极少生存与机会的选择,整个价值系统均指向千军万马过独木桥式的科举和仕途上,人欲就更被肥皂泡似的放大了。要再撮合起天理与人欲,于一块理学那高明广大的匾额上,这调料便一定是虚伪。

明代,是理学登峰造极的时代,也是江西科举兴盛的时代。"四方出仕者之众莫盛于江西","天下之大,士之出于学校者,莫盛于江西、两浙,吉安又江西之盛者"(杨士奇:《东里文集》卷三)。通俗一点说,赣地是天下读书人最多的地方,据方志材料记载,吉安府"环吉水百里之疆多业儒";广信府"下逮田野小民生理裁足,皆知以课子孙读书为事";南昌府"市井多儒雅之风"……而天下读书人里,赣地又是想做官、官也做得多如牛毛的地方,所谓"书中自有千钟粟,书中自有黄金屋,书中自有颜如玉,书中车马多如簇",对于一茬又一茬的士子来说,这不但是他们在寒窗下销魂蚀骨的信条,多半也是他们以黎民为草芥的骄横人生风景。

由士而仕的结果,大批江西籍官僚为各级统治机构的有效运转自然起了积极作用,但由此产生的副作用也是不容忽视的。取得官职的现任官员数量大大增加,他们的恩荫子弟,也像潮热的夏夜里滋生出的蟑螂一样爬满了各地。两者在政治上享有特权,经济上豁免去赋役,且广占田产。仅一个严嵩,被抄家后发现,其"广市良田,遍于江西数郡",在南昌、新建、宜春、分宜、萍乡、新余、清江、新昌八县,共有良田二万七千多亩,此外隐漏或贪官乘机侵吞者无法统计。其家人、乡间豪绅的严年,则"富已逾数十万"……有专家认为,江西科举之隆,造成了江西的"官祸"之烈,明代尤甚。在衮衮诸公的如雨花翎下,赣地百姓的赋役之重、生活之苦,农民起义次数之多、规模之大,在全国均很突出。

顺便提供一组数字。就在千年古村——流坑所在的乐安县,1996年全县财政收入四千余万元,全县拿工资吃饭的有八千多人,其中副科级以上干部八百多人,加上一般干部超过了两千,倘若说每年每人的薪水总计约五千元,这就意味着一年的财政收入仅够给干部们发工资。在国民党时代,全县的行政机构是财政、民政、教育三科,外加一个保安团,拢共吃官饭的不过百把人。而现在全县竟有了科级以上单位七八十个,即便是缩在县委招待所一侧、门口长年冷冷清清的县标准计量局,也有七八号人,在行政设置上,与农业局、林业局等大局别无二样。

这是社会发展的必然？因为人们物质生产与精神生产的领域分得越来越细，需要更多的人民勤务员设卡放哨；还是一种熵效应，其实官越多，带来的问题也越多？诚如1997年《瞭望》周刊第四十四期《论坛》里提到的当今一则民谣所说："天上星多月不明，地上坎多地不平，世间官多不太平。"一个最新的例子是，1997年12月初的《南昌晚报》披露，该市刚建起的一家"垂钓俱乐部"，号称投资逾千万元，占地面积三万平方米。内中设有垂钓宫、海鲜楼、接待楼、歌舞厅、停车场等设施，一次可容纳600人同时持杆垂钓。如此豪华的去处和不菲的钓价，自然令工薪阶层望而却步。11月29、30日两天，据记者在现场统计，来此垂钓休闲的公车达七十余辆，有带小姐、情人的，有带家人度假的，有带客户来深化感情的，没有见到一个是骑自行车或徒步前来的。记者调查后发现，这些公车多是政府部门、执法部门、金融部门的，也有少数企事业单位。公车钓鱼与公款吃喝当然结伴而行，钓至中午，男男女女的"姜太公"们进海鲜楼美餐一顿，餐毕，送上来的发票里，既写上这顿餐费，又打入了鱼款……

明中叶以后，是理学愈演愈烈的时代，却又是文人们普遍地失去了价值维系的时代。在宦官和锦衣卫的协助下，皇帝们总在文人里盘点着一个个诏狱与弃市的脑袋。明成祖时期，仅仅在北京一地，锦衣卫就有十四五万名便衣特务，而遍布全国的特务机关及人数，远比京师为多。这一大规模的特务专制统治，一直延续到明帝国的灭亡。专制制度的酷虐，使文人们长达近三个世纪的内心经历，堆积着不堪重负的苦难与折磨，他们活得卑微而又空洞；同时，理学精神是百年老酒浸泡下的一根虎骨，灵魂总在呷着这酒的他们，其入世之心一定蠕而必热，热而必举，举而必坚，坚而必久。反差如此巨大的生存理想与生存境遇，空

130

前地扭曲着他们的人格,蹂躏着他们的人性,在他们身上形成一种如果不能好好地活着,那就堕落地活着犹如罂粟花一样妖艳开放的能指,以生命之轻来释放生命之重。

于是,纵欲主义像暮色一样不可阻挡地降临了,"一个时代纵欲主义的盛行,自然不必把责任归结到文人们身上,但是在明代这一特殊历史时限下,恰恰是文人们将纵欲主义,从一般的政治腐败现象推演为一种社会文化思潮。不夸张地说,明代文人正是那个时代一面'欲望的旗帜'"。(费振钟:《堕落时代》)

有论者以为,明中叶以后的士大夫们的行动方式及其特点,用两个字可以概括,即诌和讦,很少有人超出此两字范围。而在诌和讦上,江西的士大夫里最具典型性的人物,自当是严嵩。

还在礼部右侍郎的任上,他奉命去祭扫世宗父亲的陵墓,回来后禀报说:臣去的时候,一路阴雨绵绵,祭祀的那日天空却一下晴朗起来。更神奇的是,在枣阳采碑石的时候,一只只洁白的鹳鸟在半空中飞舞,令臣感动极了,真是天神眷爱啊!明世宗本来就迷信道教,信神信得邪乎,满心欢喜之下,当即将他的官连升两级,做了"留都"南京的吏部尚书。

此后,眼看着满朝官员取悦于皇上的手段越来越丰富,有献白鹊、白鹿、灵芝等"祥瑞"之物的,有献诗赋与宫廷歌乐的,严嵩后来者居上,充分运用起自己的强项——在对于皇帝心绪与意图的揣摩、把握上,他绝对是个杰出的心理学家;对于以文字为原材料,编织起一种热而柔软却又无形的物质,像一方在秋阳下晒过的丝绵,暖暖地贴向世宗的心褶上那些最敏感的部位,他绝对是个高效率的施工者——为皇上写出了一篇篇斋醮时祷告神灵的表文,即所谓青词。于是,严嵩不久由南京调到了北京,先做礼部尚书,加封太子太保,又任内阁首辅。世宗并赐给他一方银印,上刻"忠勤敏达"四字。搞到后来,唯有他写的青词,才能让皇上满意,史称"青词宰相"。

严嵩先后构陷过不少人,其中有曾经上书弹劾严氏父子的朝臣叶经、杨继盛等二十余人,也有他因索贿不成便横加谋害的王抒……但他最怀有嫉恨之心的,乃是内阁里的同乡夏言。

嘉靖一朝的内阁,可谓整个一个溜须拍马的班子,如果说浙人张璁、赣人桂萼,首先以水浪般波动的长舌点燃起了谄焰,夏言也因善制"青词"曾获世宗欢心,位居内阁首辅后让一大批士大夫们发现,他们所处的时代并非建功立业的时代,而是一个需要谄谀的时代;那么,在严嵩手里,谄焰漫漫,紫烟团团,已将这个时代烧成一片文人灵魂的灰烬。

大约在道德的堕落者间,彼此最愿意区别与强调的东西,就是谁是道德的高尚者,夏言仿佛摆出的就是这一架势。他入阁早,名望重,对严嵩这个接班者视如宵小。平时办理公务,从来我行我素,只求皇帝批准,不和严嵩商量。据说,后者几次下帖子请他吃饭,他都不来。最后总算答应了一次,严氏父子等了老半天,他来了,入席后什么话不说,只喝了半口酒便告辞了,严嵩深以为奇耻大辱。夏言掌握了严氏父子大量的劣迹,是欲擒故纵,还是时机未到? 反正在他要向世宗举报之前,严嵩几次带着儿子世蕃,登门求情,本不打算与后者照面的他,在家人受贿重金之后,在自个的床头,接受了这对父子大约一定会动之以乡情的磕头求饶。

乡情可能是无价之宝,却也可能一文不值。夏言本以为由此能将这个老乡制得服服帖帖,没有料到的是,后者利用能经常接触皇帝的机会,屡屡攻讦前者"专横"。不久,因为收复河套地区兵败,追究起责任来,是夏言支持了御史曾铣的主张,世宗一怒之下,杀了曾铣,又罢了夏言的官。收束起殿下一张"大快朵颐"的脸,严嵩在皇帝耳边拾掇起往日的是非恩怨,世宗又生一念,不如干脆杀了夏言……夏言当然不是人民的好"总理",但在两个赣人间比起来,人民更痛恨严嵩,京城广布着一个民谣曰:"可笑严介溪,金银如山积,刀锯信手施。常将冷眼观螃蟹,看你横行得几时!"由此即可见一斑。

前面已经提到,明朝由"江西帮"主持朝政的局面,从永乐初,一直延续到了成化前期,大概是 1404～1468 年左右,前后达六十余年。但赣人在中央决策层影响的灰飞烟灭,是在严嵩终于倒台之后;就是在严嵩所处的明世宗嘉靖朝,大概在 1521 年后的四五十年里,赣籍士大夫布列朝班的状况,依然令人为之瞩目,除四位内阁首辅里有三位是赣人外,有人统计,先后在中央任职的赣籍要员还有:吏部尚书 5 人,该部侍郎 7 人;礼部尚书 5 人,该部侍郎 7 人;刑部尚书 3 人,该部侍郎 15 人;工部尚书 4 人,该部侍郎 7 人。如果再算上都御史、副都御史、翰林学士、国子监祭酒,赣籍要员们可以编成一个连了。

据此,人们便有理由反引出一个推论,要在一个政治上异常酷虐的朝代中苟且偷生,而且还能够官运亨通,江西的士大夫们唯有一个可能——那便是表现得比一般文人们的堕落还要堕落,或者说在丝毫不以理学为道德屏障,却以其为一块玫瑰色的遮羞布上,表现得分外无耻……

只能由历史学家们来证实或者否认这个推论。在赣历史的人物长廊中,既有令我们翘首令我们自豪的文天祥、方志敏这般光耀千秋的伟大乡贤,也有让我们唏嘘令我们沉思的解缙、罗隆基这样悲音绕梁的谔谔之士,再有那些逆历史潮流而动或者像瘴疬一样毒化时代风气的大奸大伪……赣文化才能比较清晰地凸现出它的正面因素与负面因素,并如一块多次淬火、不易碎裂的铁,坚韧而又恰如其分地镶嵌于当今赣人的心理框架上。

即便是走出了黑暗的封建王朝,在人们的生存空间获得了较大的改善后,只要仍缺乏现代大工业的历史,层层叠叠的村落与乡村中国投影下的城市铺满了大地,小农经济患均不患贫的目光分割着心灵的天空;只要仍缺乏对权力的制约机制,一种担心失去眼前权力、向往更大权力的永恒焦灼,造成一个畸型的心理空间,在这个空间里人性中美好的一面渐渐地枯萎老去,而阴鸷的一面却海绵遇水似的丰满开来……互不提携,彼此戒备,勾心斗角,寻机倾轧,便作为文化积淀的一部分,总在官场上划出一条习惯性的轨迹——

1938年7月间,国内正是一派国共合作、统一战线的高潮。省政府主席熊式辉在南昌郊外的梅岭办了一所"江西地方政治讲习院",自称要将其办成赣省的"民主橱窗"。延聘为该院导师的有许德珩、罗隆基、王造时、雷洁琼、潘大逵等著名学者,又请蒋经国担任院军训总队队长。

比起有些人不过蜻蜓点水,甚至仅挂个空名,蒋经国却是全副身心地投入了工作中。每天天边还是鱼肚色,他就领着千余名学员出操锻炼,强健体魄。随后主持朝会,由许德珩先生或是他本人训话,大多是关于抗战的胜利消息、日寇的残暴罪行,有时也讲国际形势。他口才好,课前准备充分,讲得具体生动,鼓动性强,成为最受学员们欢迎的一节短课。毕竟在赤都呆了多年,布尔什维克的那一套工作方法,于他可谓轻车熟路。他又组织学员们下乡劳动,一边了解社会,一边帮助农民抢收抢种,无论割禾、插秧、脱粒、捆草,他都干在前面。看那不徐也不疾的架势,还有他矮墩墩的结实个子,像上了一层黑釉般光亮的脸膛沾上的点点泥水,真是和当地的农民无甚差别……

突然,蒋介石发来一个电报,召他去了重庆。这一去半个多月不见音讯,正预备将个人仕途从此系在这位太子的码头的部下们,一个个忐忑不安,莫不是这码头说飞就飞了?蒋经国终于回来的次日晚上,任军训总队副队长的喻松,实在憋不住了,一进了他的卧室就问:何以去了这么久?

他告诉喻松:不知道什么人捣鬼,将我在赣的情况,添油加醋地造了一册厚厚的动态,送到老头子那里去了。一见面,老头子将那册动态往地下一掷,"你在江西做的好事,你自己看去!"随后就满脸灰青而去……

喻松又问:那动态里说了些什么呢?

总起来就是一个意思,即我在赣亲近、包庇共产党。这以后天天有党国元老上门来进行教育,戴季陶、于右任、居正、陈果夫……谈党的缔造艰辛和伟大勋业,三民主义的要义和当前的时局。最后是陈立夫来,他开门见山说:根据你父亲的意思,这次你得加入国民党,否则不能回江西。

蒋经国正是在临来前办好的加入手续。喻松自有几分惊讶,不过是在区区江西的政坛上,一副无疑的蒋家血统,再加一张决非一般意义上的国民党党票,也不能保证他率性而为,高枕无忧。喻松注意到,直到这扇"民主橱窗"最终关闭,他都是少找人,少讲话,一副郁悒寡欢的样子,再没有恢复往日的勃勃朝气。(喻松:《和蒋经国相处的日子》,载《江西文史资料选辑》总第十四辑)

一个曾武装到了牙齿的国民党,竟雪崩一样地坍塌在了1949年,其中一个重要的原因是"内战内行,外战外行"。但在成了中国历史的胜利者——共产党内,有没有人亦是内战(内耗)内行,外战(经济、文化或其他方面的工作)外行呢?建国后,在江西的官场上,都自认是这块红土地上最功不可没的赣南派和赣东北派,还有挟中央正统与号令而来的南下派,彼此间或明或暗时骤时弛地摩擦了十几年,这早已成了江西老百姓眼里公开的秘密。

如果说这一摩擦,在当时的生产力发展水平下,又受经过战火考验的老一代本人身上的党性所制约,尚没有对赣地经济造成强大的冲击;那么,当生产力的发展逐渐剥离计划经济、显示出越来越多的地方特征后,而党性这两个字,似乎也在一些人的眼里,高蹈于朴素的日常生活,只华丽高贵为党课上的一个专用名词……这时,在举国风集影从的跑道上,赣经济表现出的疲乏与迟钝,在一定的程度上,正源于某些头头脑脑十个手指伸出去了,却攥不紧一双拳头。有人说,在江西的这块地面上,三个单位里,便有两个单位的头头间磕磕碰碰,甚至鹅争狗斗,派性总和这块土地上的稻米一样丰收。

一个宜粗不宜细的例子是,深圳开发之初,像许多省市一样,江西也在那里买了几百亩土地,开始是用于出口去香港、东南亚的猪群的中转之地。猪即便是赶去了纽约的大街上,也还是猪,放在深圳的猪同样不会增加含金量,这是人们都知道的常识,显然在等待足够财力的同时,人们还在等待着决策。人们以为这个决策不会很难,因为对于一个封闭的内陆地区来说,几乎再没有比在深圳设置一个开放的窗口更火烧眉毛的事情了。可人们的想法肤浅了,领导们正忙于比这事更火烧眉毛的事情。

几年过去了,套用一句前文引用过的形容江西的话,是深圳这个年轻的城市,那肌腱脱兔般活跃的双臂在做着有力的扩胸运动,在铲平的山丘堆高的河谷填实的海滩上耸立起一幢幢难以思议的高楼,它们在落日的余烬中串起一条城市美丽的天际线,闪动冰棱般的光芒,有着令人眼盲的晶莹。在这之中,你以看画展般的斑斓心情,——找到诸多省市具有各自建筑风格的大厦,却找不到属于江西的大厦。让你的心头终于涌上暮色一样暗淡的是,有人告诉你,那原来购下的几百亩地,现正处于城中心的寸土寸金地带,可江西却在地价低迷时将它们卖了,现在在这里八面风光站起来的,当然是别家的楼宇……

内耗所耗掉的事,多是机会不再的大事;内耗热衷于耗去的人,也多是能干大事的人。

南昌曾有一位从名噪全国的共青城起家的前市长,起家之初放过鸭,人又长得胖,老百姓称他为"鸭司令",或者"胖子市长"。听说他无所谓,今天打响了全国走向了世界的共青城的拳头产品,就叫"鸭鸭"牌羽绒服,没有昔日的"鸭司令",便走不出现在温暖了天下的"鸭鸭"。人长得有碍观瞻不要紧,反正有色心无色胆,亦或是在党的教导下这两样一块儿免了,只要努力让城市美丽起来就行。他能吃能睡也能干,在任几年间,在市政建设和引进外资上下了极大的力气,大概是在他那一双肉板厚厚的手里,个头在长高、衣服却太紧太小的南昌,第一次站在鳞次栉比、贯通全城的立体交叉桥上,有了几分现代城市的气息。这几分气息还很稚嫩,颇像透过二月的风寒冒出的米粒般大小的鹅黄柳芽,但却给了市民一个城市将要在新时期的春风中柳丝一样婆娑起舞的希望。这气息还很实用,起码在有几年里,跑过不少大城市饱尝了塞车之苦的我,唯有在这片故土,车轮吱溜溜地转得欢畅……

他那一身肉总像占了别人的指标,要不肉多,腐败也多,否则便难解释关于他的告状信,为什么总在有关部门的头上盘旋。据说这状告得挺专业,平时隔三岔五哼哼唧唧在半空中作常规演习,提醒人们不要忘了阶级斗争。但只要一有他将被提拔的动静,就一批批地从云端里俯冲下来,让人们异常严峻地感到会讲中国话的赫鲁晓夫,或者作了整容术的王宝森,不声不响地来到了南昌市。

一片狂轰烂炸的结果,他像一块被撂荒了三年的地,从48岁,到50岁,这本该是一个有作为的男人翻金堆银的土地。这三年中,体重没有少去半斤,脑门却光秃得可以为家中省去几度电费。一根根涌着热血的青丝,雪花般无声地落在了纸上,大概他是国内第一个自己要求中央纪律检查委员会审查自己的领导干部。当事实证明他无愧是一个好同志时,一个本适合他更好干事的位置却无法等他,早已安排上了另一个好同志。

内耗在江西最突出的特征有两个,一是"空手道",一是"心理倾轧"。

所谓"空手道",整人不需要什么真材实料,大抵都玩虚的:告你贪污受贿,那几百万元的数字能让你拖起来被枪毙几遍,可你在什么事情上贪污,系何人行贿于你,那一片泄洪般的义愤中却扑朔迷离。说你腐化堕落,玩弄女性,那份被描述的疯狂,让妇联的同志们看了,真会恨不能将你剁成肉馅做成包子推去人民广场上卖,但一涉及到时间和地点,它们就成了千丈危崖下似乎在又似乎不在那里的一只黑匣子……

当众多这样的举报涌来的时候,一位逻辑推理能力再出色的同志,也可能像一个不会游泳的孩子,一下掉进了那片泄洪般的义愤之中。在关键的火候上,或许只有一件如是的"揭发",平时浓眉下有着睿智的双眼的一位领导,也会毫不犹豫地将你像叛徒一样地剔出来,除了得保证那幽蓝火焰的纯度,他更不能让这火焰冷下来……

当然,"空手道"徒们不可小视,看他们出拳总打在人的软肋,以及对出拳时机、节奏的运用上,便知道这些人在权术上有过相当精湛的训练。但若说他们有多高明,那也是违心之言。在中国将"改革"两个大字刚写上时代的旗帜时,他们的这一套路,有人就玩开了,在许多地方留下了一个个令志士落马、让英雄热泪满襟的"黑洞"。仅仅在最近四五年间,电脑就从286跳到了686。打此过去十几年了,他们的套路却仍没有一点更新换代。

问题只是在于，当在许多地方，"空手道"徒们已经基本下岗，那一个个吞噬民族伟力的"黑洞"，多半已化为了历史陈迹的时候，在江西的官场上，他们却还有不可忽视的能量，尚没有形成足够的压力让他们下岗。相反，与许多中国人一样，每天曙光初照，他们便去公园、小河边打太极拳，做香功，以颐养天年。用完早餐后准时上班，在岗位上他们多半给领导以好同志的感觉。即便是在"胖子市长"一类的好同志，终于心力交瘁地从那"黑洞"里爬了上来时，他们也依然是个好同志。

所谓"心理倾轧"，内耗并不一定就是权力倾轧，或者仅仅为着一己的私利，它可能表现为一种颇为广泛的社会心理，对与自己无切身利害关系的远距离人物，进行集体无意识的糟践。在江西，尤其在南昌，最容易在市民中得到相信与传播，并让他们身上的每一根神经末梢几乎都像海葵一样颤动着兴奋的，莫过于是关于某一社会知名人物触礁沉船的消息。近几年来，这类消息中，如北方突袭而来的寒潮，以尽可能大的面积摇撼着城市的，首推江铃汽车集团老总孙敏的传闻；而最新的，则有关去年新上任的南昌市市长。

前者，已被"抓"过两次，"外逃"了一次。曾令我目瞪口呆的是，一天晚上快十一点了，一个电话打到我家里，劈头第一句话就是：你听说了吗？孙敏被抓起来了！"洞中方一日，世上已千年"，昨天还见过孙敏的我，犹如当年听说林副统帅外逃，忙压下一手的冷汗问：孙敏是什么时候抓进去的？对方告，是在深圳香格里拉酒店，江铃与美国福特汽车公司刚刚开完双方进行一系列合作的新闻发布会，满面春风的孙敏一走出会议厅，就被检察官们铐走了……事后我思忖，给我打电话的是人中之龙的记者，竟然也说得如此斩钉截铁，俨然那个惊心动魄的夜晚，周恩来在萤光屏上亲眼看到那架专机消失于北方边境线上,由此便可以想见,就是在没有恶意的人们中,经无数唇舌忙碌地催肥,谣言也可以丰润为碧绿的事实。

后者,发生在 1997 年五六月间,街头巷尾汹汹在传:刘市长在上海锦江饭店嫖娼,被警方查获。他之所以像打湿了羽毛、可晃几下水珠便甩个一干二净的禽鸟,是一位他为其当过秘书的高层领导保下了他。我一听就笑了,在中国,迄今被揭露出来的中高级干部搞腐败的,有几个没有搞女人? 而搞了女人的,又有几个是像一般嫖客一样半是亢奋半是胆颤地去饭店、乃至发廊嫖娼? 虽少有周北方气派(据报载,周在香港和内地共占有六套豪宅,其中在港岛半山富人区所购置的一套公寓便值 2 800 万港元,相当于首都钢铁公司一个效益好的分厂全年的利润),但弄上几套几十、上百万元藏娇的"金屋",以圆满实行一家多制,在腐败分子中还不竹竿打枣俯拾皆是? 凭着这个逻辑,我很是义务地为市长同志洗去身上的污水,但效果有限,仍有熟人这般坚信。我不禁喟叹了,老百姓们对于腐败的痛恨,一边硌硌切齿得将好人也可能搭了进去,可一边,又只是以自己可怜的生活经验,去大大缩小了真正腐败分子的腐败……

自然,"空手道"徒们会躲在后面窃笑,那酿成一片山火的第一颗烟头,肯定是他们扔下的。但对于热衷于相信与传播的一般人来说,这种"心理倾轧"表现有极大的盲目性——

1995 年 8 月,一天晚上的黄金时刻,在江西电视台的本省新闻联播中,头条新闻是中国共产党江西省第十次党代表大会隆重召开。紧接着,便是江铃汽车集团与美国福特汽车公司,今日在江西宾馆举行了江铃 B 股认购协议的签字仪式,根据该协议,福特将拥有江铃总股本的 20%,成为其继国有股之后的第二大股东。第一条消息的政治分量是不言而喻的,第二条消息的经济分量也是不言而喻的，两者排在一起，应该并非出于编辑的匠心，而是它们共同蕴涵着一个事关江西未来的跨世纪主题。

大抵不会再站在农业社会那块被风化了的青石板上看世界了，省党代会上，一个可谓睡觉时也睁着一只眼睛的夙愿，就是加快江西的工业化进程。

建国后，考虑到江西是国家重要的粮仓，当时担任国家第八机械工业部（即农机部）部长的陈正人，又是井冈山下的遂川县人，且做过第一任江西省委书记。在这两个因素的综合作用下，1959年，中央决定在江西创建一个拖拉机厂，一个为洛阳、天津、江西三家拖拉机厂配套的齿轮厂，再改造一个生产柴油机的老厂，总投资一亿数千万元。六十年代初，每年调出大批优质粮食、生猪以及其他农副产品给上海的江西，通过时任省委第一书记的杨尚奎的口，向华东局提出，是否能从上海拨给江西一些工厂，以带动江西落后的工业？与杨尚奎，还有陈毅等人，长征时期坚守在赣南打了三年艰苦游击战的陈丕显，正做着上海市委书记。从赣南的战地黄花弹壁杜鹃开始，便被杨尚奎昵称为"阿丕"的他，赞同了这一想法，并大力促成此事。不久，华东局决定，一次由上海搬迁二十多个工厂到江西。

如果这也能算上的话，五十年代初期，还在南昌创办了一个直属中央、制造军用飞机的三二〇厂，这些大约就是江西工业化的基本班底。此外有些年，毛泽东准备打仗，而且决意将狗日的国民党由福建前线引至江西广阔的腹地土来，打它个意气醋畅。被称之为二线的江西，大致城里有几根冒烟的烟筒，乡下有几台突突爬在田里的拖拉机，不致于还是一个鸡鸣晓雾、炊香薄冥的农耕社会，好像中央对江西便不再有什么大的投入。

进入改革开放的新时期后，计划经济江河日下，基本上为计划经济所支撑,设备、工艺及产品多是十几年一贯制的江西工业,逐渐陷入了䳉雀向晚乃至风雨飘摇的境地。正是在这样的时候,像一名拆下身上的肋骨去做最后一把剑的悲壮勇士,江铃第一个在赣地站了出来,站在了无可依仗、风险起伏却也最能表现胆略与个性,最能刺激男子汉血脉如庐山云雾浩荡而起的市场经济之中。这个建厂十五年来连年亏损、亏损额相当于地方投资 3.5 倍的小厂,不过几年后,便成了国内汽车工业的一匹黑马:江铃五十铃轻卡,在国内同类车的市场上占有量达到了60%,工厂于 1989 年进入全国五百家最大工业企业,从 1992 年起,利税一直稳定在同行业的第六位。在江西的经济大海里,更是开来一艘航空母舰,在高峰的 1992 年,江铃集团的利税,占到了全省预算内国营企业总额的 40%,而在南昌,则达到了 80%。

打我了解江铃集团起,我就以为这不是一个一般的企业,而是以高技术高投入高回报的特征,并与国际上汽车行业里第一流的大公司结成战略伙伴的境界,标志着江西本土,由近代一种类似"安乐死"的状态中,回归到中国以工业化为主要内容的现代化进程。

它的企业品质,将对本土众多企业,将自己置于市场经济与国内外同行业的前沿领域里背水一战,弃旧图新,具有难以估量的激励作用。它的企业文化,将以辐射出的现代大工业的火辣辣气息,科学精神及如同瑞士钟表匠的"要做就要做最好的"雅致追求,将使层层叠叠分割着我们心空的小农经济目光,像霉了的糊墙纸一样纷纷落去;让那些凭着权力的勾针,像女人编织毛衣一样编织起种种关系,几近成了一个个小宗法社会的角落,变得门可罗雀、冷雨敲窗起来;当然也让我们这座在不少方面"不精致,不严格,不讲究,穷凑合,得过且过,随意邋遢,以至于'混'成为一种风气,与乡村文明的遗习相合"(杨东平:《城市季风》)

的城市,不是靠着每年为评国家级卫生城市必搞的举城突击一类的一阵风,而是在一串串有奔头也有情趣好似雨花石一般光彩的日子里,让民性民风真正地雅致起来……

打我认识孙敏起,我便以为他不仅是一位有着良好学养、精通企业管理、善于资本运作、目光前瞻又步履踏实、能警醒于顺境更能不惊不喊地咽下逆境的高素质企业家。这个生在杭州,长在成都、上海,上大学读研究生又在长春和北京的外地人,实在有着昭示赣人的意义:他如一粒蒲公英的种子,随命运跌宕的风,吹到了这片因酸性过重而显得板结的红土地上。他扎下了根,以泥鳅般翻滚的心智,崛起了一座葱郁的林子。在这之后,无论是他家庭的海外背景,还是凭着他在汽车工业界大噪的声名,他比别人更方便离开江西,比许多想做官的人更容易坐上某把重要的椅子。他的决定,却是做一个赣人,并做一个职业企业家。

我想,即便日后他没有经受住革命的考验,真有被"抓"或是"外逃"的那天,但从八十年代迄今为止的江西当代史,会忘记很多曾紫气干云的官员,却会为有孙敏这样一个人物的存在而幸甚。倘若他被"抓"或"外逃"的那天,像西方敌对势力对我中华永远兑现不了的和平演变阴谋,那么,孙敏和赣地再多有几位、乃至一批这样的企业家,当然还得有深情地站在他们后面的好书记、好省长,就能在尽可能短的时间内,对一个素为人们头脑中根深蒂固的农业省或是老区的江西,作出一项全新的形象设计。

犹如号称江南三大名楼之首——飞檐斗拱、流丹鸣鸾的滕王阁,一夜之间突然消失在赣江之滨,一个震惊,当时在我,也在江铃广大职工的脑海里久久耸立,驱之不去:这艘巨舰的舵手孙敏,而且三年前,当选为党的全国十四大上江西唯一的一名企业家代表,却被搁浅在省党代会和那个事关江西未来的跨世纪主题之外!

南昌市出席省党代会的代表,先是由市委常委召开常委扩大会,对有 61 个候选人的名单进行圈选,圈选的结果,孙敏名列倒数第一。此后又举行市党代会进行差额选举,由 61 个候选人里选出正式代表 50 名,圈选中倒数第一的排名,预示着孙敏在正式选举中落选便是必然的了。

可以肯定地说,出席市党代会的同志们,有相当一个数目,是来自本市各行业的优秀市民,绝对地想选出能够担负起振兴南昌腾飞江西重任的代表。他们应该清楚,一座城市有一批好的企业家,才会有好的效益。而在南昌,也在整个江西,一部分企业家是昔日依附权力之下冒出来的,他们在对上级绝对持之以端恭的同时,对风诡云谲的市场却往往束手无策。此外,因为非国有经济的异常弱小,南昌在九十年代又未能形成一批饶有建树与影响的新生代企业家……在如此严峻的形势下,肯定并宣传孙敏这样的企业家,对于一批职业企业家的诞生与成长,有着无需晓喻的意义。结局却是,同是一个孙敏,省党代会上可以选他做党的全国十四大代表,市党代会会上会下不会有一点非组织活动发生,却让他落选了省党代会代表。由此看来,在历史传统与个人素养上远缺乏民主熏陶的中国,今天你还不能对民主这两个神圣而又可爱的字眼太较真。

之所以重提这件发生在两年前的往事,是因为这段距离——由 61 名未进入 50 名以内,不但具有研究当代江西的个案价值,而且,看起来这成了总是一往直前的孙敏回首往事时的一段滑铁卢,其实却是在种种宁可信其有不可信其无的传闻的茫茫大雾下,一片典型的心理倾轧的沼泽……

这不是孙敏的尴尬。月亮还是那个月亮。两年后的今天,江铃汽车集团以 65 亿元的总资产,超过 20 亿元的年销售额,以及与福特公司联合开发出的"全顺"商务车,被引为全省大型国营企业实行现代企业制度的龙头老大,省委、省政府制定的"名牌战略"中的第一张王牌。我正写作此文的一段日子,从省台到市台,从有线到无线,从报纸到广播,到处可见孙敏的镜头或是他的讲话,其频率密集的程度,好像"文革"中有几年去看电影,那银幕上不是阿庆嫂、柯湘,就是西哈努克……

这是南昌城的尴尬——

这片土地上经济发展滞后结果的最直接承受者,就是老百姓了。手头刚刚有一个材料,在最近的一次有关调查中,南昌市民中,88.6%的被调查者,月均收入在 800 元以下。30.4%的人,月均收入甚至在 300 元以下。但愿这是杞人忧天,有一位经济学家告诉我,按照眼下的发展态势,江西的工资水平,将有可能掉至全国平均工资水平的 70%以下。

在南昌有两点很容易引起外地人注意。一是人们的肝火特别旺,稍有个小摩擦,便能在一阵河东狮子吼中,倾泄出一片咒骂,假设能够从那弹跳的唾沫中截下一滴,移去金鱼缸里,大概刚刚还翩翩浮游的金鱼,一下就得翻了肚皮。诸如"河佬",即在水里淹死的人;"路皮",即在马路上被车撞死的人。再有就是咒骂对方,还要骂醒对方的先人来:"我操你屋里祖宗八代!"四川骂人话里有一句叫"我日你先人板板",先人板板就是祖宗牌位。两下比较起来,在骂人至为恶毒的话里,南昌话比起四川话来,更为直接,更为粗俗。

因昔日安贫乐道日子的失去而来的不平衡感,因市场经济喧嚣而来的躁动感,因空间被分割得越来越碎的压迫感,因环境总难有序产生的厌烦感……使南昌人总处于一种感慨活得很累、但又说不清楚为何而累,想找个地方发泄却又找不到、即使找到了又不知发泄什么的状态。于是，众多的人都不满，尽管比起过去，该满足的地方也不少。众多的人觉得自己吃了亏，尽管在生活中占便宜的时候也有。他们关注自己的切身利益，漠视别人的切身利益。一边对柏杨先生的《丑陋的中国人》拍手称快，一边又视自己为南昌人里最完美的一个中国人……

滞后和不发达，不仅仅是一堆能够勾勒出社会经济图画的统计指数，也是一堆闪耀各种颜色的碎玻璃渣般的心理状态。我想，在这之中，一定有一种口袋里少了人民币的心理症状，倘若钱包丰满了，再粗鲁的人，往往也会表现得特有教养。

二是去农贸市场转转，最典型的可能是工厂生活区比较集中的早晨集市。这里，不乏为一把青菜，甚至几根香葱讨价还价的人。如果你再和靠近省市党政机关宿舍的墩子塘菜市场比较，便会发现，这里不见甲鱼、桂鱼、海鲜，甚至也没有八九元一斤的黄鳝，诚如一个小贩所说：贵一点的东西，谁会拿到这里来卖？这里差不多是南昌市的贫民窟了……

每每看到统计部门报出来的数字，说职工的收入每年又增长了若干个百分点时，我相信不仅仅是我，有很多人极盼看到一个在工资水平上与其他省会城市相比的数字。可以说，只要有权力的资本化与公款报销制度存在，就不会有什么人能比普通市民那样，对呼唤这座城市的发展和振兴更急迫的了！然而，又常常是部分市民中，一种以传统人格的非现代意识为背景的"心理倾轧"，像纷飞的箭镞，在射向那些拂去"孔雀东南飞"的浮尘，几近寡妇守节一样为这块土地尽忠尽力，以现代意识的钢钎与铁锤，在中国色彩缤纷的城市里，一刀一镂地要雕刻出我们这座城市新的性格、新的感觉的战士。

但值得注意的是，"心理倾轧"有可能是一架社会情绪的释放器。若社会上存在的不公不平之事司空见惯了，而百姓们只能干瞪着一对无奈的眼睛的话,他们的郁闷,便在不断加进自己想象的口头传播中得到正义的纾解。若城市的不如意局面持续太久,百姓们那无动于衷的脸上,堆积着一层层薄暮时灰色雾气的苍凉,他们忙碌运转的唇舌,便不啻于在掠取一次小小的精神宴会。这宴会上,潜意识的刀叉,雨点般地解构着多少年里被称之为"英雄城"的这座城市本有的庄严:既然在许多方面,南昌都鹅行鸭步久居人后,那就叫更多的官员更多的老板,如被虫子蛀空了的篱笆一样一片片地倒下,南昌至少能以腐败分子麇集而名列前茅,更以反腐败斗争坚决而名闻全国……

(五)

在粗粗对江西人文环境作了一番展析后,不仅仅是我,大概还会有不少的读者,都有了如是的一个印象:在很多方面,江西只是一个缩小了的中国。

儒、墨、老三家,是站在中国文化入口处的思想始祖。老庄颇有仙风道骨,闲云野鹤隐逸山林。墨家在侠客的剑光镖影外,有时还有就事论事的工匠气息,前者月暗星稀中潜入江湖,后者仆仆风尘去了民间。儒家一脸的忧国忧民,个人品行煞是正派,可谓瓜田不纳履,李下不整冠,于是进了庙堂。当西汉武帝"独尊儒术"后,举国成为了政教合一的大一统格局,春秋战国以来一个诸子百家自由争鸣的年代,便被偏偏喜好音乐和辞赋的汉武帝给擦了屁股。儒教有了古往今来天上人间尽在彀中的神话色彩和霸主面孔。一个最大的擅长是叫人们的脑袋变得像糟了心的萝卜一样的漫漫长夜,让千余年后的人们发现,除了少数几个民间郎中、工匠和读书人,扁鹊行医,黄婆纺纱,蔡伦造纸,张衡发明浑天仪和地动仪……从汉代到近代,"全中国那么多聪明

人，都在闲着：人文学科弄完了，自然科学没得弄。"（王小波：《我看国学》）

打程朱学派变儒教为道学，又在赣地的山川精气间，与南禅化了的陆王学派相依相折为宋明理学，理学便成了在"仁义道德"、"礼义廉耻"等酱黑色的汁液里腌制国人灵魂的一口大缸；又是在中国思想史的身上，血糊糊地割去早期儒家朴素的唯物主义、人本思想，却让知识分子们浑然不察并变得玄空起来虚伪起来的精神烟土。从此，知识分子大抵上失去了柏拉图在《申辩篇》一文中所提到的一个功能，即应该是一群牛虻，不停地在叮咬着、刺激着古希腊城邦国家这头举止笨重的牲口。相反，却通过丰沛不衰的科举制度，成了国家机器的流水线上走着的一批批现任官员或候补官员。在流水线外呼吸的人们，也少有一颗自由的心，他们主动或是被迫地裹胁于一种无形的"君臣之势"。汤显祖果敢地从流水线上退了下来，做起了"临川四梦"。宋应星终于从"君臣之势"里拔出脚，躲进了《天工开物》。除此，在近三百年气数的明朝，既想挺直思想的脊梁，又想挺直人格脊梁的知识分子，便只有步李贽先生的后尘了——

他有着二十多年坎坷仕途，又和泰州学派的学者时有来往，该学派逆宋明理学之狂潮，以为天下大"道"莫过于人生穿衣吃饭劳动。就这么两者耳濡目染下来，他就入木三分地看清了官场下水道似的肮脏和道学家们丑陋的嘴脸。李贽的一个朋友的哥哥，既是官僚又是颇有声名的道学家，他在写给后者的一封长信里，毫不留情地鞭挞了对方的虚伪，大意是：你和众人一样买地置房，读书做官，遍寻风水，以求后代有福。这都是为自己打算，没有一点替别人作想的意思。但是一开口谈起道学，便娓娓动听，你为众人，众人一体。其实你所说非你所做，你所做的你一定不说……口称道学的你，既无传道之意，更无重道之行。比

148

起一般百姓来,他们做什么就说什么,做生意的就求货达三江,种田的就望风调雨顺,那是何等的痛快!

倘若不信,可以去图书馆里那多得似夏草一样的经史子集中翻翻,像这样清清爽爽又酣畅淋漓的大实话,竟成了王朝中国的稀世之音。

万历十八年(1590),李贽将写给这个官僚的一些信辑成《焚书》一书刻印出版。后者发动其门生攻击他为"妖人"、"左道惑众"、蓄意"造反",他无半步退缩,又继而写出进一步清算宋明理学的著作《藏书》,激昂恣肆之下,书中直指两程、朱熹为欺世盗名的伪君子。当地统治者给年已 74 岁的他加上了"有伤风化"的罪名,他不得已由南方的麻城,躲到了北方的通州。不久,便有密报给时任内阁首辅的沈一贯,沈重弹"有伤风化"的老调,明神宗即下旨逮捕李贽。入狱之后,李贽沉疴日重,当听说要遣送他回福建原籍,自觉一介病躯挺不过这万水千山,又想偌大一个中国,无论去了何处,都容不下这区区两书……万历三十年(1602) 3 月 15 日这天,李贽要求剃头,剃完头后,趁师傅出去一会儿,他抓起剃刀自刎而死。在这之前,他留下了"我今不死更何待,愿早一命归黄泉"的诗句。

在王朝中国里,历来多的是张勋、胡思敬这样阻挡历史潮流的人物,即便是在戊戌变革干柴烈火的湖南,又因新旧冲突最剧而震动于世。一大批具有湖湘文化相对封闭性背景的耆宿绅儒,其谤声毁言,恰似湘厨那弹雨般飞进油锅里的红辣椒。当时也是乡绅、晚年却在白色恐怖中加入了共产党的杨度,便十分不齿于维新派的民权之说:"又论西洋各国倡为人人有自主之权之说,夫人人有权则父亲不能使子,君不能使臣,兄不能使弟,夫不能使妇,朋友不相为,至于人人无自主之权矣。"(《论湖南应办之事》)

取保守立场,在中国历来无多少信仰的色彩、主义的光芒,不过是因为他要保守的东西,系其安身立命之所。有人统计,在百日维新期间,往日里养尊处优、尸位素餐、现遭裁撤的官员,约在五千至一万人内。而废除八股取士一举,更是涉及到了全国数千进士、数万举人、数十万秀才、数百万童生。仅这两者加在一起,便能"不谋而同心,异喙而同辞",折腾出一个"自是谣诼大兴,亦遍于天下"(梁启超:《戊戌政变记》)的中国了⋯⋯

　　江西堪称是中国的袖珍版本之处还很多——

　　比如警怵于异端。

　　从胡风到遇罗克,从张志新到顾准⋯⋯九年前,我曾写过"文革"后期发生在江西赣州,以后在胡耀邦任总书记期间亲自过问并获得平反的一桩特大冤案:两名年轻女子,因反对林彪、怀疑"文革",也不满于"凡是派",先后惨遭枪杀。同时,在曾广泛同情、声援她们的干部群众中,有近五十人被判刑,总刑期加起来达到五个世纪;有六百多人受到刑事、行政或党纪处分(见拙作《中国的眸子》,刊于《当代》1989 年第三期)。在这部作品里,我感叹道:"回顾新中国艰辛曲折的历程,祖国并不缺少任凭鹰隼啄去血肉也要高举燔火走向高加索山上的志士,也不乏在令人窒息的长夜中一双双能够透过如浆夜色看到熠熠星光的眸子。但是,残疾了的历史,总是要以尖刃湮灭这样的喉咙,总是要以黑布蒙住这样的眸子。"

　　这种对于异端的警怵,不仅来自于一部失控了的国家机器,也几乎天然地来自无数多的国人,甚至在这之中还包括被视为"异端者"的亲人。最典型的是顾准,举家唯一没有和他"划清界限"的,是他年已九十的白发老母。然而至死,又是他的妹妹和时任公安部代部长的妹夫,禁绝了他这个孝子和母亲的见面。在弥留之际,顾准仍深爱着与自己划清了界限的亡妻及子女,他也体谅了将一幕人伦毁灭的悲剧推至极处的妹妹、妹夫,长吁道:他们也是坐在火山口上呵!

再有八十年代初,几十年间的革命大地上,兵戈气、火药味尚未散尽,犹如一片劫灰之中,一枝轻橹蓦地摇出了一个杏花江南,冷不防之间,邓丽君登陆了,以絮语式的浅浅霜花、蒙蒙月色,倾诉式的情人旧札、故乡黄昏,乃至娇喘式的歌吟,风靡了千千万万的年轻人,成为那个年代尚不多的时尚之一。对此,并不是少数人深怀着一唱灭城、再唱亡国的忧虑,向风涛深处那个"水深火热"的孤岛,投以愤怒的一瞥。也不是几位老干部,再添上了一个灯红酒绿、外国广告乱贴的深圳的印象后,在彼此间唷叹:风风雨雨几十年,一觉回到解放前!

比如"内耗"。

祖籍江西奉新的美国纽约大学教授、美亚研究学会会长熊玠博士,1994年7月回赣考察并进行学术交流时谈到,赣人一个最突出的特点就是缺少协作精神,容易产生内斗。如果在内斗方面设立一个诺贝尔奖,赣人可能是该奖项的得主。我感到一阵惊讶的是,去年6月我在美国洛杉矶时,走访了一位来自上海的朋友。他对我讲了一番与熊玠博士几乎一个版本出来的话,唯一不同的,只是将赣人改成上海人。他告诉我,在他的社交圈中,没有上海人。在他开的一个小公司里,没有办法时,宁可用不太听话的黑人,懒散惯了的墨西哥人,也从不用来找他时总是满脸滴着蜜糖的上海老乡……细想想,也不奇怪,"横看成岭侧成峰","只缘身在此山中"。在柏杨先生以《丑陋中国人》参与写作的那个总版本里,太多的作者,都用过一个令世人熟悉的经典比喻:一个中国人是条龙,三个中国人是只虫。

比如所谓的"怀旧"。

在眼下怀旧正日益变成一种社会时尚的时候,在一些赣人的怀旧里,常常眷恋的是计划经济时代的安贫乐道,自然还有——举国政治激情愈是高涨,赣地愈是自傲于世的革命历史。在相当多的国人那里,怀旧,有时也是一个误会。

毋庸讳言,当今不少中老年人里,精神上有着一个"苏联情结":

在托尔斯泰、陀思妥耶夫斯基、契柯夫、高尔基等文学大师的笔下,我们熟悉了俄罗斯那寥阔、空旷、令人略感忧郁的草原,沿岸都是白桦林的静水深流着的湖泊。蓄着胡须的男人们,一半像农民,一半像先哲,笑声善良而又爽朗。女人们能歌善舞,年轻时几乎个个粉白黛绿,鬓影眸光,来了客人总是先捧上面包和盐。卓娅与舒拉、马特洛索夫、古丽雅的道路,像蓬蓬的风一样,鼓满了我们青春日记的帆;《三套车》、《卡秋莎》、《莫斯科郊外的晚上》……像碧绿的长青藤,抚慰着多少"老三届人"干裂的心壁上的寂寞与忧郁。

我亦如此。即便是苏联,在世界的版图上已化为了历史的陈迹之后,比如在纪念世界反法西斯战争胜利五十周年的时候,我也曾想起一部苏联电影《这里的黎明静悄悄》。大概是因为其中有几秒钟的裸体镜头,当年在国内它还得内部放映,可恰恰是在战争中难得的"静悄悄"里,导演选择几个正当花季的女兵洗澡的镜头,展示了脱下粗笨的军装后,她们的身姿有着何等的美丽,这分明是青春与和平的美丽;她们的肩膀其实只有鸽子胸脯般的柔软,然而这份柔软,却敢于面对倾泄血与火的钢铁……

近年里,国内有制作单位赴俄罗斯拍了一部多集的电视专题片,内容是访问该影片的演员和导演,显然这会是一部非常有看头的片子。可惜迄今我无缘看到,只是在一张发行量很大的晚报上,读到了有已经看过这片子的一位先生写的短文,其中的一段照录如下——

现在,令人百感交集的是,当年的社会主义苏联已经不存在了,这里的黎明已不再静悄悄。莫斯科在急切地追寻着现代化,红场上到处都散发着商业化的气味,整个社会为着金钱而运作。这难道是当年女兵们愿意为之献身的社会吗?摄制组难能可贵地专程赴俄罗斯访问了当年饰演女兵的演员和导演,他们对当年拍摄这部影片依然充满了真情,表现出难以抑制的激动。虽然他们无法讲清对当今社会是爱还是恨,但他们无不流露出对前苏联的留恋……

暂不去说比起俄罗斯来,今日之中国,在追寻现代化上表现得更加坚定也更加急迫,天安门广场上散发出的商业化气息,大抵也不会弱于红场。那一个问号,同样能够赫然掷向长眠于我们这片热土下的千万先烈……要说的只是,其字里行间,弥漫着作者、也似乎弥漫了这部影片演员与导演浓浓的怀旧意味。可我读出来的,却是一个误会。

历史,早钻出了一个黑黪黪的巨大蚕茧:

在前苏联的大地上,曾长期磐石般地压着一片"难以忍受的重荷"。一边是耀武扬威的庞大军事机器,一边是瘦骨嶙峋的国民生活。大地上不乏"那些把自己置于革命之上的人,那些想加快革命进程、想使明天在今日就提前来到的人,那些想做好事却干了坏事的人,那些想促使时间和进步的轮子转动得更快一些的人,他们完成了他们想办到的事吗?数以百万计的人毫无意义地牺牲了,数以万计的有才华的生命过早地死去了……""他们是多么优秀、纯正、精力充沛的人呵,这些将壮阔的浪漫的理想主义带进了坟墓的早期的革命者!他们是歌手、牺牲者、盲目的狂想者、革命的烈士。"以上引言,均见于斯大林的女儿斯维特拉娜的《致友人的二十封信》。

更砰砰叩响我心门的是,在前苏联的著名长篇小说《阿尔巴特街的儿女们》里,有这样一句话贯穿于始终——道德就是讲真话。毫无疑义,唯有经历了没有思想自由与言论自由而必然形成的全民性撒谎的年代的人们,才能对道德作出如此简明如此深刻却不无悲凉的定义……

　　我想,经历了"反右"、"文革"等一系列运动的中国人,饱尝过短缺经济滋味、每月只有三两油半斤肉半斤饼如今养活一条狗也不够的中国人,不会去怀念这样的年代。我们怀念的只是不惧脚下层层的苦难与血泪,俄罗斯人民决意朝着符合人性的生活进发的探索精神和英雄气概,还有俄罗斯民族的灵魂中那宁静、睿智而又沉雄、博大的美,好似划破昏暝的极地光一样,将升华与深邃着我们这代人的精神。

　　林子一大了,什么样的鸟都有。或许,国人中有人脖子上有一块"通灵宝玉",而这块玉落在了那个旧年代的废墟里,但他们以自己的怀念,误会成了别人的怀念。那位已经去了孤灯黄卷里打发日子的戈尔巴乔夫,当年绝对没有崩天裂地的能量;前苏联的灰飞烟灭,也决不是叶利钦登上包围国会的坦克车上振臂一呼的结果。一个卢布的购买力一度惊人地贬到九千分之一的动荡年代,倘若是换到别的国家,即便不内战一场血流成河,也得至少十年军事管制。可俄罗斯人民就这样咬着牙和平地挺过来了,到1997年,通胀率已跌入30%以下,而国家进入了国际竞争力排行榜的前五十名。倘若我们真认为今天的俄罗斯,乃是俄罗斯人民自行选择的结果,如同中国人民选择了中国式的社会主义一样,便不会轻率地评说别人在"流露出对前苏联的留恋"……

　　怀旧,倘若被误会成了守旧,我便想将一句话写在这里——

我们不一定都会去赞赏红场上那到处散发出的商业化气味；

我们却绝对拒绝当年天安门广场上那狂飚突起的红色海洋。

比如"官祸"。

我忘记在哪篇文章里看到过的一个统计数字：在唐朝，全国平均四万个百姓养一个吃"皇粮"的；在清乾隆年间，为四千个百姓养一个吃"皇粮"的；到了国民党时代，是四百个百姓养一个吃"皇粮"的；到了今天，则是每三四十个人里就有一名干部。这个统计数字是否准确，可暂存疑，但因为昔日计划经济的政治逻辑就是无限政府，官员们自然在政府无孔不入的一切领域中大大地膨胀开来，这已经是一个不争的事实。官员们一多，办事就难，若没有关系，你就得出入动辄便是"荣国府"、"宁国府"这般侯门深似海的大院。不经过七八道高高的门槛，不让你从骨头缝里也充分领略权力那沉甸甸的分量，你就难盖上那个印。官员们一多，还有一个被天下百姓看麻木了说倦了却依然遍及天下的吃喝风——

九年前，我在《人民日报》上发了一篇杂文《美食家的自白》，大概说了一些老老实实的话，在该报文艺部主办的这次杂文征文活动中，被评了个一等奖。文中，我有如下大意的话——

我察觉，我国的历史文化遗产在许多方面都是粗疏的，重直感而轻理性，似宏观而又少微观，但有两个方面是极严密、极系统的。

一是吃道。各地有各地的菜系：粤菜、川菜、湘菜、鲁菜、淮扬菜……各地有各地的小吃：昆明的过桥米线、镇江的小笼汤包、宁波的汤团、天津的"狗不理"包子、成都的夫妻肺片……前

者不厌其精,后者不厌其详,令洋人们见了目乱五色,吃了咂舌不已;

二是官道。古代官吏有九品,始于魏晋。各品之间官俸自不相同外,对各自的官服、带、冠、鱼袋、笏等,也有严格的规定。以唐为例,三品官服为紫色,腰环金玉带,头顶三梁冠,胸佩金鱼袋,手持象牙笏。降至六品了,对不起,服色为深绿,腰环银带,头顶一梁冠,胸佩银鱼袋,手持竹木笏……荦荦大端,不一而足。这深厚的传统到了今天,便是从工资、津贴、住行、电话,乃至到逝世后追悼会的规模,放在大厅还是中厅,讣告登不登报,能登的话是登在一版还是四版……这林林总总,无不和一个人的级别有关系。

莫非是吃道渊源于官道?莫非是官道弘扬了吃道?这就成了一个先有鸡还是先有蛋的古老命题了。但从两者如此相似来看,我相信,历来为官者,多半是与美食有缘的。世事更迭,秋风又是。没有料到的是,我的这一看法,依然没有如前苏联似地黄叶西去——

近年来从中纪委到各地省委,三令五申,金牌如火,坚决制止公款吃喝,制止党政官员出席与公务有关的宴请活动,强调工作餐只准四菜一汤,或者实行分餐制……还有从南到北,处处不胫而走的顺口溜,这民间文学不要署名,不要稿酬,无须经过谁的审读,因而也无媚俗之嫌。其中一个重要的内容,就是谈吃喝风的,诸如:"××不怕远征难,千杯万盏只等闲。白酒啤酒腾细浪,生猛海鲜走肉丸。三杯下肚心里暖,一日不喝心里寒。更喜茅台五粮液,'三陪'过后尽开颜"……

这张嘴巴,一般都长在坐上首的人的脸上。也许,起初它还有几分紧抿深沉,但在两边的嘴唇水浪般波动地逢迎下,它很快便浅斟低笑了。一杯酒下去,它已经作亲切平易状了,于是,一

156

次官民同乐的时刻便来到了：箸杓来往，星流雨急，杯盏叮当，妙如天音。两瓣红唇，一开一合，宛如花间彩蝶，视物幻变姿影，嚼肉时生猛状比疯狼，吮汁时轻巧犹如水蛭……

当喝得每人脸上都是一片血色黄昏时，两边便都获得了一种醺醺然的心理满足：被请的，在以牙签剔去牙缝里残屑的同时，还在心里琢磨着，权力正怎样地改变着世俗的生活：以眼前的酒桌为例，只要我带着权力而来，哪怕我有着一副美洲豹的胃，就不能称我为饕餮。讲庄重些，我是代表党和政府，去祝贺去鼓励，去提出希望去听取汇报的，在这里"革命就是请客吃饭"；讲粗俗些，我去了，不是我肚皮里装进了什么，而是我从自己人人仰望的面子上慷慨地拔下了什么，我往那上首一坐，就像是一道最丰盛的菜肴往席上一摆，顷刻间，令众人目光与四壁一道生辉，兴致和脾胃共同大振……

请客的，或者称之为买单的一方，犹如破了皮的包子，满是闪闪油光的额头下，眨巴着一双不再那么恭谨的眼睛。对着被请的，他也在心里思量，当今的权力，在红灯绿酒、曼舞轻歌中怎样地被改变着，什么衙门高筑，门难进脸难看事难办？什么一身正气，两袖清风？权力并不是一个全身铠甲、刀枪不入的家伙，它具有人性的全部弱点。因为看到了某种可能性的前景，他兴奋地鼓起一对如甲亢般的大眼，唤着：小姐，我们的领导同志难得有这样松弛的时候，你还不陪他唱一支歌？于是，在卡拉OK声中，十个指儿春葱似纤细的玉手，一下攀上了被请者的肩头……

几十年前，毛泽东同志曾经这样教导过我们，大意是小生产者们的生产和生活方式，每日每时每刻都在产生着资本主义的倾向。当今，在中国的大地上，从气象万千的煌煌大都，到巴掌大的泥巴味儿还没有脱净的县级市，没有一天、没有一顿不在上演这样的场面。

吃道仍在不断升级，别人请当然去吃，别人未请，就自个儿变着法子吃：干部会、业务会、表彰会、现场会、讲习班……屡屡有消息见于报端：一个县的财政收入，一年不过几千万元，但一年的招待费加起来，就近千万元。一个村子，因为土地征用，有了百万元的卖地收入，半年下来，村干部们便吃掉了三十多万元。1997年6月3日，新华社又发一条消息，河北省临漳县万人评选"吃喝大王"，被评上的是两个前后任的党支书，村里穷得盖不起学校，他们却把村民的提留征购、计划生育罚款等，吃得只剩下一堆白条、欠条。

我是在《南方周末》上鄢烈山先生所开的专栏里转读这条消息的，针对还不是千夫所指，而是万人所指的两个家伙，受到的处分不过是"留党察看"，鄢先生有理由问道：

作为工人阶级先锋队一分子的"党员"，其底线究竟在哪里？

中国人民，中国共产党，就那么短缺"先进分子"吗？

真不知这样的情况，已经疯狂到了怎样的程度，在国家和地方的统计局，未见有每年所谓招待费的统计数字，但要找个感觉并不太难，人们可以注意一下，在自己的视野所及之内，有多少基本上一日两餐都忙得无须回家里去吃的"公仆"，其伙食开销自然无需他出，这也就是新民谚里"三条基本不动"之一的"工资基本不动"是也……

即便耳朵里早已木然的我，对此也不能不瞠目结舌，那就是吃光了国内的，就去吃国外的：今年以来，在杭州有澳洲空运过来的"皇帝蟹"，之所以号称皇帝，大概是几公斤一只，身架庞大，八面威风，每斤价格要一千多元。在广东，则有新加坡空运来的"金龙鱼"，这是一种名贵的观赏鱼，卖到了几千元一斤。有外商进来看了，一下大跌了眼镜，恍若这不是在绅士楚楚、仕女翩翩

158

的高级酒楼,而是一脚踏进了瘴气弥漫的野人群落……金龙鱼还飞去了东北,厨师们挠头抓腮,"老革命"遇到了新问题,好在当今已是个信息社会,他们不耻下问,在长途电话里学来了这种鱼的烹调方法。无疑,能有如此胆魄,消受此类鱼蟹的,只能是老食客了;而吃了不觉心疼,吃完该唱歌就唱歌,该跳舞便跳舞,那买单者付的账,十有八九,该是"人民公社"的银子。

我觉得,已经很难用缺乏党性、贪图享受、脱离人民群众一类常态下的话,来评说某些人了。按理说,再好的东西,也总有吃腻了的时候。就是吃不腻吧,可单是别人买,肚皮却是自己的。胆固醇、高血压、心脏病,就算凑在一起,也闹不了"暴乱",可腆着一副怀胎六月似的大肚子,弯下腰来系个鞋带,或是去车间田头,要和群众促膝谈心,话话年景与家常,那双腿却簌簌地摇晃,一颗心也跳得怦怦地像要飞出去,这场面有多尴尬,这滋味有多难受?那张嘴却止不住地要吃,一到了酒桌上,它就津液漫漫,牙磨霍霍,开合似电,吞吐生风!一个心思也禁不住地要去思忖,要去策划,能够以个什么名义,再找个什么地方去吃吃……

在中国,现在还得加上放眼世界,除了实在啃不动的桌子外,四条腿的东西,还有什么可以引入咱们源远流长的"食文化"?似乎是天下荒年,全世界的人们都在蝗虫般地抢吃,自己再不吃,明天就没有吃了。也像是在那牙床的摩擦声中,不但味觉上获得了极大的刺激,还在心理的背阴处,一个平常看起来各方面循规蹈矩的人,获得了一种正在突破什么、凌虐什么的快感。

我讲不清楚,这到底是一种具有多少生理学、心理学,还有社会学内容的快感,但我想起了奥地利作家斯蒂芬·茨威格,在1914年第一次世界大战就要爆发的那个夏天,他目睹原本对战争充满了惊恐的维也纳,现在却车站上天天旗帜飘扬,音乐声震耳欲聋,列车上挤满了面色喜气洋洋的新兵;而在酒巴与咖啡厅里,要想找一个人来进行理智的谈话,已渐渐成为不可能了,爱好和平、心地善良、视音乐为灵魂的市民们,如今却像喝醉了酒似地杀气腾腾……

对此,茨威格写道:

> 说不一定在那种飘飘然的感觉之中,还有一种更深、更神秘的力量在起作用,那股向人类袭来的惊涛骇浪是那样猛烈,那样突然,以致把人这种动物身上暗藏的原始欲望和本能翻腾到表面上来,那就是弗洛伊德已深刻看到的、被他称之为"对文化的厌恶",即要求冲破这个有法律、有条文的正常世界,要求放纵最古老的嗜血本能。(《昨日的世界——一个欧洲人的回忆》)

我无意要把今天的某些官员们,和八十多年前的维也纳市民们联系起来,我引用茨威格的这段话,只是想提请世人注意,人类身上可能存在着一种用理性与一般是非标准难以约束的失控现象。

奥地利人失控了,将欧洲一片最美丽的河山,绑在了隆隆的战车之上,为那个时代最大的犯罪推波助澜。

中国的部分官员们一味在吃喝上失控下去,当然还不至于火光冲天,血流成河,但前景也足以让人忧虑。忘记了在哪本刊物上,读到一篇访问俄罗斯的观感,走到哪个城市里,不乏栩栩如生的雕塑,岁月悠久的喷泉,以及新鲜艳丽的花束,还极少见到灯红酒绿的招牌和烹龙炮凤的纵欲场面。其中提到,同行的长篇历史小说《曾国藩》的作者唐浩明先生,对此深有感触,说道："相形之下，国人太注重吃，亦太能吃，一到夜晚，走到哪里，食馆和娱乐场所都攀比着高档和张扬，每当这种时候，他就有国家和民族会被吃垮的忧患……"

我则这样想过，倘若不是邓小平以"一国两制"的睿智构想，创造性地解决了香港的回归，而是派三十万干部浩浩荡荡地跨过罗湖桥去接收，那么，即便港岛今天已经富得太平山下那攒天入云的，不是密集的摩天大楼，而是黄金的巨塔，钻石的瀑布，可这种吃法，有个年把的时间，它也会被吃空！

"官祸"，"官祸"，光是一张嘴巴，就为祸极烈！尽管看来中纪委难管住这加起来有万里长城长的嘴巴，本人也难管住自己的嘴巴，但百姓们也不必哀莫大于心死，以为说了等于白说。因为党的十五大强调要深化着的经济、政治体制改革，有一交叉点便是，市场经济要求政府最为根本的职能，只是保障财产权和经济自由，政府一旦不做千手佛而将自身规范为有限政府，就必然得大刀阔斧地剪裁冗官……

自然，赣地等同不了一个地域广博而又迥异、文化披离而又折冲的中国。

它只是对于一个传统中国、乡村中国、内陆中国，具有一种极大的前驱性力量。

只要看看这一事实，便会承认用"极大"两个字，来做这一力量的定语并不为过：明朝嘉靖万历后开始的江西及赣文化的衰落，恰恰同时伴生着江浙沿海沿江一带资本主义萌芽的兴起与实学思潮的涌动。然而，后者并没有在中国普遍成长开来，从而引起新的生产力与新的生产关系的巨变；倒是赣地成了整个中国衰落的先兆，如果以 1840 年的鸦片战争为标志，早已做了破落户子弟的江西，如春寒的山坡上点点的白花、黄花，在这之前，为其母体苦苦地做了 150 年的镜子。中国却忽略了这面镜子，以大清那刚刚从烟榻上起来的慵倦而又七孔通窍之身,悠然扎进了快枪洋炮的雷阵之中……

对于那些喜好研究地域文化、却又可能在所谓"中国文化的另一种读本"中隐去了赣文化的先生们,这确是一个富有挑战意味、又能让他们坐下来深长思之的问题。

江西在文化上的悲剧性角色,便这样确定了。

在既成了母体的衰落之先兆后,却未能比中国的许多地方更早地退出那灰色雨云般蠕动的历史之潮。几乎在中国每一次激浊扬清的时刻,我们都未能大气长舒;几乎在地域文化的每一回命运大分野中,我们都小家碧玉似地姗姗来迟。要不,总有一件精神的迷彩服在前面虚幻眼睛;要不,失去虚幻之后,又接踵失去了底气。倘若那片历史之潮,犹如蜗牛经过处,其分泌物必留下一条闪亮的印迹,也一定要在人文环境中铺下一丛丛隐形的荆棘,那么,要想不扎到手,又少刺到脚,与其他地方比起来,走在赣地,你便得多付出几倍的小心……

如果说在文化上,今天存在着一个现代中国、城市中国、沿海中国,而且我们的耳朵里,几乎日夜喧腾着它们的声音,恍若白花花的泡沫,不断从装了螃蟹的竹篓里冒出来;那么,一个传统中国、乡村中国、内陆中国,并没有成为战国时代的编钟那般浑厚、苍茫的绝响。它们虽然常常桃李不言,踏雪无痕,不像深圳的摩天高楼和大上海气势如虹的杨浦、南浦大桥那样,成为一个光彩绝伦的景泰蓝花瓶,放进时代的橱窗里展览,它们却在本质上,更多地决定了今天中国多数人的生活,更接近于今日社会之深层状况……

后者终究要送进历史博物馆里。但在未送进去之前,江西则几近一块活化石,更多地保留了它们的文化精神。或者说,江西将是下个世纪的中国在现代化之战中的一片最艰难最胶着的

162

阵地。

我真不愿意在世人面前,如是地描绘江西的文化角色。

我想象着珍珠的生成过程——

当砂石被置于蚌的体内时,它柔软的肉体一定颤颤发抖,硌硌生痛。但是蚌没有别的选择,能做的唯有以自身肉体的挣扎,去接受砂石全方位的磨砥。于是,生命的奇迹降临了,那粒粗砺的砂石,变成了一颗晶莹夺目、温润如玉的珍珠。

江西是我的故园。

虽然在这块土地上,由于众所周知的原因,我们做子女的,找不到三十多年前猝然而去的母亲的骨殖,但南昌市近郊一处静静的墓园,以满岭的松树,接纳了一年多前作了古人的父亲。我们这一家的喜怒哀乐,生离死别,乃至长恨歌哭,几乎都和这片土地有着不解之缘。

此外,至少三分之二以上的各科知识,一半以上的社会认识与社会经验,也是江西给我的。江西是我的一位尽心尽责的老师。如同不能怠慢故园一样,我不能欺惘于老师,我只能将堆积在心头已太久的话,原原本本地掏出来。哪怕它们会表现得有某些偏颇、激烈,也不愿意将它们剪裁一遍后,又熨烫一遍,再镶上几道艳丽的花边,以表现我的圆融通达,或按南昌话说,便是此人"识眼"、"得转"……

江西啊,请原谅了;

我可能是个有些固执的学生,但我却是你一个诚实的学生。

五、其实忧患远大于欢乐

我只相信这一点,当一个传统中国、乡村中国、内陆中国,在朝着一个现代中国、城市中国、沿海中国发生全方位的深刻嬗变时,中国才能一改那张被风雨鞭打、青铜般剥蚀的老脸,俯瞰一片生龙活虎、流光溢彩的大地神州;江西才能一除精神上堆积的皮下脂肪与赘肉,澎湃起我们先人一切的光荣与梦想……

(一)

登上村东黛青的东华山,一脚踏进了一幅云烟满轴的水墨画里。放眼全村,乌江河如玉如带,环绕而去。沿岸的株株香樟,伟岸而又古雅,交错的茂叶与虬曲的枝干,蜿蜒如一条苍龙,在无言地述说一千多年的沧桑。

走在这水环山抱中的流坑村里,七条方正有序的小巷上很少有人,那徘徊着的身影,多是三三两两的游人,他们在被磨得光光的鹅卵石上擦出的足音,让这小巷里与石缝间苔痕一样满铺着的古典故事,一阵儿醒来,又一阵儿昏昏睡去。村子里总是静静的,一幢幢有着徽派建筑之风的高府深宅中,天井里幽幽的光线,照着墙檐窗门上所嵌所镂、仰俯即是的匾额楹联,泥塑砖雕;巷口那座座风蚀雨剥的门楼,犹如一个端然凝视的老者,在缅想当年开门即是泱泱水光的码头,码头上下,船工排工们大碗喝酒,大臂扬波……

在这个绝大多数村民姓董的村子里,现有八百多户人家,近五千人口。有近千人去了沿海地区打工,他们都是年轻人,倘若知道了这些年轻人的老祖宗是汉代大儒董仲舒,不知老板们在对待他们的态度上,是否会有些微妙的变化?留下来的中老年人,多半种田,村里没有企业,也早没有了游走四方的船工排工。也有人在家里开出小小的南货店、药店或是烟摊,从秤具到包装,还有那些装有各种中草药的一格格抽屉,都是旧式的。一天里没几次生意,主人在漫漶着一片古意的店堂里,木木地坐着,或是走到闩口来,看几个娘们玩一种以古币作牌的游戏……

一切都像是一幅黑白两色、明暗相间的民俗图。倘若不是我已经知道了流坑这千年的流变,这幅恬静的民俗图,怎么也不会让我想起,千年以来,在这面积不过3.6平方公里的一个村子里,竟书院林立,书香盈屋,书声泼天。据《乐安县志》及本村谱牒记载,宋明清三朝,全村共出状元一名,进士三十四名,举人两百多名。上至宰相、尚书,下到知县、主簿、教谕者,近三百余人。还有理学家、经学家、文学家、书法家、医学家、武术家数十位。那时,村子里有多少人家是文藻翰彩,钟鸣鼎食,再看小巷里走着的香车宝马,码头上迎送着的如云冠盖,难怪明崇祯九年(1636)十一月二十五日,脸上落满了三山五岳风霜的徐霞客,发现了这深藏山中的流坑时,当晚不无惊讶地写道:"其处阛阓纵横,是为万家之市,而董姓为巨姓,有五桂坊焉。"(《徐霞客游记》)所谓五桂坊,系纪念有一年董氏兄弟叔侄五人同科进士。

给我心灵冲击最大的,却是听说了眼下全村这几百户人家,没有订一份报刊。今日之种种情状,我都不想了解了,单凭这么一件事情,我便看到了一片文化的废墟。我还想到另一片历史的废墟:走过状元楼、五桂坊、翰林楼的残迹破貌,出现在眼前的是荒草凄迷中的董家祠堂的遗址。往昔祭祀和庆典的日子,这里便集中了董氏各房的子子孙孙,一排排叩拜先人灵位的,有奋发苦读的身影,有金榜题名的得意,也有暗渡陈仓、将以银子换来功名的心机……现在存下的,唯有被军阀孙传芳部下一把大火烧剩下的五根巍然石柱,以永恒的无言之势,永恒地垂问着莽莽青天。

一千年可以过得很柔情,

一千年也可以过得很残酷。

一千年下来,可能琳琅满目,美不胜收,

一千年下来,也可能两手空空,一无所有。

除了二十世纪二十年代一个月黑风高之夜的那把赫然大火外,还有谁,应该对眼前这片文化的陨落负责呢?

(二)

从中古到现代,在祖国历史的广袤苍穹上,杰出赣人们的名字可谓已经汇成了一条银河。好像有一曲流行歌的名字叫《星星点灯》,倘若指望从赣地的山川上放飞出去的星星,一片清辉给故土点灯,这份指望早就变成了奢望。

一个日益鲜明而又严峻起来的事实是,我们得承认,一代又一代赣籍知识分子,未能担负起自己对于赣地应尽的责任。我想其中的原因,首要的一条是,江西长期充当人才的"摇篮",并不源自于改革开放后不同地区之间的经济发展落差,这一期间骤然加大的落差,不过使往日里泥土下雪水般汩汩化去的人才流失,变得像夺百丈险关而下的訇訇春瀑一样触目惊心!

往上溯,宋朝时,江西很多出去当官的,最后都没有回来。我们津津乐道的"唐宋八大家"里,北宋有六家,而赣人便占了三家,其中二度为相的王安石,从王朝激烈的政治漩涡中退下来后,选择了江宁(今南京)驻下自己生命的晚秋,或寻幽策杖漫步,倾听天籁;或居家凭栏小憩,细数落花。昔日大感疲惫的身心,在岁晚的流光中,被淘洗得恬适而又恬静,他曾有诗记下了这一心境:

> 月映林塘静,风含笑语凉。
> 俯窥怜绿净,小立伫幽香。
> 携幼寻新葽,扶衰上野航。
> 延缘久未已,岁晚惜流光。

欧阳修也是以一种最悠闲的方式,来打发下台后的日子。因为有藏书一万卷,金石遗文一千卷,琴一张,每日又常常是棋一局,酒一壶,老翁一人,他便以"六一居士"自称,终老于安徽。另一位是曾巩,死后也未归葬故土。此外,"江西诗派"的领袖黄庭坚死在了广西……在宋朝,若官员退休后愿意留在当地,又获得了朝廷的批准,便可以"流寓"。中国人溶于世代血脉里的一条律令,是"树高千尺,叶落归根"。对于士大夫而言,建立了功名之后却不返乡光宗耀祖,则无异于明珠暗投,锦衣夜行。这几位最让后代赣人感到骄傲的老爷子,退休后都不约而同地选择了"流寓",甚至他们的灵柩也没有归葬乡土,这是否意味着,江西有些大知识分子政治意识太浓,在骨子里就淡薄于故土观念,人人以怀抱大中华为己任;亦或意味着,即便是在赣地辉煌、赣人风光的北宋,作为大政治家、大文学家的他们,那双乾坤尽收的慧眼,已经在些许方面对故土持有了深深的失望?

其次,有些知识分子不能活血化瘀,生津补气,反倒本身就是江西身上陈年的风湿,每遇刮风下雨便隐隐生痛。

我有一位朋友,他在复旦做硕士毕业论文的题目是《明清乡镇志研究》,全国已有的乡镇志,他基本上看遍了。他告诉我,从地方志里能够看到,明清时绝大多数官员须告老还乡,赣籍的官员们退职后,人虽然回来了,对地方所起到的作用却远不如江浙籍官员。在中央集权与地方分权的斗争中,后者往往站在桑梓一边,注重乡计民生,与新兴的市民阶层关系密切,有的人亲属就是商人,从而能够形成比较强大的乡绅力量。地方志里时有经济活动的描述,比如当地如何集散货物,商业怎样得到繁荣,并有民间对苛捐重税的牢骚、对地方某些官员搜刮钱财的不满记载。而前者在这一斗争中,多持无动于衷的态度,他们大都是书香门第出身,在优越的血统感和道统感下,他们可以在一些地方公益事业上牵头,比如兴学、修桥、铺路,但很难在伸张新的生产力与生产关系上薪传火播,为民请命。在显然最后得经他们定夺的地方志里,不乏对朝廷的歌功颂德,极力宣扬教化,表彰当地的仁人贞妇,有的仅烈女的记载,便多达洋洋几卷……

再有,前文已经粗粗拉出一张现代赣籍著名学者专家的名单,这上面的人物,在本行业之内,可谓人人怀抱蓝田之玉,个个手执北海之珠。多年寄身在外,倘若月白风清之夜念及故园,并在文化上给予投射与昭告的话,他们中的一些人也一定是把刀子,这刀子会划破赣人心理框架上久已熟悉的布景,让我们颇为怵然地看到藏在后面的东西。但这般的刀子,锐利于此,多半也就锋快于彼,当刀子在一个时代得到欣赏、继而在又一个时代被坚决收缴时,如果他们关于故土的命运曾有过深刻的思索,这份思索也就一并收缴进了历史的烟尘。

其中，我想稍说说罗隆基先生。这倒不是因为他大约是政治学在中国的开山者之一，又是现代史上重要的社会活动家和中共统一战线的代表人物。而是我总感到，倘若他没有在69岁上猝然死于"文化大革命"的前夜，而是像费孝通先生一样熬到了东方既白，且恢复了满脸的红润，那么关于赣文化之磨砥与激活，赣文化人早就有了一员领衔的大将……

留学英美归来后，先生对文学性质的《新月》杂志进行改革，倡导发表抨击朝政的时评、社论，由于痛骂蒋介石，后者下令教育部勒令上海光华大学解聘了他的教授一职，又派特务突然闯进学校将其带走，在遭监禁六小时后，胡适、宋子文闻讯赶来，将其保释。此后在中国政治的足球场上，罗隆基踢牢了蒋介石这只"球"，踢球的风格可谓潇潇洒洒：到了天津，被聘为南开大学教授外，又当《益世报》主笔，再兼北平《晨报》社社长，犹如先生下笔千言、倚马可待的才情一样，每月几处加起来，千余元的大洋收入也银光哗哗地流淌，他有洋房，自备的轿车，请来的专业厨师，无论中餐西餐，都能玩得风生水起。就在这铺着纯毛地毯的洋房里，美食伴着美思，他一天写一篇社论，从第一篇《一国三公僵政局》起，没有一篇不让蒋公的臀部火辣辣的，《益世报》也由一份教会小报，一跃成为当时全国最有影响的报纸之一。

1946年，旧政协召开前夕，蒋介石派人来找罗隆基：除了国防部长、外交部长，你要当什么部长都行。先生送了蒋公一颗咬不动、吞不下的铜豌豆："要当就要当外交部长，我能够讲一口呱呱叫的英语，保证能当一个呱呱叫的外交部长！"来人正是同乡兼同学，现正在国民党中宣部部长任上的彭学沛，此人一笑置之后，丢下一句大概让先生十几年后五内俱焚的话："努生兄，虽然别人叫你'罗隆斯基'，你我同乡同学，我却知道你并非'布尔什维克'，共产党也不会看你是的。现在他们只是利用你，而决不会信任你"……

转年，马歇尔将军来华调处国共内战，特征询他的意见：民盟能否先参加政府，新政府调停内战后，再请共产党参加政府。他告诉将军：共产党不参加政府，中国的问题解决不了；而内战不停止，共产党决不会参加政府。这一点是民盟一贯坚持的一个大原则，不是我，也不是民盟任何一个领导人能加以改变的！

当"和谈"破裂，国共两党决意兵戎相见之时，蒋介石下令，中共驻京、沪、渝、蓉、昆等城市的办事机构必须在1947年3月5日前撤离，次日，各报便在显著位置上，登出了一则《中国民主同盟代表罗隆基为受委托保管中共代表团京沪渝昆等处遗留财产紧急声明》……

在以上粗粗划出的心理轮廓及情感线条里，可以发现罗隆基从逐渐认识，直至最后坚定地拥护、支持中国共产党人的事业，并不是类似建国以后一次又一次的运动强迫"洗脑筋"的结果，而是在一个战乱不止苦难不止忧患不止的东方大国里理性的必然选择。在共产党与国民党的长期较量和斗争中，先生看重的并不是实力，在很长一个时期，后者以强大的军事力量为后盾，将一级又一级政权推向了包括蒙藏在内的广大国土；前者拥有的不过是几块被隔开了的山寒水瘦的僻壤，那常常是土布染就的红旗，拂动在卷有漫漫黄尘的粗砺的风中，不免有几分凄婉……

他看重的，该是双方在这一较量与斗争中所各自表现的人格精神和道义力量。他是赣人，从大牢里写下《清贫》、《可爱的中国》的方志敏身上，他一定看到了以文山公为代表的江西士大夫传统的爱国主义情操，在当今血与火的洗礼中绚烂地升华。他又因在欧风美雨中对民主政治耳熟能详，远远走出了一般赣人的思想视野，不过，在那片强烈弥漫了腐败、专制气息的林子

170

里,从毛泽东执著发出的"反对独裁"、"要求民主"的斧劈之声中,他眼下还没有感觉毛对于未来新中国之率尔操觚,将与现代民主政治有多大的抵牾……

罗隆基支持共产党人的事业,实际上也是在实践着自己所信奉的道义。1933年在天津,一天去南开大学的路上,一辆疾驶的敞篷卡车迎面开来,向他的车子一阵枪林弹雨,他险遇不测。1949年春天在上海,他和民盟中央主席张澜先生一起,又遭特务逮捕,后经地下党多方营救,才得以获释……正是道义的力量,使先生不但能够抛弃国民党政权本能给予他的显赫的地位、优裕的生活,而且为了在旧中国如磐的夜空中,紫电狂舞般挥起道义之剑,即便得鱼死网破,毁家纾难,他也在所不惜。

在现代中国许多重大的历史现场,都萦绕着罗隆基那一口至死未脱乡音的铿锵话语。我很想找到有关先生与故土关系的材料,可惜我见到的唯有这样一条,那便是在1957年的全国人大会议江西组的讨论会上,几个来自农村、工厂的代表质问罗隆基:新中国成立后,党给了你很高的地位,你为什么还要黑了良心反党? 在先生一再坚持"章罗同盟"纯系子虚乌有、自己的全部历史都在表明跟着共产党走之后,代表们人人怒火填膺,轮番作出声讨外,又向在场的新华社记者表示:具有光荣革命传统的江西人民,当年英勇地粉碎了蒋介石对苏区的五次"围剿",在今天也一样能够打垮以"章罗同盟"为首的右派分子的猖狂进攻!

这又是一个历史现场,先生身上的每一个细胞,都像热锅里的豆子一样爆裂开来,又纷纷带着针戳似的剧痛落回他的身心。往日举止优雅、颇有英国绅士风度的他,倒在满是黑炭与灰烬的火圈里,透过火焰层层的帘幕,看到了乡亲们脸上每一道眉毛都拧紧,恍若有几个世纪积累下来的仇恨。从此,仇恨掩埋了他的名字。当一个不再充斥着政治亢奋却满是经济热点的时代到来时,这仇恨之坟被温婉的春雨清朗的秋风夷成了平地,但同时,在当今的江西人里提起他的名字,十有八九感到了陌生……

在诸多历史条件的限制远去了之后,对赣地未努力担负起责任的,就是我们这一代知识分子了。

如果仅仅以一定的知识、技能介入社会的物质生产与精神生产来定义知识分子,那么今天在江西工作的知识分子,大抵都不会愧对那份与其他地区同行比起来显得菲薄的工资。如果不仅从职业功能上、更从社会良知上,来界定现代知识分子,尤其是从事人文学科的知识分子,那么就有可能发现,我们中的许多人,无论是在精神上,还是视野上,多年来,都生活在一个本可以早走出来的集装箱世界。

在很多年里,江西的山水间貌似相对平静与相对沉闷,其实却在周边强大季风的挤压下,也在历史与现实的冷暖气流的交汇下,蠕动着巨大的不安,我们听到了这一不安吗?在很多时候,我们由应该如捷克作家哈维尔所说不断使人不安的知识分子,沦落为让人安之若素的精神按摩师。走到赣地的很多地方,都能够俯拾父老乡亲们的牢骚、失落乃至麻木,其中,深藏着一种文化无法凝聚无法着陆无法自信起来的痛苦,我们触摸到了这一痛苦吗?在很多事情上,我们由必须记录下时代痛苦的知识分子,变成了电视里一个个半真实半虚幻半理性半煽情的综艺节目,在五光十色的表演里,悄悄地将这一痛苦解构为平面化、琐碎化。

大抵谁都清楚,江西以往的一切经典、范式及主流语言,大抵解决不了江西这些年来在中国经济、文化格局中的窘困与尴尬。没有任何时候,江西像现在这样,急需要一批纵横捭阖、摇旗呐喊的思想者,与一批勇于探索敢于创新的改革者,联手引一场狂飙,来搅动历史的长河,现实的大波。然而,好些年中,在为了评定职称、获取有关奖项或谋得政府津贴而制作出的莘莘大观的学术成果中,那些花拳绣腿、浮光掠影、曲学阿世、要么小题小作要么旧题大作,一次性使用完后便如垃圾一样不知抛去了哪个角落里的文字,我们自己写得浩如烟海,看得心性迷失,恍若一尊木胎泥身……

于是,在江西一个空前地大面积地丰收着教授、副教授、研究员、副研究员的年代,却一年年地寥寂着在躁动不安的社会氛围中超越一己的得失、对赣地实行大关怀的思想者。人们抱怨教授的月薪不及夜总会里浓妆艳抹的小姐一个妩媚的商业式笑容;人们却甚少发现,倘若知识分子放弃了文化批判的意识和文化前驱的使命,面对压迫人心的问题转过身去,自己便与小姐们别无大异,都失守了操守的孤城,不过一边将一个流布着肉欲与金钱欲望的夜晚,在灯也起雾歌也起雾中打扮成卿也有情我也有心,而另一边,则将一块文化的危亡已到关键时刻的土地,在轻轻松松、鱼龙曼衍的笔调里,被描绘成热流滚滚生机勃勃……

(三)

1994年春开始的赣文化讨论,显示了江西精英知识分子们,尤其是从事人文学科的知识分子,对江西现实与未来的普遍忧虑,也标志着文化人力求寻找到文化凝聚力以激励当代赣人把根留住,同时,开始承担起对脚下这片土地的文化责任。

这种文化责任,首先是将多少年中录满了"物华天宝"、"人杰地灵"一类吟唱的音带,暂时放进抽屉。在桌子上一一摊开赣地的历史进程与人文环境,加以认真地梳理和廓清。在这之后,我们的文化资源必然会由狭隘变得丰富起来,由凝滞变得运动起来,由一般的泛泛而谈,变为紧扣当今社会现实与心理现实的标靶。

除了文天祥、方志敏，在为写作此文作资料准备的日子里，屡屡以正气一身、清风两袖感动我的乡贤，还有陈炽和罗隆基、王造时、彭文应三位先生。

前者不但是近代江西打开眼睛看世界的第一人，还是维新运动中一位目光如炬的思想家。在其煌煌大著《庸书》里，他主张在政治体制与经济体制两个层面，对一个摇摇欲坠的中国进行脱胎换骨的大手术。他还积极投身于维新的实践活动，时任户部尚书兼军机大臣、还是光绪皇帝老师的翁同龢，之所以会自己参加变法，又将光绪"拉下水"，很大程度上正由于陈炽的策划与督促。翁曾要他秘告康有为："苟不能为张柬之之事（即废武则天拥唐中宗恢复帝位一举），新政必无从办矣！"（《康有为自编年谱》）陈炽又获得了康有为的充分信任，1895年北京强学会成立，即推他为提调，在会中的地位仅次于康有为。戊戌变法失败后，他抑郁少言，酒前灯下，往往高歌痛哭。在闻讯"戊戌六君子"喋血菜市口之后，他更变得若痴若狂，最后大口吐血而死，享年仅45岁。三年后(1903)，得以回归故里（江西瑞金）安葬。

倘若赣人知晓陈炽，能像粤人知晓康梁、湘人知晓谭嗣同、闽人知晓严复一样深入人心，赣人的文化性格中，是不是会少去几分随遇而安，而多一些革故鼎新，壮怀激烈？

罗隆基在上文已有所交代。我们只读读王造时、彭文应两先生在国民党统治时代的几条公开发表的言论——

> 生在这种无法无天的国家，不说我们没有权参加政治，连我们说话也不自由，出版也不自由，集会也不自由，结社也不自由，信仰也不自由……这是鬼的世界，不是人的世界。

老实说，我不否认我是一个爱国者，我是一个拥护中国的存在者……但我不认为国家本身是目的，我坚决反对国家被一个人或少数人所操纵。我要国家，我爱国家，我要的是政治平等的国家，我爱的是经济平等的国家，但是我要为我的理想奋斗，抱如是的国家观："人呼我为牛，则应之为牛；呼我为马，则应之为马。"

——（王造时：《从真命天子到流氓皇帝》）

剿匪，剿匪，剿匪。几年来倾政府的全力，集全国的精锐，调兵数十万，转战数百里。兵力总不可算不厚。飞机，大炮，兵舰，凡是杀人的武器无不用；直捣，横攻，包围，封锁，凡是作战的方法无不行。器械和方法总不可算不精。猛将如云，谋臣如雨，军长临阵，总座亲征。计划不可算不周，决心不可算不坚。时间不可算不长，机会不可算不多……

然而如今政府所剿的，所要亟亟消灭的，并不是南京巷中的小窃，租界掠人的绑匪，贪赃枉法的贪官，卖国失地的国贼。如今政府所要剿的，所要亟亟消灭的，乃是信仰马克思、服膺列宁的青年，赞成土地公有、产业国营、打倒帝国主义的一部分人民，和无数穷苦无告、无路可走、被逼而要求生活的工农、失业同胞……

——（彭文应：《剿民乎？剿匪乎？》）

如果此时的上海滩上，鲁迅的杂文是毛泽东所说的"匕首"与"投枪"，那么，王、彭两先生这些句句见血入骨的言论，便几近"爱国者"导弹了，很是震撼着朝野上下。相信读过它们之后，十有八九，人们都会像我一样萌生一个深深的疑惑：在明火执杖的镇压上决不手软的蒋介石，在言论、出版的管制上却掉以轻心了，也存在一手硬一手软的问题？

倘若赣人们在熟悉由井冈山到红军长征……有几十万江西儿女倒在了为创建新中国的征途上，又了解罗隆基、王造时、彭文应三先生，以及国统区里如他们这样铮铮铁骨的知识分子，让蒋介石不得不同时对着两个战场：一个战场上，他被枪林弹雨越来越掏空了体力，另一个战场上，他被越来越哗然的舆论拖垮了心力。在前一个战场上，一颗子弹只能勾销一条性命，后一个战场上，一篇文章、一次演讲能够唤起千百个麻木、迷惘的灵魂……

赣人的思想广场上，是否会由此举行庄严的升旗仪式，透着晨曦冉冉升起的，是一面反对封建主义的大旗。旗帜下的我们，将会满怀激动与憬悟发现，在眼下市场经济的建设过程中所要确立的独立、自主、公正、平等、竞争、进取等价值观念与现代人格，从本质上讲，就是对依附、顺从、等级、愚忠、麻木等封建主义价值观念与传统人格的直接反动。

有学者说，北非文化滋长了文艺复兴的威尼斯，洋泾浜成就了世纪初的上海，吐蕃统治奠定了敦煌的辉煌，华洋杂处才有了东方的明珠——香港。当赣地所有的文化资源都调动出来并相互激荡之时，赣巨人的动脉、静脉，便有了一种鼓胀的感觉，恰似秋天山林里那饱满欲滴的红彤彤浆果，江西就有了与世界对话的能力。这几年来正加大步子向世界走去的江西，在一些方面已经可以对话，但在另一些方面尚不能对话，或者有所反应也必须经过"翻译"的"刺激"。入清后尤其是二十世纪以来，这片土地接受的外部信息实在太少，它的现代文明记忆十分有限。在很大程度上，对某些文化资源的开掘，其实就是对它曾有过的少数现代文明记忆的捕捉。后者常常如大鱼的脊背和鳍翅,在阳光下喷出五彩的水雾,在江水里推开一圈圈的漩涡,但如果不赶快撒网抓住,它就倏然而逝……

此外,更得大大加强外部信息对于赣地的冲击,以扩大它的现代文明记忆。我寄希望于当这种记忆累积到一定程度的时候,便好像女孩由神秘的初潮变成姑娘的那动人一刻,平板的、缺乏吸引力的赣文化,开始掠过美丽的曲线。在这之前,对于江西与世界的接轨,知识分子们还得做大量的艰苦工作。

江铃,便是其中富有创意,堪称大眼界、大手笔的卓越工程。在一个长期以农业省自居的江西,这几年上上下下在呼喊主攻工业,但据权威统计,1995 年,江西第一次产业产值,占 GDP(省内生产总值)的 31.1%,高于全国 10.5 个百分点,第二次产业低于全国 11 个百分点,低于沿海城市 15~20 个百分点。从发展经济学理论看,一般以为制造企业的产值占到了 40%,才算半工业化地区,第二次产业产值不过占 37.4%的江西,最多只能算一个半工业化省。而江铃,便是在赣地历史的地平线上,也在其文化的地平线上,首次带着生命之晨的清风,镀亮赣人眸子的一片现代大工业的霞光。

这几年来,在江西文化人里日益受到关注、推崇的,大概莫过于江西 3S 新文化事业传动中心及其老总席殊了。

一个来自于赣闽交界处大山里的年轻人,没有在北京、上海等大城市获得什么令人羡慕的学位,也没有翻出个什么旗号就几乎能从空气里倒腾出一把钱来的社会关系。他的起家靠的大约就是那些有人见了心喜、有人见了头痛的人文各前沿领域的图书,还有冷板凳上一坐三年磨练出来的那一手美观、实用的硬笔字,好像也走"农村包围城市"这一路数,奇迹般地获得了当代赣人中少有的国内广泛影响。

席殊,以硬笔字教席下的全国百万学员,"将中国最好的老师请到家里来"的家教录像带,开办于北京、上海、广州、武汉、南昌、美国旧金山区等地的席殊书屋连锁店,再有"席殊好书俱乐部"及其所拥有的国内第一流的专家、学者组成的导读系统,和在全国十二个主要城市设立的工作站——一个日益成型的蔚为大观的文化产业,让大抵现在都看牢了口袋的工薪族,从南到北,屡屡大意失了荆州。国人常常问:怎么你是个江西人?仿佛在书架上有些日子不起眼的江西人这本书中,席殊是装错或是倒置了的一页。而这一页上写的是,能够在革命年代爆发起义的赣地,也可以在国内文化领域的某个角落,打响第一枪。据众多圈内人士称,在民营和现代的意义上,"席殊好书俱乐部"都算得上是第一枪。

另一方面,3S 新文化事业传动中心又不断地将新的文明方式给传动到江西来。"9 月交响尚绕梁,11 月芭蕾又起舞。"对于南昌市民来说,1997 年的秋天,成了古典艺术的黄金季节。当指挥中国交响乐团演奏肖斯塔科维奇的《节日序曲》的陈佐煌博士,在满场座无虚席不闻一丝杂音、唯有音符在江河般饱满、浑厚的流动中,感觉到一片心灵的殿堂里,对崇高的崇拜,对恢弘的折服,对美至极至纯的颤栗,在场的每一个身心恍若浴洗于透明春泉中的观众,便绝对不会容忍自己的这座城市,最近分散于街头以供市民免费使用的 800 个打气筒,一周之内竟不翼而飞,剩下的几十个也缺胳膊少腿……

当一连四个晚上,善良纯洁的公主奥杰塔,和在湖边栖息的二十余只大小天鹅,以深沉、舒缓、高远的旋律与舞姿,怦然叩动了南昌的心扉,以芭蕾这可谓是诗意与精灵的艺术,从那片人类情感的湖泊里,为市民掬来已经久违了的高贵情感,在拥有了这份情感之后,在一座历来缺乏批评家的城市,对其在建筑设计、环境布局、市政管理上存在的一些马虎、粗鄙现象,就会冒出一班说三道四、评头论足的家伙……

3S还破天荒地开出江西历史上首家市场调查所。这一行业在全国都是很"前卫"的,目前只是在北京、上海、广州等经济、文化发达的城市,显得较为活跃。一群充满朝气的年轻人,甘于寂寞又不失时机地开掘机会,在物质与精神流通的两个市场上,多次有偿、无偿地进行有影响的调查,并因其方法科学、态度严谨,受到上海同行的好评。这家眼下还为3S赚不到什么利润的市场调查所,在我看来,它的存在如"遥看近却无"的几痕草色,终究在昭示一个绿意渐繁渐深的仲春、暮春:不应该再像一个田头的农夫了,拍拍脑门拿主意,摸摸胡子作决定。一个现代化起来的社会,必定是个理性化与数字化的社会。而且,生活在今天的赣人,却不妨先做开一些明天的事业。

我的一位同事,在一次发言中谈到,"记得我曾经站在滕王阁上看到新的斜拉八一大桥,我有一种感受,就是这个城市直到九十年代才开始具有应对世界、走向世界的格局"。

我经过了一次今年国庆节竣工、那几天假日几乎倾城出动观看的新八一大桥,我却有好些年没有再上滕王阁了。既看不到"落霞与孤鹜齐飞,秋水共长天一色"的古意,又领会不到一股大都市的现代化气息扑面而来,夹在一片色调如老妪空茫目光的盒式水泥高楼、间杂其中的简陋民房中,再在一条水常常浅得露出沙渚来的赣江上,视线局促而又分裂。站在那阁楼上,我有踩在玻璃渣上的感觉。经过这几年沿江的加速建设,一江两岸格局的初步形成,我估计若自己再上了滕王阁,也会涌起如这位同事一样的感受。

当我写到这里时,我想说,江铃汽车集团,江西3S文化事业传动中心,还有我尚不熟悉的诸多企业:比如近十年来在中央电视台上广告做得如雷灌耳的"江中制药",那广告上总有一位骑在毛驴上的哲人阿凡提,想必在产品的开拓和市场的营销上,这家企业的老总也是个阿凡提。以开发研制计算机技术为主的民营科环公司,据说到二十世纪末要成为销售额力争达到五十亿元的高科技产业集团。还有以江西农副产品的优势,在高新技术下,延长加工链,提高附加值,形成新的经济增长点的景德集团、绿色集团……它们对于脚下这块土地的文化意义,就在于它们共同构架了另一座新八一大桥,由此江西才真正开始应对世界,走向世界。

也正是它们——一批批转型的现代人格,一个个净化人性、激励人心的局部人文环境,其中众多的已经去过、将会有更多人去乐安流坑的知识分子,每当想起董氏祠堂遗址上那五根直指青天的石柱,他们的心上便像压了一块生铁似的刺痛——让赣人比一切官方的统计文本,更有理由从沮丧里走出来,从压抑里走出来,从失望里走出来。

走出来之后,坦率地说,我却不能也不应该给本文以一个光明的尾巴。

在区域经济发展理论中,发达地区对欠发达地区的负面影响,称之为"回流效应",即由于人才、资本、技术、资源等受要素收益率的吸引,源源不断地由欠发达地区向发达地区流入,造成欠发达地区缺少人才、资金、技术,而降低了发展速度。虽然发达地区对欠发达地区也有"扩散效应"的正面影响,诸如某个领域里的对口支援,在穷乡僻壤援建几所希望小学……但在工业化的初中期,"回流效应"将远远大于"扩散效应",结果呈现的是地区之间马太效应与日俱增的状态。

我至今记得四年前,一位同事来给我辞行时说的一番话:

"为什么我在'人到四十万事休'、而且副高职称指日可待的时候离开江西,到广东中山市去做一个区政府的小小秘书呢?真是有几分无奈,说穿了就是一个'穷'字。作为一个丈夫,不能保证妻子物质生活上起码的满足感,为此去年她提出分手,我觉得没有理由一定要把她留在自己身边,结果孩子留给了我。我不敢带孩子上公园、商场,面对一个花花绿绿的世界,他吵着要买这个,要玩那个,我却不能满足。于是,我成了那个不让小和尚下山见女人的老和尚,干脆父子俩老关在家里。孩子本身已经够不幸了,不能再增加他的痛苦,不能让他知道这世界上有那么多好的东西可以享受。作为人之父,我的确是太残酷了,但这是一种善良的残酷……

　　现在我决意要走,你要说对南昌没有一点留恋那是假的,毕竟我从小生活在南昌,这里有我的父母、亲友。而且因为中山那边现在只答应给我一个床位,小孩只能留在父母身边,让白发苍苍的双亲来为我承担教养责任,说起来也是很惭愧的。同时,放弃好好的大学教师不当,却去做一个小小的区政府秘书,我也是不愿意的。但思来想去,广东可以满足我一个最基本的要求,那就是脱贫的要求。那边收入,仅月工资有 1 500 元,是这边的一倍多。我只能离开故土,离开已经熟悉了的工作,去寻找新的希望。

　　我深知江西处于一个这样的悖论之中,经济要发展繁荣需要人才,经济没有搞上去之前,又难以留住人才。要解决这个悖论,我觉得对个人来说,很难提出一个完满的答案,要不就是领导下决心打破一般常规,给知识分子以可以保持起码体面生活的收入水平,要不,就请领导高抬贵手,让没有脱贫的知识分子去沿海脱了贫再回来……"

我曾自嘲自己是"职业杀手",那意思是说,因为此生遭受的曲折磨难太多,我的心已浑如一个烟缸,任凭多少各色情感的"烟头"戳进去,都不会有多大的反应了。可听完这位同事的话后,我的嘴里满是苦涩,而心头已是一片酸楚。又给我眼里一股潮热的,则是南昌电台原《温馨港湾》节目主持人梅莉女士的一番话。《温馨港湾》因主持人和无数听众以真情与信赖,去奋力抵御一种情感功利化与粗鄙化的生活方式,因而在南昌市民中享有广泛的声誉。前不久,广东一家电视台想要聘请梅莉去工作,大概她为此去了一趟南方——她说:

> "当我走下飞机,看到出租车外飞逝而过的灯火通明、热闹辉煌的一个个特区厂家时,猛然想起从南昌机场驶出时四周那无声无息的黑暗。突然间,眼泪就掉下来了。广东人才济济,打个比方吧,我为什么也要挤进去,做一碗红烧肉来端给已经吃腻了红烧肉的广东人吃,而不留在故土做出一碗碗红烧肉,给喜欢吃我烧的红烧肉的家乡的亲人们吃呢?"

我为前者的离开故土而嗟叹;
我为后者的守望故土而感动。
前者无疑是现实主义者,如同后者一定是理想主义者。倘若我们的生活,不能让更多的现实主义者那灰蒙蒙的脸上一点点地红润与光彩起来,双眸里渐渐溢满对于现实的欣慰,对于未来的憬悟,好像插进素瓶里的静水中的一支玫瑰,全副身心终于站在了理想之上,疲惫在松弛中溃散,浮躁于安谧中宁静;那么,重重疲惫与屡屡灰心的生活,就只能将当今本来就不多的理想主义者,批发成现实主义者。"哥哥你走西口,小妹妹我苦在心

182

头,这一去要多少时候,盼你也要白了头……"也将有更多的赣人,在心中唱起赣版本的《走西口》。当真的有一天,理想成了一座阒无人迹的空城时,更多不想走、也走不动的赣人,则会在脑海里时常浮现出本土先民们的图腾:

虎和鸟,宛如天狼星一般冷峻注视着的,是一片苍老、寂寥的原野,原野上飒飒地响着漫不经心却似乎有几分诡秘的风……

我深知在以官本位结构的社会生活中一个文人话语的渺小。而一个官员在他权力可以投射到的圈子里,即便是酒后的一句醉话,也几乎能让满场子的桌子跳舞。我却还是要在这里喊出一句话来,我深信,它不但火炭般烙烫在我的口里,也烙烫在一切忧虑、关心江西的现实与未来的人们的口里——

江西的当务之急,应是不再以总飘在云端或半空中的关怀、呼吁,而是以勒紧裤带也要付出的切切实实的调控措施,留住仍在流失的人力资本。

当代江西,大概再难重现历史上曾经有过的盛景了,只会压力更大,日子更难。赣人唯有埋头苦干,准备十几年、几十年的默默无闻,充分利用大京九把江西拉近了大海、并将促进南北两头经济协调发展的区位优势,紧紧抓住国家主体区域政策的转变中,南昌——九江,将成为下个世纪我国十大经济热点地区之一的机遇。所谓控制理论上的"马太效应",即是《马太福音》里的一句话:"让富有的更富有,让没有的更没有。"赣人不该、也无法阻拦"富有的更富有",却必须力挽狂澜般力挽"没有的更没有"。为了江西不将陷入明日"没有的更没有"的境地,即使我们今天是手握长矛和一扇巨大风车作战的唐·吉珂德,可我们还得继续骑在那匹瘦马上英勇拼搏！

我总觉得今日的赣人身上颇有几分悲壮。其实，有着五千年文明的当代中国，又何尝不是如此？

不仅要背着异常沉重的历史包袱，以世界7％的耕地养活世界上22％的人口，这22％的人口眼下只生产不到世界上2％的国民生产总值，大约相当于世界人均水平的十分之一，发展中国家人均水平的二分之一；还要应对同样的各方面的马太效应，以日益膨胀的人口与日益萎缩的资源，去实现一个庞大的现代化计划，即在尽可能短的时间里，实现西方国家花了两百年才完成的由农业社会向工业社会的转型。在这一过程中，对外掠夺不行，糟蹋环境不行，再肆意耗费子孙后代的资源不行，两极分化不行，国家瓦解犯罪横行不行……大概西方老牌资本主义国家致富的手段，中国都不具备。前苏联、东欧国家为社会转型而不惜付出的"休克"代价，中国也都付不起。然而，中国人的事业还必须成功，在饱受了近两百年的动乱、磨难，在历经了种种的选择、挫折之后，现代化成了中国唯一的出路，也是社会主义能否在这颗星球上存在下去的背水一战……

可见，对于当今几代的中国人，历史与现实的条件是多么的苛刻！

于是，本文力图在中国文化的坐标系上描摹赣地，有了又一层意思——

> 无论是对于江西的未来，还是对于中国的未来，我们的态度都不能过于乐观。在这接近世纪之交的时候，其实忧患远大于欢乐。

我只相信这一点，当一个传统中国、乡村中国、内陆中国，在

184

朝着一个现代中国、城市中国、沿海中国发生全方位的深刻嬗变时,中国才能一改那张被风雨鞭打、青铜般剥蚀的老脸,俯瞰一片生龙活虎、流光溢彩的大地神州;江西才能一除精神上堆积的皮下脂肪与赘肉,澎湃起我们先人一切的光荣与梦想……

1997 年 9～11 月一稿

1997 年 12 月至 1998 年元月二稿

于南昌市老贡院(即科举年代省城开考乡试的旧址)

特注:

我想,倘若没有 1994 年春的那场关于赣文化的大讨论,就不会有本文今天的问世。从这个意义上说,我的脚下,早有一块储量丰富的大油气田,本文不过是这块油气田上的一口钻井而已。但愿日后能够有更多的钻井站起来。

在采写本文的过程中,我先后得到了南昌大学人文学院副院长邵鸿教授、哲学系郑晓江教授、中文系陈公仲教授、历史系黄细嘉副教授和江西师范大学历史系梁洪生副教授的宝贵指教。上海东方出版中心的褚赣生副编审,更有力地推动了这一选题的形成和观点的明晰。谨借本文出版之际,向以上诸位先生致以诚挚的谢意。

不再是秦兵马俑的脸

——给父亲的五封信

一、我第一次走近你

父亲：

这是我第一次走近你。

到今天，你已经行上大远一百天了……

你的书房大抵照原未动，打开书桌抽屉，一个个牛皮纸的大信封里，装着你写于各个年代、几经动荡终于得以保存下来的写在信纸上的部分日记，以及读书札记和唐诗摘抄。两个纸质已经发脆泛黄、廉价得像是中学生用的笔记本里，留下的是写于"文革"期间的若干"自我批判"、"请罪书"、"检查与交代"的底稿，每一份前均有编号，虽然没能全部保存下来，但现存的最大编号是(23)。

我大致翻阅了一遍。你的日记一向简明而又客观，如同你的专业——法学，你在六十年代曾教过的"形式逻辑"。在沦陷于人民之外时，日记里不过多是些开支账；在重回人民的怀抱后，日记也大抵是一份翻版的工作日程表。除了难以忍受且耗费时日的病痛有所记载，其他的个人情况，尤其是内心世界，一概隐去了。

你好像是一只蚕，而且是一只异常清醒的蚕，十分明白唯有绵长不倦往死里吐丝，因为这个世界从本质上说，从不会去注意一只蚕在想什么；又好似一具泥菩萨，无论命运有过怎样剧痛的

189

撕裂，你不会有长恨歌哭，人生旋转的舞台将你由暗处突然转向了明处，你也不会亦惊亦喜⋯⋯

最初的印象是，你似乎是一个内向的人，蚕蛹般封闭着自己，即便是你的长子，我也难走近你。

在一份编号为(12)的材料里，我看见了历史烙在我们心灵上的伤疤，这是一道长长的伤疤，扭曲在一个不是太遥远的蹂躏人性的年代——那时，父亲不像父亲，儿子更不像儿子。

1968年"三查"运动，我被牵涉进本省著名的"421"专案。据当年省革委会保卫部一个副部长在大会上说：这是一批省里的大叛徒、大特务、大走资派躲在幕后，指使一班娃娃们在前台搞反革命活动，上面与王力、关锋、戚本禹有联系，外面与台湾挂了钩⋯⋯作为"右派"子弟的我，本来无资格混迹于其中，只因为班上有一个干部子弟被人供为"司令"，和他同一个战斗队的五六个同学，包括我，也就如同下饺子似地被下到了他的"麾下"，我此生名字后从未带过"长"，唯一的一次，便是这"地下反共救国军"的"参谋长"了⋯⋯

为此，你受我的牵连，也关了半年。专案组当然要你交代与我的关系，在这份材料里，你写道——

　　从1960年下半年胡平进(江西)师院附中后，直到1968年6月，除了1963年这一学年外，就我的记忆所及，他都在学校膳宿，平日很少回家，一般说来，只是当他要钱要衣物的时候，才会回家找我。不然的话，他虽然回家了，也只是到厨房里搞点吃的东西，或是到他妹妹房间里去要她们为他补补衣服，一当目的达到，他就径直回校去了。在这段期间，特别是在他渐渐长大以后，我也很少主动找他，更少有思想见面的时候。我们二人之间的关系所以搞得这样不融

洽,从我的思想上来检查,主要是他的某些言行,触犯了我的"自尊心",引起了我的"自卑感":

第一,他在读初三时,有一天,我发现在我读过的某一本书上,在我写的眉批旁边,他作了一个"在学术上很用功,在政治上很糟糕"(大意如此)的批语。大概在他读高一时,我看到过他的一篇作文中,提到过,他之所以不能入团,不能当上班干部,主要是由于家庭出身不好。第二,他在闲谈中,有时提到某某之所以没有考上大学,或者某某之所以未能这样那样,是由于某某的父亲是一个右派这一类的言论。第三,有时当我要他这样那样的时候,如果不合他的心意,他便以粗声粗气的语调回答我,态度是不好的。(比如,从他小时候起,我就希望他不要学文科,为的是搞文科工作,在我当时看来是很担"风险"的。在他读初中时,我希望他学工,到了他念高中,看到他的数学成绩还好,我就希望他学数学。就是他读高二、高三,明确表示对学理工无兴趣,已确定搞文学创作为其志向时,我还是劝他学外文……他没有一次不当做耳边风,或者当时就顶撞我。)

基于上述这些原因,我主观上认为,由于我在 1957 年划为右派,我在他的心目中,已没有应有的地位,而我这个历史的污点,又属于无可挽救的事情,因而要想恢复作为一个父亲的尊严,殆不可能。在这种情况下,我便不愿找他多谈,更不愿谈心,生怕谈得不好,关系会愈弄愈僵,甚至会造成下不了台的局面……

是的,父亲,在近十年的时间里,在我打量你的目光里,浮动着冰屑似的冷漠,可只要一走出这个家,这冷漠很快化成了阳光下的冰屑。

一直到了高三的最后一个学期,全班的 51 名同学里,已有中共预备党员 2 人,团员 47 人,而我还不是团员。为了那枚朝思暮想的金光闪闪的团徽,我热情高涨地学习毛主席著作,写下了一本本心得笔记,这些笔记,若是毛本人看了,他老人家也该感动。我每天总是提前半小时到教室,掸课桌灰,抹讲台,擦黑板,心里装着雷锋这尊做好事不留名的英雄,耳朵里却期待能听到有向教室里走来的脚步声⋯⋯

每当遇到团支部书记,或者哪个预备党员、团支部委员,我总要充分调动起脸上的每一道纹理,以尽力拼凑起一个谦恭的笑容,它还不能给对方一个做作的感觉,否则,他(她)会想:这家伙想混进团内。这谦恭应该比较单纯,最好是能有虔诚的味道,让对方既享有在学生时代便能主宰他人命运的快感,又能让他(她)对我脱胎换骨、决意要做一个新人不存戒心。每天晚餐前或是下了晚自修,我翘首期待着他们中的任何一个人款款走来,要找我谈话,让我汇报近一阶段的思想;如同今天的少男少女歌迷,冬夜的寒风里,在宾馆门口一站两三个钟头,期待着可能打此经过的哪位"天王巨星"的垂青,哪怕只是投来惊鸿快影似的一瞥,他们也甘之如饴⋯⋯

是的,父亲,也是在近十年的时间里,我对你的一份苦口婆心,绝对地报之以一份倨傲。

似乎我有些表演的天赋,该去读的是戏剧表演专业,可我从小爱上的却是文学。小学五年级时,居然涂鸦了一个"电影剧本",题目叫《朝霞朵朵》,投寄给了《电影文学》杂志,我记得,邮寄费两毛多钱,还是一个同学给的。在中学,刘白羽、杨朔的《红玛瑙集》、《东风第一枝》、《雪浪花》,让我如痴如醉,抄录不倦;贺敬之的《雷锋之歌》、《在西去列车的窗口》,令我吟哦再三,热血沸腾⋯⋯

192

现在想起来,那个年代的文学,给情感正在沙化、精神正在变得粗砺起来的那个年代涂上了一层玫瑰色;也因为毕竟还是文学,与一切非文学的越来越剑拔弩张起来的文字相比,它还能暂时松弛人们已被绷得太紧的神经。

我的作文成绩在班上总是名列前茅,坐在台下听老师洋洋洒洒地向全班同学讲评自己的作文,那心里蜜甜的滋味,对于从小向往出人头地、可命运多蹇又难出人头地的我来说,远甚于今天看见自己昨日买的几只股票,一夜之间成了一匹黑马,一路蹿红,牛气冲天。我自信自己是块搞文学的料子,而且连着人学的文学,应该少些文学圈外的偏执与势利,会接纳我这个破落户子弟……

父亲,因为我的言行,使你深感一个父亲的尊严被践踏了,而努力站到革命的旗帜下,以获得前途兼有尊严的我,其实又何曾有过一时一刻的尊严?

一场噩梦过后,在我有条件提起笔来写东西的时候,我就在心里投下一个铁锚般的誓言:即便流水被众多的人描绘成了金箔,而真似乎成了金箔,并让世界一片金光闪闪,我也决不在笔下的一行文字里掺水。

这些年来,凡写到老三届人命运的文字,我很难被一股温情脉脉的怀旧思绪所笼罩,深感在我们这代人关于青少年时代的记忆里,并不存在一个云蒸霞蔚的五彩童话。我的笔下更投射不出一种英雄主义的精神,这是一种难靠内涵只能靠气势去展现的英雄主义精神,可在它的打扮下,本在一场民族的浩劫、一座青春的炼狱里九死一生的我们,俨然成了二十世纪三十年代的热血青年,满怀激情与诗意,去了一趟惊涛裂岸、高粱如火的黄河之滨回来——我感到的,唯有深深的耻辱与痛苦,看起来,我是在写我们这代人,但实际上,我更多的是在勾勒我自己这类

"黑五类"子弟——

　　自 1957 年以来,一个接一个有如车水马龙的运动,频繁地制造了一批又一批决非是"百分之五"的"百分之五",同时也就制造了一批又一批几乎从一下地就蒙受歧视的孩子。他们从懂事起,就隐隐约约觉得,生活在他们的额头刻下了两个无形的红字——"贱民"。

　　他们大都崇尚知识的力量,有着较好的学养禀赋,却不得不持久地批判自身,以证明自己"脱胎换骨";

　　他们内心鄙视某些干部子弟,却不得不整日拼凑起谦恭的笑容,以证明自己"靠拢组织"。

　　从《中国青年报》上的通栏标题"以阶级斗争的观点去对待一切,分析一切",到毛主席写下"资产阶级知识分子统治我们学校的现象,再也不能继续下去了"——他们总感到风声鹤唳;

　　从学校组织吃"忆苦饭",到听老工人、老贫农诉说血泪仇——他们总有芒刺在背。

　　压抑感与不安全感,将他们的灵魂绞成麻花,把他们的言行捆成粽子。无数严峻的事实在提醒他们:"有成份论"是铁打的,铜铸的;而"不唯成份论,重在政治表现",不过是沙拧的绳,风塑的塔。因此,他们最大的安慰,是听说了毛主席出身于富农,周总理也出身于剥削阶级家庭……

　　他们最大的痛苦,是被要求与"反动家庭"划清界线,那是一种分裂了的二重人格——一边,得像狼崽一样撕咬出父母心头的血泪,一边又像羊羔一样依靠着长辈的养活。除了领取生活费,他们极少回家,尽量少跟父亲说话,既怕他流露出什么,会经不住阶级斗争观点的分析,更怕他真流

194

露出了什么，自己虽是儿子，更是决心跟党走的青年，将陷入批判还是保持沉默的两难境地……

在共和国的宪法上，他们和其他公民一样，都是站着的人，但是在现实社会里，他们却是跪着的人。

——（《历史沉思录》，载《中国作家》1987年第一期）

父亲，我真心思索起你和一代知识分子的命运，是我和我这一代青年，被一场"革命"抛弃了的时候。犹如一名被灌醉的少女从昏睡里苏醒，一看，痛彻心脾地发现自己失去了童贞。正是失去了政治童贞的我，才有可能洞悉中国政治运动的基本秘密——

它总是在神圣的旗号下进行的一场倒行逆施，在热烈而又浪漫的诗情掩饰下的一种精神返祖。

它总是先娓娓动听，或是号召如滂沱大雨般调动起人们的"相信"，最后却是泰山压顶般不容分辩，一网打尽人们的"相信"。

它还往往利用人的生存、发展的愿望或是恐惧，去调动一部分人打倒另一部分人。人们越是想保护自己，就越是要攻击和出卖别人。人们的原始欲望，越是从心灵深处被恶魔般释放出来，运动便越是具有强大的杀伤力。

这时，我已经隐隐约约察觉，1957年的反右运动，是对你这代从旧社会过来的知识分子的毁灭性清洗，为的是实施一次思想专制的政治"大跃进"，并以此推动起1958年开始的一场军事共产主义式的经济"大跃进"。

在革命群众的一片怒涛之中，当我也爬上了一叶随时有灭顶可能的苦舟，我才深感，多少年里，浑如一个马戏团里的小丑，我在你面前端着一副革命派的面孔，是多么无知和可笑……

再往深里想，在一个意识形态无孔不入、庸俗社会学的身分标签满天飞的年代里，一个右派的儿子，只可能在他的父亲面前找到几分革命派的良好感觉。在其他场合，除了遍地疯长的冷漠与冷眼外，他是很难收割到良好的。

父亲呵，为了肉体的生存，我在经济上吞噬你；为了心灵的幻影，我又在精神上压榨早已被风干成了一块腊肉似的你，我是多么的自私、残忍！

父亲，我真正感到愧对你的时候，是我身陷囹圄了又招致你也身陷囹圄。

有一段时间，当我还没有被押送去南昌市工人武装指挥部审查站之前，我关在江西师院内物理大楼三楼的一间封闭的厕所里，窗子全被木板钉死，又涂上黑油漆，室内白天黑夜都亮着一盏60瓦的灯泡。此时正是南方炎炎的苦夏，又热又闷的我，常常垫一床破草席，半躺半靠在门边，门与水泥地面之间，有一条半指宽的缝，这便是我企图从走廊上的穿堂风里吸纳几丝凉意的唯一通道了……

这是一段求生不得、欲死不能的日子，隔三岔五被带出去提审，最长的一次被审了五天五夜。专案组成员基本上是大学生和老师，他们轮番上阵，精力充沛，越是夜深人静，他们越是兴奋得像一条服了鸦片、血红了眼珠在嗷嗷叫着的狗。对于刑讯手段的发明与运用，无须进梅乐斯上校主持的"中美合作所"学习，便无师自通了。在他们的想象力下，我身上已没有了一块好肉，血污斑斑的汗衫揭不下来，小腿肿得比大腿还要粗，因为在水泥地上不是跪着就是拖着，膝盖上的肉磨得快挨着骨头，沁出了脓水，一被迫低头，我总好像嗅到了一阵阵恶臭，感觉那上面会涌出来一片白花花的蛆虫……

我面前的这几个人，也都审过你，而且他们之中的年轻人，还是你的学生,我对刘××说:"我承认我是现行反革命集团的首恶分子,请你们立即枪毙我。"

刘××笑道:"胡平,你要有种,你就给我写下来!"

我拿起桌上的纸和笔写了。吴××接了过去,随即手中的钢丝鞭呼啸而下:

"告诉你,像你这样抱着你父亲的反动阶级衣钵的顽固分子,我们让你现在就去死,那就太便宜你了! 我们就要烂掉你一双腿,然后将你送进劳改农场,慢慢折磨你,让你活比死难,死比活快活……"

我被扔回厕所,如被打断了脊梁的一条狗。

昏睡后醒来的第一个念头,就是想到了你。父亲,打我有记忆起,我就未见你有过一头青丝,进入了六十年代,岁月于你只是一场接一场的大雪,你更是苍苍白发,你还患有严重的胃溃疡,一旦发作,不但几日不能吃东西,而且晚上痛得彻夜难眠。我难以想象,解放前后都在大学里教书、真正是一介书生的你,将怎样承受你昔日的学生和同事给你的肉体折磨与人格污辱?

我甚至站在你的角度想过,1957 年一难,虽说 1962 年摘了帽子,可路边的电线杆子也恨不能拔腿去造反的 1966 年证明,你的头上永远戴着一顶荆冠。中年丧妻,现在更是一个家树倒猢狲散,从未为你分担什么的长子——我,终给你带来了这个最疯狂的年代里最不可饶恕的大罪!

十年以来,你只是一个不能思想、没有尊严却能呼吸的机器,这机器的唯一职能就是挤出奶来,上供养总是惊弓之鸟的老母,下抚养五张阔大的嘴巴加起来几乎有一根扁担长的孩子。你比鲁迅笔下的牛还要凄惨,它起码吃进去的是草,而你年复一年咽进去的只是粗砺的沙粒。支撑你受苦受难也要活下去的,似乎唯有一种伦理与血缘上的责任。而现在,随着你的被关押,你的责任被剥夺了，在眼下这个不能给你以一点慰藉与憬悟，也无须你再尽责任——黑漆漆犹如关我的这间厕所的人世里，还有什么理由要去继续维持这机器的运转呢？

也许人本性上总归是怕死的，在一年零三个月的囹圄生活里几次动过自尽念头的我，终于熬了过来，而你在关押半年之后也依然活着。事后我才知道，你也关在物理大楼，不过是在二楼，另一个朝向的一间教室里。有人告诉我，当你结束了"现行反革命"的审查，由此楼退居到一般"牛鬼蛇神"的"牛棚"时，你眼窝深陷，发须半尺，面黯神消，浑如野人……

我是在次年9月才见到你的。那是党的"九大"开完了四个月，似乎被"统帅"的大纛压累了的毛泽东，想起了要讲政策和给出路，一件一年前满城争说、重大得像要在天安门城楼上放炸药的案子，此时却无人理会这寄押的"反共救国军"的"司令"与"参谋长"了，在一等再等之后，审查站里的军代表先放了"司令"，三天后又叫我去了：

"你们的学校已迁去了靖安县，打了几个电话要他们来人，答应了来，就是不来，我们审查站不是旅馆饭铺，关流氓地痞还关不过来哩，你走吧，自己去靖安找他们！"

站在审查站的大门口，身后是两边布有电网的高墙，前面是一片片红壤裸得似大块新鲜伤口的荒坡，我的影子在近正午的阳光下踟蹰。我脚上踏着一双去冬随我拖镣、今年又跟我一块开山采石的"解放鞋"，后鞋帮早烂了，前面则能戳出去大脚趾。下身一条露出膝盖的布裤，上面一件贴肉穿的学生装，被硬器磨得和汗渍透得几近一身纸片，稍不小心，便会哗地拉出一个大口子，而且任何一个口袋里，没有一个铜板，相反还在军代表处留下一张若干个月来伙食费的欠条……

站在郊外远望袅袅云气下的南昌，偌大的一个城市里竟难寻到去处。

从进中学起,我便知道要靠拢组织,相信组织,但似乎正是组织将我抛弃了,让我陷入了这半人半鬼的境地。我怀念同学,他们中有不少人和我从小学一起读到高中,他们在惊骇地获悉了此案后,在各自的记忆里纷纷分解出我的可疑言行,宛如一次快餐,在将一个渣子般的我吐在了地下后,都已急切地各奔东西,走上了工作岗位。我更思念弟妹,"烽火连三月,家书抵万金",可我从未收到过家书,如同他们不知道我辗转几次,最后关在哪里,我也不知道在眼下一场席卷了全国的大流徙中,他们流徙去了何处?

我想到了你——父亲。

当然不是出于一种理想的缘由,如同大雾弥天的三十年代,向往光明向往民主的热血青年,必然会去投奔延安。我的理想,在我的政治童贞失去之时,早被当成了一块污秽的垫布。这完全是出于一种血缘的承传,如同雏鸡在听到了可疑的响动之后,一定会躲去母鸡的卵翼之下……

我只有徒步进城,一路上的两个多小时里,我的胸臆间泻起一帘滚滚的瀑布,一个父亲是生还是死的巨大落差,砰砰地击痛着全身的每一个细胞。江西师院还在,不过已经改名为"井冈山大学",正迁去井冈山下的拿山,校园里多已人去楼空。"牛棚"还在,当一个管教人员将你叫出来时,你和众"牛鬼"们正在装运学校的最后一批办公用具。你穿着一件打了补丁、沾满灰屑的汗衫过来,露出的脖子上,两边的肩胛骨下沉得像两只倒置的酒盅,再未来得及细看,我的眼睛便被一片莹莹的热泪给糊住了,双腿则似风中簌簌抖动的叶子,这风来得酸楚而又激越,冤愤而又软弱,身子没来由地趔趄了一下,差一点就要瘫坐在地上。

你并不吃惊,恍若一个母亲,料定了向往外面世界精彩的儿

199

子,一旦在外面倦了,或是碰得鼻青脸肿,必定就要回来。你平静地问:

"问题有结论了?"

"还没有结论,但已经没有人管了,要我自己去找学校。"

"你来得正巧,明天我们也要去井冈山了……走,先进去喝口水。"

我不知道我看着你总有些躲闪的目光里,是否含有愧疚和自责,我想即便有的话,也不会太多。多的该是一种物是人非之后仍是"天凉好个秋"的沧桑感,一种历经劫波恩怨俱消人却未灭顶的侥幸感与亲情感,我大概以它们,大而化之了自己的愧疚与自责……

父亲,你没有去深究我目光里的复杂。你倒了一杯水,转头去旁边的卫生间打来一盆水让我擦脸抹身。又打开床头的一个樟木箱子,找出自己的一套衣服、一双布鞋让我换上。你掏出身边所有的钱,只有五元多,你踽踽地走了出去,片刻后,原是中文系教授、你划右前也是我们家邻居的一个"牛友",跟你走了进来,他打开自己床头箱子的锁,像是在最下面摸了好一阵,拿出了一张十元的票子,你一并给了我:

"你拿着,先买两样急需品,还有几天就发生活费了,我再给你寄。"

你又拿起两个碗去食堂买饭,走了几步转回头,在抽屉里多拿了几张菜票。你不停地转着自己几近成了一副骨头架的身影,同时悄悄地隐去你这一年零三个月的经历,没有恚怨,没有嘲讽,哪怕是三言两语,哪怕是长吁一声!

我至今也难以估计,这是否意味,你我之间有了一层隐隐的隔阂:按你年轻时的经历和性格,你应该是一个颇矜持的人,于是,对于1957年后在外面被剥夺了尊严却更需要在子女面前获得一个父亲的尊严的你来说,伤疤一旦在心灵里烙下了,便难以愈合;还是意味着,像咽下了1957年里那个"阳谋"的苦果一样,你也咽下了我曾给你的伤害和牵连。当然,在前者上你是被迫的,对于后者你则是心甘情愿的。就我的经验而言,父爱与母爱皆在的时候,因为粗疏,父爱常常大象无形;母爱一旦陨落了,父爱虽依然博大,映照着子女们的前途,可却不再粗疏,它的光芒凝聚得如此有力,好像你舍不得穿的、还是姑姑"文革"前给你做的一双布鞋,此刻穿在了我的脚上,我连每一个脚趾头,都感到了酥酥的温暖……

生活,便是这样精心设计并实施着我日后的懊悔不迭——

父亲,我想要走近你了,我们却不在一起生活。

1970年,蒙"皇恩"浩荡,"敌我矛盾作人民内部矛盾处理"的你,被宣布"解放"后,此生第二次下放了,下放在赣东北的贵溪县,在远离县城三四十公里的周坊公社三叉大队,以干部不像干部、社员不像社员的身分,干着文书不像文书、会计不像会计的活儿。那年月好像努力回避"平反"这个字眼,宛如今天的真假"款爷"们,十分忌讳阿拉伯数字4或是13。因此,同年,从纯粹子虚乌有的"421专案"里解脱了干系的我,也被称作"解放",分配去了靖安县农机厂做工人……

父亲,打八十年代起,我们生活在一起了,可我们都忙碌得像党国要人。

你是真忙,为了加快省里的法制建设,省委决定在江西大学设立法律系,作为省里唯一的一位法学教授,你责无旁贷,由师院(后改称江西师范大学)调来了江西大学(1994年与江西工业大学合并后改称南昌大学),白手起家,开始了该系的创建:教师人选,课程安排,设备购置,审定教案,开不完的会,听不完的课……白天,你常常不在家,在家的日子,你的书房兼卧室里,也是人来人往,侃论丛生。

我也不是假忙,不过本来我很可以悠着些,将写作视为听音乐、钓鱼、烹调一般的一种爱好,我却将自个儿的人生价值吊在了写作这棵树上,自己也像只猴子翻滚在这树上,一对眼珠转着四方,眨巴眨巴似闪动的快门,总想在哪个题材里打响"八一起义"的第一枪。校保卫处的同志可以作证,在北区校园里,我窗前的灯,大概总是熄灭得最晚的……

在1988年退休之前,有五六年间,你过得很充实。1949年一解放,你的专业被视为资产阶级的化妆品,像肮脏的手纸一样被扔进了社会的厕所,开始是凭着你的学养、勤奋,还有觉悟,后来则是按照指令,你在一个又一个感兴趣、不感兴趣的专业里"客串"。如同从一片了无绿意的流沙上,回到了蓄有高品味富矿的大山里,你为自己的专业被一个殷殷呼唤民主与法制的时代所急需而感到振奋、快悦,在这大山里,你枯败了几十年的尊严,来风浴风,来雨沐雨,也复苏起了一片葱葱的葳蕤。

中华民族可能是世界上最健忘的民族,一场撼古撕今、山摇地动的大浩劫,仅仅在一代人的黑发尚未全白的时候,便被淡忘了!

你我也未能免俗。

在这段时间里,每当晚上你从我的房门口走过,总会说上一句:我先睡了,你不要熬得太晚……每当白日我从外面回来,先进了你的房间,请完安后你会简单地问上几句什么,随即就埋头于自己的工作;倘若有客人谈工作,你问都不问,即便我是从火星上回来,我对你笑笑,你点点头,也回报一个微笑。

父亲,我们极少有机会坐下来,回忆一些我们共同经历过的事情,或者你给我讲讲你坎坷的一生,我也向你吐露自己的心曲,无论是在青少年时代,还是已过不惑之年,它们总是像破了的沙发垫里露出的棕毛一般杂乱。结果，我没有能够走近你，你也似乎没有准备让我走近你。

可表面上，日子过得顺顺畅畅，而且几乎无处不飘逸出一股父子间的温情，这温情便似乎与生俱来，如故宫里摆着的精美的北宋瓷瓶，它从来没有破损过，还弥散了一种新时期里两代知识分子间的默契与理解，仿佛不曾有过在两种不同文化背景下的学养、人格经历，因而也就不曾有过伤害与隔阂，宛如我们几十年间都漫步于爽风润雨、飞红叠翠的文明伊甸园里……

在江西建国后的高教史上填补了法学教育的空白后，你便退了下来。从此，有了大量的空闲时间，同时寂寞再度像秋天里暗处一只壮硕的蚊子，常常不声不响咬你一口。我却退不下来了，自然是为名，在同样适用大森林里优胜劣汰生存规则的文坛上，我害怕被一个消费社会所淘汰，也被一批年轻的读者所遗忘。在潜意识里，我还夸大着自己，以为自己有几分"铁肩担道义，妙手著文章"的味道，我仍沉溺于八十年代的布道生涯，在所谓的"忧患意识"下，作品总显得沉重，其实打九十年代以后，下课的钟声早已敲响……

其实，没有人的时候，连我也在嘲笑自己的高尚。

我在炮制另一类文字之时，总想着如何开掘它们的含金量。还在八十年代中期，一个信条就像脊椎骨一般支撑了我：我不会羡慕"款爷"们挥金如土的生活，但我必须拥有对于一个知识分子来说是体面的生活。这意味着，请朋友或是师长进一家颇为高档的餐馆吃饭，我无须胆战心惊，裹足不前；也不必为了每月50元或100元的政府津贴，撕下脸皮去与同事们相煎太急……

为此这些年，一年里我至少有半年在外面体察世界，倘若撞上了机会，我也顺手捞上一把世界。在你的日记里，屡屡可见这样的记载——

"东东今日去了北京,估计要十天后回来";

"胡平下午乘飞机赴广东,说是要去写一篇什么文章"……

父亲,我注意到了你的寂寞。

是人都畏老,虽不像英雄末路那般长啸悲歌,也不如美人迟暮时的哀婉凄恻,但人一旦老了,寂寞便如同早起林间婆娑的雾气,夜半草叶上闪闪的露珠,一天比一天不可阻挡地踯躅在胸臆间,一年比一年更深入地萌动在心田里。寂寞,是滤去生命百种况味之后的最后一种况味,是洗尽市井尘嚣与社会热点的远山古刹。寂寞,是果盘里几个色泽虽还橙黄可内囊却在日渐萎缩的橘子,是暮春时节一次次风拂卷了门帘、其实却纤尘未动的幻听……

在生命的最后七八年间,你由每个子女轮流来照顾一年,仿佛开流动展览会似的,这个"展览会"上不陈列商品,而是"展销"一种叫孝心的东西。没有轮上的则过着自家的小日子,只有节假日会携孩子来看你,常常坐在书桌边一坐就是大半天的你,那好似漫了一层水雾的眼睛,这时倏然亮了一圈,脸上松弛而又凝滞的肌肤,也一下变得柔和起来……此外,极少来陪伴你。一方面是忙,另一方面,或者视你的絮絮叨叨为地老天荒,清末民国;还有可能因为面对鸡皮鹤发、齿豁牙摇、目光溃散的你,就是面对自己的明日,骨子里有几分害怕……

我因为常云游四方,孩子还太小,没有轮过一回。别人忠孝不能两全,是为国家做着大事情,或者戍边卫疆,或者藏在山沟里搞着飞弹,而我为的不过是雕虫小技。吴祖光先生曾给我写过一幅对联,现在还在书斋里挂着,上联是"一身无正经",下联是"半世作闲文"。我屡屡内疚,也多多平衡自己:我们这代人,在为人儿女外，还为人父母，中年的肩膀上压有家庭的担子外，更有社会的担子。两者间难免的龃龉，常陷我们于一张瓦刀般拉长、砂纸般磨糙了的脸。

我潜意识里玩起了围剿之术，企图以充足的资讯和丰裕的食品来合围你精神上的清贫。我为你订阅了不少的报刊，从《新民晚报》、《参考消息》、《南方周末》、《老年报》，到《读书》、《随笔》，有时一天到的报刊拿在手里，约有一块砖重；还有即便远去香港、美国，回来也要给你送上尽可能可口又营养的糕点、补品。我人在外面，当然也牵挂你的头痛脑热，总有电话回来问候你的起居。你真的一旦哪里有了病痛，我们五个子女一下全赶了来，即便是半夜三更，大雪封门，我们也要将你送进医院，或是请来医生，一日几趟地围在了你的病榻前。在没有了蜻蜓点水的日子，床头每一天都是壁垒森严。一句古话："久病无孝子"，道尽了人生的无奈与亲情的脆弱。我们不要印证这句话，我们害怕自己良心的评判，远甚于外界对不孝之人的戳戳点点……

我曾以为这一切，多少能够排遣你的寂寞，或是转移你的寂寞，而实际上——

它们，瓦解了我在你生前走近你的最后机会。

父亲，现在我在看你这两年的日记……

从1993年起，因为小脑萎缩，你的健忘程度年甚一年，月甚一月，常常一刻钟前发生的事情，你就忘了，医生以为可以称之为轻度的老年痴呆症。日记更是写得匆匆草草了：每天几点起床，何时就寝，大小便情况如何，在院子里走步多少圈……完全成了一篇暮年的生理流水账。可我发现，在这篇流水账里，有些地方，你会提及这辈子你写过哪些东西，文章篇目及主要观点，现存何处。你会用淡得不能再淡的笔调，流露出人生痛之又痛

的感喟,诸如:

> "1961年国媛死后,我过的是独身生活。因而阴阳失调,有时不愿或写不出东西来,性情乖僻……"

近年来,你的手提笔有些微微颤动,一如双腿要上二楼也不容易。也许还因为目光的溃散,那字写得忽大忽小,或轻或重,日记一般每天只有几行字。但也有几天,你好像是一次坚持写了一两页,为着要讲清楚你历史的某个关键之处,例如1952年全国高校院系调整时,你为何没有去武汉,而留在了江西。

在你于去年9月20日摔倒之前,每天白日的大部分光阴,你就坐在这书桌前一把用胶布沾牢扶手的旧藤椅里,一遍遍地翻捡着抽屉里的这些日记、材料,以及两本家人相册。上面的照片来自于两端,要么是八十年代以后的,要么就是1957年以前的,它们散落于历次运动的旮旮旯旯里,犹如一个尽心尽责的粮库保管员,不知在什么时候,你从肆虐的火舌边抢了出来,在相册里拼凑起一个五十年代幸福之家的样子。

事实却是,我们五个兄妹,不在少年就在童年,便过早地经历了世态炎凉,还有生之幻变,死之无常!五十年代对于我们,即便有些风浮暗香、枝弄月影的美好,但也被日后一拨拨聚涌而来的磨难与忧患的乌云给遮没了……

父亲,当此刻,我坐在你坐过的旧藤椅上,打开书桌的抽屉,一一摩娑着似乎还留有你手温遗泽的东西,翻检文字及相册的五指,也总感觉在时时触及你那温热、蕴藉的目光。这时我才顿悟,人生最不可思议的事情,不是卜筮易卦、奇门遁甲、轻功气功,而是当你在垂暮之年,在一个残照懒洋洋地倦在窗口的黄昏,端详着自己和亲人早年的照片,你怎么也搞不明白,那么多活色生香、浮雕般清晰的日子,怎么会一下子都不见了?

我也明白了我们兄妹们曾不以为然的相册,却几乎是这个世界给了你温馨的全部,此外赠予你生命历程的多是坎坷。

一如我晓喻到作为长子的我,在你生前一直极少与你有心灵交流,似乎也从不太在意于此的你,其实早就在希冀我走近你,并以近年来陆续分检、归类好的这些材料、日记,让我能够走近你……

父亲,我想我正在走近你。

东 东

1997 年 2 月 20～24 日

二、道一声平安

父亲：

去年 11 月 9 日下午 2 时 42 分，你老人家永远地闭上了眼睛……

在将你送去了人生的最后一站——殡仪馆之后，在茫茫的夜色里，我回到了再也不会见到你身影的家，和弟妹们一起，在你住了十四年的书房兼卧室，布置起一个灵堂，以寄托我们的不尽哀思。

我这一生，迄今为止，从未经历过丧事。母亲虽然在我少年时便离去了，但她是在被单位草草掩埋后，我才随你赶到的，更不曾写过挽联。父亲，看着弟弟刚挂上墙的你的遗照，这时，一幅挽联，哪管什么平仄的制肘，如瀑布一样地从我心胸中泻下，大妹夫当即为我写在了白纸上——

上联是： 　半世坎坷指问苍天天心自鉴
下联是： 　一生刚正清风满袖袖下桃李
横批是： 　此去平安

父亲，你是 1917 年 10 月 28 日出生的。

我们的老家，是离省城不到 20 公里的新建县一个叫田铺的村子(现在已划归南昌市)。祖父叫胡须志,号晓晴,大概是个清末的秀才,民国早年在外地做过三个月的县长,任上正遇"匪患",一次躲在蓬草里,看见土匪杀人如麻,血污河水,腥得本来就腥的鱼虾,嗖嗖地蹦起来透气。他也一个虾蹦,蹦回了老家,从此居家不出,以教私塾为业。你六岁上就跟着他念起了《论语》、《左传》……他在给你发蒙和最初的经典式儒家教育的同时,自然也要求你循规蹈矩,发愤功名,日后光大家族门楣。

祖父大概先为你感到失望:

进省立南昌一中读初一,学生饭堂里打出来的饭菜糙得像是牛马食,一天开膳时,高中的学生敲起了饭碗,你也用勺子在搪瓷碗上乒乒地敲起来。学校的训导主任突然进了饭堂,不过几十秒钟,所有的学生都不敲了,唯有你还敲得兴致盎然。当然是像一台失灵了的收音机,没有能够接受到那乌云压城似的目光……接着就是寒假,一纸报告单到了祖父手里,称你"性情乖僻,行为浪漫",决定予以除名。你被祖父一顿恶打,祖母和两个哥哥谁也不敢上去相劝,直打得你爬不起来,而祖父也大病一场。

开学,你又进了南昌市里的私立心远中学,重上初一,一念六年。这期间,你爱办壁报,以"诣之"为笔名,写了一些触及时弊的文章,当了两年学生会主席。1935 年,北平的"一二·九"学生运动爆发后,你也在校内策应,组织心远同学上街游行声援。其时,因"剿共"事宜,南昌已被蒋介石视为政治重镇,他曾召集全市中学生到青年宫训话:国运多塞,之所以弄到今天这步田地,一个重要原因,就是青年人不好好读书,要跟在共产党后面搅乱民众,反对政府……

祖父一颗忐忑不安的心,终算放下了一半:

1936 年夏天,你第一次走出江西,去上海考大学。先进了上海交通大学的考场,头一场考的是数学,你感觉沪赣两地使用的代数教材不一样,考试内容偏深。偏偏坐位又靠着窗子,阳光裹得你一片溽热,头昏眼花之中,你不作打拼的指望了,退出了上海交大的考试,转进了北京大学的考场。由理工科转去了文科,你就是一念之差的事情,真是"行为浪漫"得可以。可这一年,北大法律系只招十三人,全国有一千多人报考,你却被录取了。

在早已废除了科举的民国,家里从此有了一个在堂堂国立大学的读书人了!祖父为自己智力投资的成功而脸上一片山青水绿,他早就认定在三个儿子里,唯有你这个老三是可造之才,他长期免除了你在家中的一切劳务,在衣食方面也颇受优待。眼下,他和三寸金莲的祖母,还有留在村里管家务农的大伯一起,村里村外,四处筹措,你在北大的学费得一千多元现洋……

我想,在你离家前的那天晚上,一辈子省俭、清苦的祖母和你的长兄,仍在火苗如豆的油灯下转悠着两张黧黑的脸,看看屋里还有什么东西,能添进你的行囊,以备不时之虞;琢磨在哪里再缝一个口袋,或扎一个小包,让你随身携带的钱财能够稳稳当当。而祖父,可能鸡鸣五更了,他也睡不下去,用解放后的行话来说,他仍喋喋不休地在你身上"打下剥削阶级的烙印"。可他到临死,也不知道自己一颗忐忑不安的心,是否放了下来。

次年,日本侵略军占领北平、天津,你在未名湖畔的天光云影里只呆了一年。北京大学、清华大学、南开大学三校,经长沙迁到昆明,组成了西南联大。不久南昌也沦陷了,祖父携家人逃难到了吉安,一路上蓬头垢面,鹑衣百结,体弱多病又生性胆小的祖父,半累半惊,遽然而去……

1940年8月,北大毕业后,你被留校当助教。1943年8月,你应聘为广西大学法律系讲师。次年9月,湘桂战局吃紧,该校

210

宣布紧急疏散,你又返回昆明,在天祥中学任教务主任兼国文教员。此校是以江西同乡会的名义办的私立学校。抗战以来,百业凋敝,物价飞涨,教员们的工资也入不敷出,如著名教授闻一多,都得去街上摆个摊子,为人刻印章,聊补家用。父亲,你此时虽是孤家寡人一个,手头也时感拮据,最困难时,不得不变卖了在北平购置的过冬大衣。而西南联大里的许多学生,因关山迢迢,烽烟阻隔,早与家人失去了联系,生活上陷于无着的境地。

有鉴于此,西南联大里一批江西籍的青年走到了一起,有钱出钱,有力出力,希望通过办学来解决一部分师生的生活出路。此时正逢日寇西侵,国仇又添家破,这所学校被取名为"天祥",用以纪念并光大一位流传青史的赣人、杰出的民族英雄文天祥的爱国精神。

这是一所在抗战教育史,也许还在中国的教育史上很有特色的学校。国家不幸,民族不幸,偏远的红土高原却幸甚,昆明街头,一时间教授如云,学者如雨,个个含英咀华,人人握灵蛇之珠。连天祥中学的师资,也基本上由一色的西南联大师生充任——

"昆明天祥中学是名副其实的天下第一中学,因为她的师资阵容强大,没有一所中学能够和她相比。教国文的,有全国六届人大代表、江西大学法律系主任胡正谒教授,上海社会科学院副院长冯宝麟教授。教文史的,有中国社会科学院历史研究所副所长熊德基教授,上海师范大学历史系主任程应镠教授,在 1933 年教过杨振宁中国古代历史课的丁则良教授,(《人民日报》海外版 1993 年 8 月 4 日转载了杨振宁的话说:"丁老师讲得很活,开拓了我的视野,对我以后的科学研究很有益,至今我记忆犹新,我非常感谢他。")

以写《闻一多传》、《吴晗传》闻名全国的北京大学历史系副主任许寿谔教授(后改名许师谦),曾任辽宁省委秘书长的才子李晓(后改名李曦沐)。

教地理的,有中国科学院池际尚院士,有北京矿业学院地质系主任邓海泉教授,北京地质学院研究生院导师王大纯教授。教物理的,有中国科学技术协会主席、为发展中国核事业作出了重大贡献的朱光亚院士,中国科技大学物理系主任黄有莘教授,中国空军气象研究所副所长谢光道教授。教化学的,有华东石油学院副院长、国际能源学会副会长朱亚杰院士,中国科学院化学部院士、南开大学元素研究所所长申文泮教授。教数学的,有国际驰名的数理逻辑学家、美国洛克菲勒大学王浩教授,《人民日报》誉为'全国模范教授'、大庆石油学院的曾慕蠡教授,西南联大工学院的状元、云南大学数学系张燮教授,中国科学院严志达院士等。教英文的,则有我这个把中国古典文学五大名著译成英、法韵文,又把世界文学十大名著译成中文的北京大学教授。这样雄厚的师资力量,如果要办一个大学,也是国际第一流的;只办中学,自然是'天下第一'了!"(许渊冲:《追忆逝水年华》,三联书店1996年出版)

这是当今的赣人,又尤其是赣文化人很值得思忖的一个文化现象——

五十多年以前,走出了故土层峦叠嶂的几十位青年人,团结而又各司所长,执著如牛而又热情似火,以"看滇池金波荡漾,西山白云苍苍"为胸襟,以"愿后生有为,先贤勋业共辉煌"(《天祥校歌》)为己任,硬是从昆明南城脚下原本破烂不堪的"江西会馆"开始,办出了一所堪称抗战时期国内教学水准首屈一指的中

212

学,有数字为证:1946年,南京政府教育部举办了抗战胜利后第一次、也是最后一次的出国留学资格考试,在全国七年来大学毕业的精英几乎都参加了的这次考试中,总共十五块金牌获得者里,有十人是清华或西南联大毕业生,而在这之中,又有四人是天祥的师生。

当时,大后方不少党国要员的孩子,都以进天祥中学为荣,诸如国军参谋总长何应钦的公子便在此就读……解放后,天祥中学更名为昆明第十一中学,直到今天,听说其优良学风和较高的高考录取率,仍在市民中有口皆碑。

这几十位青年赣人,不但在异乡弘扬了赣地绵厚的办学重教传统,更标识了一种既无半点自傲又无丝毫自卑、既包容四方又吐纳本我的自由心态。

今天的赣人,又尤其是赣文化人,有没有这样一种大气似寥廓万里霜天的心态呢?说实在话,直到今天为止,开起有关振兴赣文化的会上,总是口若悬河的知识分子们,自然包括鄙人在内,在异质文化的冲撞与同构中,尚没有拿出一个足以让赣人充满自豪感、让赣地增强凝聚力的文化工程。虽然也有人走去了外地,他们之中不乏优秀人才,但他们的离去在某种程度上,只反映着赣文化的流失。据我在海南、广东等地的了解,在异地的他们也少有来往,正如有人形容的,彼此的关系像刺猬,不能靠得太近,靠得太近了,就会相互伤害……

父亲,知子莫若父,祖父对你的担心不无道理——

在天祥中学时,你给学生上的是国文课,却在课堂上讲起了马克思、唯物论和辩证法,这是你的"业余爱好",曾读了这方面的不少书籍。你以为马克思主义是一门科学,而科学就应该在课堂上占有一席之地。学生们没有谁去告密,他们听得眼里天高地阔,胸中星驰云奔,但下巴上刚刚长出茸茸软毛的青年人,一旦兴奋起来,总有讲漏嘴的时候。

特务机关嗅到了什么,他们来到天祥,校长邓衍林赶紧出来接待,他是西南联大教育系毕业,办教育很有一套,把西南联大的优良学风推广来了天祥,且有北大老校长蔡元培兼蓄包容、爱护人才之风范。特务们咬定,你敢在课堂上肆无忌惮地宣扬"共匪"革命之理论,必是共党分子无疑!

邓衍林笑道:"胡正谒这个人我了解,不过就是一张嘴喜欢夸夸其谈,共产党哪会要他?他们要搞什么活动,可是鱼不惊,水不跳……"

凭着天祥中学在昆明的广泛影响,邓校长常常周旋于达官要人们中间。他的话,即便是笑着说,可还是让特务们感到了一定的分量。你得以有惊无险地离开昆明,于1945年8月,应聘去了东北大学法律系。次年8月,你被晋升为副教授,这时你只有28岁。

1996年8月,从厦门大学法律系主任位置上退下来不久的何永龄教授,来到南昌看望你。他的中学时代是在南昌一中度过的,嗣后,他在《南昌一中老校友通讯》上发表了一篇题为《敬访老校友胡正谒》的文章,文章的落款是10月16日,远在厦门的他,决没有料到,此时你已经因为摔跤而左股骨错位,先送医院又回家中,卧床不起已近一个月了……文章中提到:

"胡老师原在东北大学任教,1947年才转厦大任教。胡老师为我们开的课为法理学,1948年后也开过刑法课。胡老师学识渊博,他是老北大,当时北大刑法名教授蔡枢衡对胡老师十分爱惜,胡老师又是蔡教授的得意门生……胡老师给我们上课,讲法理学,首先是讲时代背景,再论述每位法学家的法学思想,其中均首先讲清每位法学家的哲学

214

思想、政治思想,对每位法学家思想均是以历史唯物观点,作出精辟的分析和评价其在法理学中的地位。我在学习中初步领会马克思主义,是由此开始的……

　　胡老师在中国法学界是早期传播马克思主义法学的先驱之一,我们做学生的,受益良多,法学成为科学,什么才是法学,我才有所了解……我们受到他的教诲极深,胡老师在厦大时,厦大地下党同志也十分尊重他,我也常去送进步的书刊或报纸给胡老师看,如送毛主席著作《将革命进行到底》、《新民主主义论》等小册子,胡老师也非常认真地阅读,在那时,有这样的老师是极其难得的。"

　　父亲,由此看来,热爱祖国,拥戴真理,热忱于新思想的传播,不满于国民党的黑暗统治及腐败政治,在你是一贯的,而这确有可能让你毅然走向当时社会的反面……

　　大约是 1961 年春末夏初的一个傍晚,下放在进贤县一个养殖场监督劳动的你,进了县城民和小学,来看望在此住读的三个弟妹。刚刚看了《青春之歌》的大妹妹问你:"这长篇小说里写的,不就是你们这代人的事情?当时,共产党在大学里的活动,是不是像小说里写的那样如火如荼?"

　　你说:"它略微要比我进北大早上一两年,进去一年后我们就南下了。在我的印象里,党的活动是很隐蔽的。"

　　你还讲起了在天祥中学时,该校创办人之一的熊德基,就是当时西南联大地下党总支书记。熊德基离校后,许师谦、李曦沐、朱光亚等先生又先后来天祥教书,同时从事革命活动。但在你的记忆里,熟悉他们的师生朋友,都是在解放后才知晓他们是中共党员的……

　　大妹妹又问:"那时,你干嘛不参加共产党呢?"

她的潜台词多半是,倘若那时你加入了共产党,解放后大概早就像熊德基一样进了北京城,不说要在哪个部门里当个官,起码政治上进了保险箱,那我们几个孩子,眼下就不用去害怕天天晚上旁若无人地在床上叽叽嘎嘎穿梭的老鼠。其时正是"天灾人祸"时期,老鼠们也跟着倒霉,处处窥探,处处落空,最后竟盯上了唯一住校的几个弟妹的脚皮,早上起来,脚背、脚板上总是斑斑血痕……

　　大妹是天真的,倘若那时你真加入了共产党,命运有了一番新的书写方式,眼下腹空如洗的老鼠们,自然再也咬不到三个孩子的脚皮,可在这个世界上也许就没有我们了。像是自嘲,又像是有几分认真,你告诉她:

　　"我怕死,如果我不怕死的话,我早就到延安了……"

　　父亲,尽管你曾让祖父忐忑不安,但你的血脉里多少流动着他老人家的性格因子,他是个生性胆小的人,而要干革命,无疑得要胆大。或许这是你未能投奔延安,而以教职为业的一个原因,但却不是主要的原因。

　　我想在学术和政治之中,你是历来看重前者的。当政治结合到了社会实践之中,你敢于在政治上发表意见,推崇光明,鞭挞黑暗,可这对你而言,与其说是一个政治立场问题,不如说是一个是非判断问题。其实,你是不懂政治的,又尤其是中国的政治,这一点在日后的反右运动中已得到了证明。

　　在教授、学者和文治武略的革命者之中,你是有志于前者的。你没有解民族于倒悬、救百姓于水火的宏大气魄与志向,这意味着纵横捭阖,雷奔火突,金戈铁马,血涌成河;你向往的,只是书斋里的扁舟独钓,静水深流,讲台边的独步风香,嘘气如兰,既合中国传统知识分子的审美理想,又有几分小资产阶级布尔乔亚的味道,既能化袖下桃李为民族复兴之栋梁,又能让自己著

216

书立说，大雁留声于文化史、学术史的无垠长空……

这里，给你的人生予里程碑式的影响的一个人，便是前面何永龄先生已经提到的蔡枢衡了。

蔡先生也是江西人，生于 1904 年。在国内没有读过大学，15 岁时东渡日本，先后就读于中央大学法律系及该校研究生院、东京帝大法律系及该校研究生院。在日本十四年期间，他博览群书，苦心钻研，为建立一个崭新的刑法学体系打下了基础。1933 年学成回国，即被北京大学聘为教授。

既有乡情，又有师生之谊，耳濡目染之下，你对蔡先生言之有据、论之有理、将建立体系视为概念推演系统的治学方法，留下了十分深刻的印象。同时，他刻苦攻读，垒城于笔墨之间，不过而立之年已是国内刑法学界的泰斗，享有广泛的声誉之外，也享有颇为优裕的生活，在抗战前的 1936 年，蔡先生的教授月工资是 400 元现洋，而当时的米价是 6 元便能够买上 150 斤，对此，你也一定投之以仰慕。

父亲，你显然打定了主意，朝着自己的理想之巅，加快走去。在那个年代的北大，唯有晋升或自然减员空出了一个讲师名额，你这个助教才有希望晋升为讲师，其他大学大体亦如此。于是，我发现你在八年里，先后接受了四所大学的聘书，流动的结果是，由一个小小的助教，晋升为了副教授。无疑，你抓住了每一个机会，又珍惜着每个机会。你是凡人，有着凡人都有的功名心，却不为它所缚而目光短浅，在每一所学校，每一批弟子面前，大约都如何永龄教授在前文里提到的——

　　　"胡老师治学严谨，论述理论，剖视理论，极其细致，尤其是引导学生思考，弘发性教学，更是一种思辨过程的分析……胡老师不仅在教学和科研领域贯彻马克思主义，而且做人做事从来都是老老实实，心中只有人民……"

父亲，作为你的弟子，我恐何先生多有溢美之词，心中是否"只有人民"，我不敢说。我敢说的只是，在你的心中，师长和党总是高山仰止，这绝对是一个事实。

1949年，蔡枢衡先生在做着北京大学的教授之外，又应聘为设在南昌的国立中正大学的教授，还担任了该校的校务委员会主席。他金牌儿道，风风火火，要你回江西。其时，你已在厦门大学法律系任教一年半，且娶妻生子，在有了不抱便涕泗滂沱、一双小腿"咚咚"地敲着床板、故取小名为"东东"的我之后，大妹又在母亲的肚子里签了到。厦大，濒海靠山，海平如镜，山势秀蔚，或落日熔金，环山幽翠，或涛洗明月，清光无极。无论是做学问，还是居家过日子，这里都是一个好地方。母亲不愿来，你也犹豫着，最后，蔡先生讲了一句话：

"胡正谒，如果你不来中正大学教书，那么从今往后，你就不要叫我是你的老师，我蔡某人也没有你这个学生！"

你屁颠屁颠，携妇牵雏，回了南昌。这时离南昌的解放，只差两个月。

父亲，你对党更无二话。

解放后，大约除了北京大学等一两所高校还保留着法律系，作为橱窗好接待外国有关人，使得"法律"这个词，没有像恐龙一样在中国绝迹，其他学校的法律系都撤销了，道理很简单——

列宁讲，什么是国家？国家就是军队，法庭，就是监狱，警察。按列宁的论断来理解，政法工作就是国家的刀把子。旧法学讲在法律面前人人平等，而法律的本质就是阶级压迫阶级。旧法学讲诉讼程序，工人、农民哪懂什么程序，这显然是刁难老百姓。旧法学鼓吹在法庭未判决之前，对罪犯应该实行无罪推定,这又是资产阶级标榜"人权"的虚伪把戏:在无产阶级看来,既然已是被告,便确定无疑地成了罪犯,对他们不实行有罪推定,罪犯是获得了"人权",可人民群众的"人权"却被剥夺了……一句话,旧法学理论必须抛弃,旧司法人员必须审查,该调离的,立即调离。

一位五十年代在中央司法部工作的老人告诉我,在经过"大扫除"后的北京司法界,少数能留下来的旧司法人员只是往昔的雪泥鸿爪,而大量涌进来的,则是一批血气方刚、摩拳擦掌的工人和店员,他们是在"三反"运动中涌现出来的斗争资产阶级的积极分子……

你肯定为自己的经历感到庆幸。

解放前,你没有参加过任何反动党团,一直在大学里教书,既未做过法院的法官,也没有挂牌去当一名律师。否则,一解放,不给戴上"历史反革命"的帽子,也麻烦多多。我听说,在北京大学,解放前做过北大法学院院长的一位教授,因为历史上与国民党有点瓜葛,在思想改造运动里整了又整,就是不让他过关,他绝望地说:你们不要再给我说什么思想改造了,就算我顽固不化,为国民党殉葬了吧! 据说,毛泽东也知道了此事,劝阻道:不要再搞了,再搞就过了! 在西南政法学院,一位在国民党法院里做过推事官的教授,更是过不了关,回"人间"无望后,买了一张去"地狱"的船票,在长江的客轮上跳下沉江了……

庆幸之外,站在自己被埋葬了的专业的尸骸上,你一定摆出了一副枯木逢春的样子。

你将昔日的"业余爱好"铺排于阳光之下,从中抽拂出那么多绿意茸茸的枝条——《社会发展史》、《新民主主义论》、《中国革命史》、《马列主义基础》、《马克思主义哲学》……你担任的课程,一年一变,甚至一学期一变。组织上显然注意到了你解放前

219

清清白白的历史,也满意于你总在努力跟上时代的步子,当中正大学改名为南昌大学时,你被委以全校政治课的负责人,1952年南昌大学又改制为江西师范学院,你担任了院马列主义教研室主任,而且在 1951 年建国后高校的第一次评定职称里,你便升为正教授。

父亲,1957 年前的那七年,是你这一生最忙碌的日子。

自己坚持上课,任课时数还是教研室里较多的一个。又花大量精力在青年教师的培养上,你要求他们在上课前将写好的讲稿送来审阅,在作了认真的修改后,还要告诉他们为什么要这样修改。接着,组织他们先在组内进行试讲……你还经常接受上级交给的任务,为党报撰写宣传唯物主义、批判唯心主义的文章,去省委机关、其他院校、大型企业等地方,作专题讲座或辅导报告。

大约是膨胀了一种有德必报的情感,你几乎忽略了天伦的情感。

你长期不住在家里,在院单身宿舍里有一间书房,房里搭了一张床。吃饭也多不回家,得保姆给你送去。孩子们很少见到你,在我的记忆里,只有一个办法能够经常看到你,那便是做作业马虎了事,错误多得不忍卒读,母亲便会大义灭亲,将我送去你的房里,在你书桌对面的一张矮桌边坐下,神思一旦走马,便会触到你那威严的目光……

为工作、为别人大把大把地挥霍着时光,胃痛发作起来,额头上沁出的冷汗犹如一条条蚯蚓在蠕动,也舍不得在 11 点钟以前上床休息;你对自己的孩子却十分吝惜,没有带我们去过一次公园,看过一场电影,或者参加过一回家长会。甚至想要亲昵、娇憨你一会儿,以便能从长年置于你床头的一个点心盒里,混来一块桃酥,或是一块在五十年代令人垂涎不止的萨其马,也很不

220

容易。

现在想起来，那时我看你沉醉于书房"王国"的感觉，大概有点像前些年丧家之犬般的越南难民，飘浮在海面上打量一个富甲亚洲而又冷漠的香港⋯⋯

父亲，你忽略的不仅仅是我们五个孩子：

其实，你在根本上忽略了自己命运中冥冥里确实存在的玄机⋯⋯

东　东

1997 年 2 月 26 日至 3 月 3 日

三、忽略了的玄机

父亲：

　　玄机至少存在过三次。

　　第一次是蔡枢衡先生"号令"你回江西，你就不无勉强回来了，而日后的结果证明，你应该留在厦门大学。

　　第二次，则出现在1952年下半年，全国高等院校进行院系调整，按中南教育部与江西省商定的最初计划，有着一般综合性大学许多院系、师资力量，在中南地区也处于强势地位的国立南昌大学，俨然如一个战败者，交出去大多数院系，改制为南昌师范专科学校，教师则根据情况和本人志愿，走的走，留的留。

　　这又是一件令赣文化人回忆历史、并观照起现实来颇为尴尬的事情——

　　大约从汉晋开始，经唐蔚然，而至宋达高峰，一直回响于明，对于赣人来说，悠悠万事唯此为大的事，除了种田，就是读书了；而如同湘人习武、徽人经商、浙人好包诉讼一样在国内玩得风生水起的，也依然是种田和读书。北宋时，这里书院发达，理学昌盛，让天下读书人唯马首是瞻的是朱熹主持的白鹿洞书院。南宋时，赣地已成了全国文化教育的中心，有书院一百多所。当时的赣地，书声朗朗，如杂花开遍春野，好文之风，似蝉鸣日炽于夏枝。

据《容斋随笔》载，在饶州地区，便有"为父兄者以其子弟不文为咎，为母妻者以其子与夫不学为辱"之说。在教育星汉灿烂的扉页后，江西的这部历史书里，才拥有了诸如欧阳修、王安石、曾巩、朱熹、文天祥、汤显祖那么多具有国家级、世界级分量的名字……

建国后，以革命的光荣为自豪，故能够将历经烟熏火燎、当年写有红军口号的一段残墙恢复原状，却未能据理力争将南昌大学保存下来，相反，还一次乐呵呵地送走了一百余位教授、副教授，只是因为留下来的教师纷纷要求，才废除了最初的计划，允许保留本科建制，改称江西师范学院。似乎教育不再是一座明启心空的星系，而是一块正划过大气层的陨石，能发出光亮来，自可不必在意，发不出光亮了，掉在了地球什么地方，也不必惋惜……

1958年，胸中气冲丹田了，呼拉拉满山遍野地扯起了"共产主义劳动大学"的大旗，在时髦的"打破资产阶级法权"的口号下，一时间在旧知识分子盘踞的教育领域，仿佛有雷声隆隆、电光闪闪的革命性意义。可沧海桑田，世事更迭，到了八十年代初期，虽你知我知、天知地知地侧身于全国重点院校之列，却只有萤火虫的微弱光亮了；进入九十年代，不再有人提起它了，本省的主政者忧心如焚，痛感于江西没有一所重点大学，以强大的知识能量与人才能量去辐射经济，凝聚文化，摆出一副勒紧裤带也要大动干戈的姿态，合并了江西大学和江西工业大学为南昌大学，以背水一战、志在必得的劲头，终于列入了国家的"211"工程……

这近半个世纪的一圈走下来，在某种程度上，像一首通俗歌曲《驿动的心》里所唱到的：到现在我才明白，由终点又回到了起点。

言归正传,在 1952 年下半年的这次院系调整中,当组织上向你征求个人去向的想法时,你没有多作考虑,便提出要去华中工学院。在当时高教界一般人士的心目里,该院的发展与影响,不久可与清华大学比肩。初榜公布了,你的名字果真列在了"华中工学院"之下。

这是那玄机在悄悄地导引着你,又是玄机在默默地成全着你。

它一定像薄暮时分便怀着几分惶惶从古檐间飞出来的蝙蝠,感知到这块土地在有着太悠久的传统、太光荣的历史的同时,也有着太多的思想缺陷、文化缺陷。它一定像站在山门上那长髯与衣袂一起飘动、眼里熠熠有神宛若天光的高僧,无须罗盘,便能够在你的浑然不觉中,给你划出一个趋安避危的方向……

你兴致勃勃地告诉母亲:我们要第二次搬家了。又微微腆起了肚子的母亲,开始上班忙,下班更忙,整天脸红扑扑的。一天晚上,学校的一位党委副书记来到家里,娓娓道来了以往组织上对你的信任,又说开去现在组织上希望你留下来的意思。书记还明察秋毫,扫了一眼母亲后,脸上便溢出了一股发自肺腑的关怀:"依徐国媛同志这样的身体,也还是一动不如一静好……"

你眼里只有副书记,没有看见他的身后,幽灵般的玄机在向你频频摇手。

你答应了下来,你对党的承诺从来是一诺千金。从 1951～1957 年,在那样一个劳模货真价实、且知识分子难当劳模的年代,你年年被评为学院、江西省高教系统或南昌市劳动模范……

父亲,你命运中的第三次玄机,便是闪动在 1957 年了。

在"大鸣大放"搞得如火如荼的整个 5 月间,没有你的声音,你去了大连参加高教部召开的一个会。途中,大概还停留了几

224

个地方。一回南昌,已是 5 月底,离形势公开逆转,只有个把星期了,你仍接到了参加省委召开的高级知识分子整风座谈会的通知。

父亲,因为你所担负的课程和职务,你必然要比一般的知识分子更多地关注马列主义在当今中国与世界的实践。

你显然注意到了伴随毛主席"百花齐放,百家争鸣"和"长期共存,互相监督"方针的提出,中国的知识分子,享受了建国后第一个没有斗争、更没有运动的一年。

1956 年里虽有争论,但争论像是来自知识分子内部。争论的问题是,是否要用马列主义来指导"双百"方针(即百家争鸣、百花齐放方针的简称)的贯彻。有两派意见,一派是肯定的,另一派则认为如果确立了马列主义为讨论的基础,那么这实际上便意味着所谓争鸣,不过是仅有少数人可以自由出入的五星级宾馆。郭沫若先生是第一派的代表人物,他的党性修养真到家了,举手投足间便流露出浓浓的布尔什维克味;或者是他的聪明到家了,已经料到最后打到桌上来的,是一张怎样的底牌……

他在这年 7 月 1 日的《人民日报》上发文强调:

"百家争鸣的主题是社会主义建设和最终向共产主义迈进,我们的交响乐要围绕这个主题,演奏出史无前例的雄壮乐曲来,不论千万支乐器如何独奏或合奏,总得按照旋律演奏……"

这一争论,因 7 月 21 日的《人民日报》社论,得到了部分解决。该报一向端坐在中国意识形态的法庭上,这时,对是否要以马列主义指导"双百"方针的这一重大问题,却放弃了法官的角色,社论颇为大度地说,该让知识分子们去决定在争鸣中要不要以马列主义为基础,即便其观点不符合马列主义,人们也有权发表自己的看法。

此外,真可谓云淡风轻,日朗星明。

上层建筑里,一条多年来变幻莫测、车少人稀的道路上,有了一次蔚为壮观的"赶集"——

不再机械地引进苏联的一切,大大地拓展了中国对于人类文明世界的理解。各出版社相继宣布自己引进西方学术经典的出版计划,所涉及的学科几乎应有尽有。你欣然不已地买到想了多年的斯宾洛莎的《伦理学》、康德的《纯粹理性批判》和黑格尔的《哲学史讲演录》……据郭沫若先生1957年7月5日在全国人大常委会上的发言,一年来国家用于进口西方世界书刊的外汇为180万英镑,而在前一年只有60万英镑。

除去了传统文化的政治镣铐,投之以重新评价的从容目光。1956年6月,在北京成立了一家古籍出版社,专门重版古籍中的珍版本。这一年,全国有180余种传统文化方面的名著问世,其中包括了近代康有为、梁启超、孙中山等人的著作。还记得,好几次我在你的书架上抽出《孙文全集》,还有安娜·斯特朗女士写的有着针砭意味的《斯大林时代》,里面有很多图片,我看得津津有味,以打发比当今的孩子远为单调的童年……

自然科学宛如成了西方的天体浴场,所有进去的学科脱去了昔日臃肿的衣服:"封建主义"、"资本主义"、"社会主义"。再没有了所谓阶级性的束缚,科学家们可以正大光明地去追求赤裸的真理,在全国的科研机构、高等院校里,"向科学进军!""向博士进军!"成了当时最神圣也最时髦的口号。

1956年,中国的文坛上,大批的刊物应运而生,恍若灰蒙蒙的天地里涌起的一片新绿:《萌芽》、《北方》、《奔流》、《山花》、《红岩》、《星星》、《雨花》、《新港》、《东海》、《延河》、《海燕》、《青海潮》……中国所有的省级文学期刊,大抵都是在这一期间创刊的。昔日,作家们宛如博物馆里的讲解员,冥思苦想地图解当前的政策和运动,批评家们长着一副水手的胳膊,不遗余力地打捞思想特征、政治影响,而现在他们好似流徙的鱼儿,从一口浊重的政治池塘里,兴冲冲地游去水波清纯的艺术之河中……

在统一战线工作上,1956年上半年召开的第五次全国统战会议,反映出统战部门存在着相当严重的关门主义倾向。会议决定切实检查一次统战部门同民主党派、民主人士的关系,检查中,暴露出来的最突出的问题是,"党外人士安排后,不少人无事可做,或有职无权,坐冷板凳","以领导者自居,只教育别人,不注意向党外人士学习"……(李维汉《回忆与思考》)

如同众多党外人士的有职无权一样,民主党派在中国的政治生活里似乎是一道布景。既然是布景,无论是制作者还是观众,自然不会太认真地对待。但在1956年,毛泽东杜绝了这种可能,"长期共存,互相监督"方针的提出,也使众多的党外人士确信自己并非一道布景。尤其是周恩来在阐述这一方针时,借用了千百年来痴男怨女们花前月下的盟誓:共产党与民主党派不是同年同月生,但可以同年同月死,更让民主党派异常温暖地感到,在中国共产党博大的胸怀里,自己是一个鲜活的政治实体……

当1956年里,苏联和东欧侈谈民主、玩弄民主并最终遭民主炙痛身心、被民主乱了阵脚的时候——

中国民主的钟摆声,正日愈清晰地接近稳定的状态。

父亲,我相信你和众多的知识分子一定作如是之想。

在1957年的3~4月间,你还和全国许多高级知识分子一样,听了毛主席的两个录音报告,《在最高国务会议上的讲话》和《在中共中央全国宣传工作会议上的讲话》。后一个讲话比起前一个来,更是展示了一种披肝沥胆的真诚。在以下这段此后被经常引用、"文革"中造反者们更是喊得山摇地动、阻遏流云的话里,作为执政党领袖的毛泽东,将自己视为一支抗击官僚主义、主观主义、教条主义的主力部队的统帅:

> "彻底的唯物主义者是无所畏惧的,我们希望一切同我们共同奋斗的人能够勇敢地负起责任,克服困难,不要怕挫折,不要怕有人议论讥笑,也不要怕向我们共产党人提批评建议。'舍得一身剐,敢把皇帝拉下马',我们在为社会主义、共产主义而奋斗的时候,必须有这种大无畏的精神。在共产党人方面,我们要给这些合作者创造有利的条件,要同他们建立同志式的良好的工作关系,要团结他们一起奋斗。"

在这个讲话里,毛泽东一遍遍地激励着这支部队的士气。在自己披肝沥胆的真诚映照下,他期望"士兵"们也会披肝沥胆地将心中所有的真实想法,统统从"枪口"里放射出去。为此,他没有在任何一处强调,得给"枪口"设置批评的"准星",而是相反:

> "就是放手让大家讲意见,使人们敢于说话,敢于批评,敢于争论;不怕错误的议论,不怕有毒素的东西;发展各种意见之间的相互争论和相互批评,既容许批评的自由,也容许批评批评者的自由;对错误的意见,不是压服,而是说服,以理服人。收,就是不许人家说不同的意见,不许人家发表错误的意见,发表了就一棍子打死。这不是解决矛盾的办法,而是扩大矛盾的办法。两种方针:放还是收呢?二者必取其一。我们采取放的方针,因为这是有利于我们国家巩

固和文化发展的方针。"

虽然经过删节后发表的正式文本多出了"准星",也有了文牍气,但是你从录音里感觉到这个近两个钟头的讲话没有稿子,毛泽东一定是信马游缰,随口道来——

他反复讲道如何处理人民内部矛盾,对党也是一个新问题,需要与党外人士共同研究。党内党外坐在一起谈有好处,今后三五年里,每年得开一次这样的会。他嘱咐各省市委回去,也要召集党外人士一起来商量党内的事情。

他表示支持王蒙的《组织部来的年轻人》等作品。他说:虽有片面性,我看写得相当好,不是很好。它们暴露了我们的缺点,不能用李希凡那样的批评。李希凡现在在高级机关,当了政协委员,吃党饭,听党的命令,当了婆婆,写的文章就不生动了,使人读不下去。我们党的威望高,靠党的威望,官僚主义就横行霸道、违法乱纪,是不是应该揭发?

在谈到中国社会必将要发生的伟大变化时,他聊起:我女儿从街上回来,告诉我说,爸爸,街上有看相的,我也去看了一个。我回答说,好极了,你抓紧看,多看几回,以后就看不着了。他又说,我的年纪大了,将来只能唱唱老夫人了,红娘只能让恩来、小平他们做了,我要上杭州的灵隐寺。我对自己的孩子说,你们要朝拜我,现在就朝拜一下吧,日后再想朝拜可就天高路远了……

此刻,全世界关心国际共产主义运动的人们,都在注视着中国,宛如在远望一条搁浅于海滩的鲸鱼,又被冲天的巨潮带回了大海;雪谷里一头负伤的孤狼,在曙光酡红的映照下,正一步步地攀上冈底斯山脉……

英国一批学者的印象是:

"毛泽东的讲话显然是共产主义理论的一种革新。"

法国《世界报》发表社论指出：

"肯定地说，共产主义学说在分化，同莫斯科抗衡的北京，在马克思主义阵营中的影响在与日俱增。"

波兰《人民论坛报》刊登了题为《大家都来读毛泽东的报告》的文章，内称：

"这是苏共二十大后，第一个根据近年来的问题和经验，如此大规模地发挥社会主义理论的尝试。中国的思想和实践的伟大成就中的许多问题，使我们活跃起来，引起我们的思想共鸣。"

毛泽东的接连两个报告，尤其是后一个在鼓励讨论政治问题方面的讲话，在中国知识分子的心头引起的震荡，大概不会亚于喷珠溅玉、势若奔雷的黄果树瀑布对于百里间山河的震荡。连一向深居简出的傅雷先生，无视过很多知识分子看得很重的东西，寡妇守节般将自己的性灵与才情献给了罗曼·罗兰的鸿篇巨制，但在如沐春风般聆听了毛泽东的报告后，他就毫不彷徨地将翻译工作搁置一边，走出书斋，以满腔热情并以极为认真的态度，即完全按照毛的讲话字面上的意义，去上海市各种会议上"知无不言，言无不尽"。在他看来，中国的知识分子有什么好彷徨呢？

他在给远在波兰留学的爱子傅聪的信里写道：

"他们的知识分子(即波兰的知识分子)彷徨，你可不必彷徨。伟大的毛主席远远的发出万丈光芒，照着你的前路，你得不辜负他老人家的领导才好。"

傅雷先生尚且不再彷徨，父亲，你的不会彷徨，便是必然的了。

这是一个星期六的下午，省委的一间大会议室里，气氛很是

230

热烈。到会的高级知识分子们，一个个侃侃而谈，此起彼伏，倾吐真情。你的嘴皮几度微启，又合上了，眼看喉结提上来一段，可一下沉了下去……你好像一条已到了厨房里的鱼，焦急地盼着旁边那满缸的清水。其实，一直与你若即若离、你看不到它，它却能烛照你心坎的玄机，比你还要焦急。它的"天目"早就看到了，这二十多天里，在中国的各个城市，一边以阿庆嫂"垒起七星灶，铜壶煮三江"的热情，召开着消耗了无数吨茶水和纸张的座谈会，一边又在频繁地接受着来自北京的雪花般的秘密指示。它的"天耳"还一定听到了——

　　　　"最近这个时期，在民主党派和高等院校中，右派表现得最坚决、最猖狂，他们要想在中国这块土地上刮起一阵害禾稼、毁房屋的七级以上的台风，妄图消灭共产党。我们还要让他们猖狂一个时期，让他们走到顶点。"（毛泽东写于5月15日的《事情正在起变化》）

玄机无法告之你，玄机却能阴差阳错你。

整个下午，在一张张水浪般波动的嘴里，你就是塞不进去自己的一张嘴。父亲，倘若这时你有一点感应，在临时宣布星期一接着开的会上，你便会做一尊只带耳朵去听的菩萨。你却像一把上了胶木套的尖嘴钳，绝缘于那与电一样神秘、倏然而过的玄机，心头溢出的倒是一股歉疚。在下午听了那么多发言之后，晚上你去学校浴室洗澡，碰到了一位外系的副教授，他问你："胡先生，这一段鸣放，怎么始终没有听见你发言？"

"我去外地开会了。"

"哦，怪不得哩。那你回来了可要好好说说，你是南昌大学的老人，了解情况，而且讲起话来有分量……"

我想,在这之后,你肯定会寒暄一句:"你我彼此彼此,有什么分量。"

但是这位副教授的话,无疑又一次使你感到,在"周公"一沐而三握发、一饭而三吐哺的纳谏情怀里,你必须来点"真格"的东西,以不负于"周公",也无愧于我心。

星期一开会,你可以发言了,将原拟稿子的意思简单地讲了一下,你着重讲的是高等学校的领导体制问题,即在高等学校里应以校委会为最高领导机构,各教学单位应以行政负责人为领导人。在你写于二十一年后要求"改正"的申诉书上可以看到,你的意见是——

在江西师院,"我是院委会的成员,在院委会内,常有这种情况发生,虽然参加会议的多数成员并不同意某项主张,但由于它是党的负责同志所提出或支持的,最后也得通过执行。因此,在某些成员间,就不免有'党政不分'、'院委会形同虚设'一类的议论,从而在一定程度上影响到他们的积极性"。

从 1950~1957 年,"我都是教研室主任,×××同志也一直是教研室的一员。在他未外出进修前,我们相处得还好。但自从他进修回来后,我们就不时发生意见分歧。例如,当我在会议上就某项教材认为应当如此处理时,他就以苏联专家意见不是这样来表示反对,而苏联专家的意见究竟是怎样的,又难以从他的发言里得出一个所以然来……这使我这个非党主任处于尴尬的境地。当时,我估计到了教研室里即将要成立党支部,支部书记可能由他担任。如果支部书记也要主持行政工作,如此一来,我这个非党主任就很难办了,何况×××还是我的学生……"

你的理由是,一、据报载,今年 5 月 1 日,在天安门城楼上,毛主席约请各民主党派负责人座谈,再一次诚邀民主党派帮助共产党整风。他老人家着重号召党外人士揭露教育、卫生等部门的官僚主义,并提出由邓小平负责召集党外人士,就他们的有职有权问题和高校的党委制问题征求意见。这便说明,在如何更好地领导高校这个问题上,是可以充分讨论的。

二、你熟稔中国革命史,对被列入 1942 年延安整风文献的一篇《中共中央关于统一抗日根据地党的领导及调整各组织间关系的决定》记忆犹新,时值党的历史上又一次整风,何不以此鉴今? 内称:"为了实行三三制,党对政权系统的领导,应该是原则的、政策的、大政方针的领导……党对参议会及政府工作的领导,只能经过自己的党员和团员,党委及党的机关无权直接命令参议会及政府机关。党团的工作作风必须刷新,不得强制党外人士服从,不得违反民主集中制的原则。"

三、在五十年代前几年,你多次参加中南教育部召开的高校政治课教师的讲习会。有一位副部长曾就有关党的领导问题作过专门报告。其大意是:党的领导主要是方针、政策的领导,它是通过行政部门来实现的。以省人委为例,在该委员会内,设有党组,在党组内对于如何贯彻党的方针政策,要进行认真讨论,以便制定出妥善的具体措施来。然后党组成员,即以省人委委员身分,将这些具体措施在省人委会议上提出来,由于党的方针政策是代表人民的根本利益的,它们一般是能够得到通过的,并以省人委的名义颁布执行……在南昌大学的那两三年里,大抵便是按照此种程序来领导的,学校里所发布的各项布告,也多以校委会名义贴出。

四、这最后一个理由,你没有说出来,那就是你已经写下了要求加入中国共产党的申请书。

在东方的这块土地上,一门具有强烈党性色彩的学科的负责人,竟然不是党员,真有些在西方过复活节买不到火鸡、在情人节里看不到鲜花一样不可思议。每当你外出开会,看见其他高校这个相当于系一级的教研室主任均是由党员担任,无须介绍,只要看看他们脸上溢出的自信的神彩,你便大抵清楚了。对此,一方面你自感形秽,好似一只刚刚从山林的那个旮旯里钻出来的野物,浑身上下都粘有枯叶和小虫;另一方面,当最初的刺激过后,你又会觉得眼前是一片春日般的艳阳高照。你相信,将你放在一个如此重要的位置上,组织上一定经过了深思熟虑。一种预感在1956年里被证实了,像是在这年的下半年,你被通知写一份正式的入党申请书,两位介绍人已经确定,一位是主管教学的副院长,一位是教务长……

我记得,当反右斗争尘埃落定,已经下放了的母亲,休假回南昌,忙着一盆盆地洗东西。我蹲在她的身边,当她告诉我这件往事时,我一下站起来,手里正扭着玩的一件湿衣服,啪地掉进了盆里,肥皂泡溅了母亲一脸:

"他自己都要入党了,怎么还会去反党呢?"

这是一个小男孩的逻辑,这在当时也成了你的一个理由。你以为这能够证明自己的所有发言,并不带着个人的情绪,而仅仅是站在帮助党整风的立场上,对事不对人。你还以为这个理由不说出来,组织上也一定明白。犹如两个心心相印的恋人,只要投去一个眼神,多少话语便融去了不言之中……

如同在最关心政治也被政治高度熏陶的五十年代,中国却出现了一批在政治上最轻信的知识分子;父亲,打建国后你一直从事、主持政治方面课程的教学,你竟提前近三十年,在五十年代就走近了政治领域里一个敏感、危险的雷区——党政不分的问题。

祖父对你的担心,终于在他老人家大归二十年后,成为了现实。

你是那么的幼稚、冲动,且幼稚像小男孩们节日时总吵着要大人买的红红绿绿的气球——一串一串的。就说你的最后一个理由吧，你似乎以为你和组织间有一张相互信任的无纸契约，你却没有料到，即便像眼下的市场经济时代，双方真的签下了一纸"合同"，它也是可以作废的。倘若不是这样，南征北战、功勋彪炳的彭德怀，连毛泽东本人也赞叹："谁敢横刀立马，唯我彭大将军！"便不会在那一年夏日的草木却在作深秋萧瑟的庐山上，被打成"反党集团"的头目了；而曾是长辛店炉火正旺的机车，曾是安源煤矿闪亮的乌金，历来视共产党为一座庄重的圣殿，进入这圣殿的人们也是由特殊材料做成的刘少奇，更不会在"文革"里，自己反被一脚踢下了"圣殿"，最后形销骨立，屎尿缠身，死于非命……

对生命历程里昙花一现般珍贵的玄机，你一次次地忽略，终于应了民间的一句老话：事不过三。

你发言是在所谓整风的大门眼看就要关上的当口，与之相映成"趣"的是，你被打成"右派分子"，也是在反右运动嘶鸣着、狂奋着的列车那钢铁的轮子渐渐慢了下来，就要进站之时。

1957年底的一天，像是中午，我们几个孩子下课回来，罕见地在这个时候看到了你。你和母亲在里屋嘀咕着什么，脸色青青的，像是有几个晚上没有睡觉，眼里酸楚而又黯然。作了好几次检查，几近剖心掏肺，几近唇齿滴血，像是通过了，最终还是未能通过。你有点摇晃似地走到屋外，一双大手，冰凉而又软软地，像是南方雨天里的晨雾，一一摸过我们的小脑袋：

爸爸出了问题，对不住你们……你们得有思想准备。

次日，我走进了江西师院的大门，沿着中心马路下去不过百米，在院工会大楼靠马路的那面墙上，贴着一大片尚散发出墨汁、浆糊味的大字报，上面的通栏标题是：

彻底撕下披在右派分子胡正谒身上的马列主义外衣！

这一个个比人的脑袋还要大的字，好似一方方滚石，从墙上滚了下来，直砸进我心里。我没有感到痛，那本该是一种我和弟妹们的无忧无虑的童年、少年时代将因此而化为乌有的剧痛……

这是我第一次处于亲人在光天化日之下被当成社会的公敌给揪出来示众的境地，心头涌起的倒是一种很奇怪的感觉：既觉得眼前的一切离我很远、很远，这墙上黑压压蠕动的一片，对一个上小学的孩子来说，无异是一大篇天书；又觉得离我很近、很近，因为那个在一张张大字报上被无数遍地斥责与羞辱的名字，是你——我的父亲！

一方面，当然感到事态严重，半年多来，即便是个小学生，也能从满是硝烟味的社会氛围里，如当时整日价广播的一首名为《社会主义好》的歌曲中，即有"右派分子想反也反不了"的昂扬歌词，知道了右派分子是当今人人喊打的过街老鼠；另一方面，又觉得有些滑稽，在我的小脑袋瓜里，实在想不明白，既没有在解放后杀人放火、又没有在解放前给鬼子进村带路，只是整日俯案于书斋，或是在课堂上吃着粉笔灰的父亲，到底能给社会和人民造成怎样的伤害？

因此，这奇怪的感觉，便有点不真实起来。我揉了揉眼睛，又掐了一下手脖子，看看自己是不是在患着白日梦……

父亲，你是学院里最后一个定性的右派。

据说，自然也有力主要划你右派的，比如已担任了教研室党支部书记的×××同志，但院室两级大多数人，以为你的问题还是认识问题。

我不禁想起了时任北京大学化学系教授的傅鹰。在鸣放开始时,傅先生分两次在系里的座谈会上作了发言。无论在发言的口气上,还是在所提意见的分量上,他都让你的那次发言"小巫见了大巫",并被中宣部主办的"仅供领导同志参考"的党内刊物《宣教动态》看中,刊发在该刊 5 月 12 日出版的那一期的头条上——

　　"党和党外知识分子关系不好,首先是由于'三反'时的偏差。'三反'后,教授们谈话,只要来了个党员,便都相视而笑,说些专门给党员听的话。其实教授们并非在骂毛主席,也许在谈梅兰芳的《贵妃醉酒》。但欲加之罪,何患无辞? 斗争时,党员会说,某次我听见傅鹰在议论梅兰芳,为什么不尊重艺术家? 这是什么思想? 什么根源? 所以我对年轻党员的看法,就同在重庆时对国民党特务的看法一样。特别是对正在争取入党、争取转正的人有戒心。他们越多打你几棍子,入党转正的机会就越大。

　　学校里至今没有建立起学术风气,衙门习气比解放前还浓厚。在教学、做研究方面,教授的把握最大,教授应对学校的一切有发言权,应尊重他们的意见。解放以来,教授没有地位。留哪个毕业生做助教,是由人事处决定的,全凭政治水平。入选的机会,党员比团员大,团员比群众大。什么叫政治水平? 我以为,爱国,百分之一百拥护政府,政治就够条件。人事处全是一帮孩子,不知大学该如何办,不懂哪能不主观? ……最好废除人事处。如果废不了,至少要他们了解自己的地位,不能掌生杀之大权。教授评级,最后也是由人事处定的。冯新德教授太太神经有病,要求换个清静房。唐有祺教授家人多,要求换个大房。总务科就是不理,我家旁边一幢大房子,空了一年,现在给新上任的科学研究处副处长(指×××,新入党)住了。现在是'长'字辈的吃得开,后果何堪设想?当'长',什么人都可以,摆一块木头在那里,它也能当'长'。但木头不能讲课。当'长'等于穿一件衣,穿了脱了都无所谓,'长'与学问并不成正比,常是成反比的,做学问的人就不是当'长'的料……"

　　傅先生的言论,显然会让某些人听了大动肝火,好似跳华尔滋时脚板上突然顶起了鸡眼,吃清水大闸蟹时调料里落进了苍蝇。如果办得到的话,他们一定会叫时光倒转,然后去开封府里借来那把寒光凛凛的虎头铡,再把傅先生押来,一刀铡去他后脑勺上的那块反骨……可以这样说,傅先生不但深入了那片雷区,而且脚已经触到了地雷。

　　可就在这千钧一发的时刻,毛泽东轻而易举地提起一管狼毫,一下便勾去了那地雷上的引信:这样的批评是"善良的","基本上是诚恳的、正确的",批评的目的是"希望改善关系","对于我党整风,改正缺点错误,大有利益。"(龚育之:《毛泽东与傅鹰》,《百年潮》1997年第一期)

　　由是观之,虽然毛泽东在总体上决定了知识分子九死一生的命运,但在个体上,也有可能网开一面,乃至施以惠泽。这里起关键作用的,便是看你在哪个地方,决定你命运的是一双怎样的眼睛……

　　父亲啊,你落在了江西,最终决定你命运的,是这样一双眼睛——

　　似乎在他看来,不将你扫进"右派"这不耻于人类的狗屎堆,本省已经揪出的右派便不够档次,也不足以表明江西反右运动的赫然战果!

江西,这洒满了父亲大半生的心血与汗水、最后又葬身于此的故土啊,我一直在盼着,有一天——

当我再打量她广袤的山川时,不会再记起那夏日的酷热与冬天的阴冷,而是一眼看到:她终究梳洗出了江南的妩媚与温馨,开掘出了她人文精神的博大与蕴藉,并在一个经济年代里也跑出在革命年代里的飒飒雄风……

东 东

1997 年 3 月 6 ~ 10 日

四、毛主席不要你操这份心

父亲：

1958 年 5 月，当你被撤销教授学衔、工资降掉三级，调去院图书馆，以超定额一倍的数量，干起了打印图书卡片的活儿时，听说历来"思想左倾"的你却被打成了右派，一定懊悔不迭的蔡枢衡先生，则调去了全国人大常委会办公厅法律室任顾问……

打 1958 年起，一直到 1977 年，整整二十年间，你一直走在一个酽黑如漆、苦雨浸濡的长夜，即便有时出现了几缕淡淡的鱼肚白，可也是万木萧索、心旋落叶的霜晨……

其间，你被下放两次。

第一次是在 1960 年末，似乎是感觉到校园里的活儿洗刷不去你们灵魂的污浊，不知是经你自己要求，还是组织上照顾，你被下放到母亲所在的进贤县青岚湖水产养殖场。在 1958 年春的干部上山下乡运动里，母亲便像不小心闯进了海里的淡水鱼一样，急着离开了南昌，原在院财务科工作的她，习惯了你努力跟着党走、也被党所欣赏的样子，接受不了你被党所唾弃的现实。

她在总场当会计，你被分去几十里外的农业队里挑大粪，种蔬菜，大约半个月放一天假，你才过来一次。这一天，你肯定风雨无阻，在一场大的风雨过后，你总想在家的屋檐下坐一会儿，不过这时一个家已经开始了残缺,最小的妹妹在母亲身边,三个弟妹在县城里读小学,而我一人在南昌刚上初一。你想贴近家庭的温暖,身边每有人飞来冷眼或窃窃私语时便手脚冰凉、脸上发烫的母亲,也在寻求温暖。

她的父母殁世很早,唯一一个哥哥颇为厚道。不知是没娘的孩子却偏偏心气太盛,还是嫂子的一双丹凤眼,有些像汽车驾驶室前的刮雨刷,不时在她的身上刮来刮去,于是靠哥哥念完初中,她便去公路局里找了一份事做。她本以为这辈子交给了你,就等于上了一份温暖的保险,你让她深深失望了。也许在过去风光的那几年你就启迪了她,也许是总被歧视的氛围提醒着她,她急于想投入党温暖的怀抱,入党申请书已经交上去一年多,她从别的类似境况的女人那里获得了一股动力,只要与丈夫彻底划清了界线,好梦就会成真。母亲坚决要求调走,并提出与你离婚。

父亲,在婚配问题上你可能是个唯美主义者,据说在北大念书时,班上便有位女同学对你眼波迷离而又缱绻,毕业后还痴痴等了你几年,你则心静似秋水,觉得这位小姐的容貌难以跳出芸芸众生。直到你经人介绍,认识了母亲,那年她二十六岁上,皓齿明眸,面如满月,唇不施而红,眉不描而黛,即便是她留下的生了两个孩子后的照片,今天让我的朋友们见了,他们也赞叹道:你母亲当年真漂亮……本来也看重学历的你,只听介绍人说她是中学毕业,也未搞清楚这中学是高中还是初中,便一头栽进了她的"贼船"!

父亲,我难以体会当时你是一份怎样的心情:是刮目相看她政治上如此要求进步,还是自责于自己牵连了她,已经是五个孩子的母亲却不能安定下来,还得抛家离子,孤旅天涯。我后来知道的是,你不同意离婚,你说:这么多孩子,我们也得现实些……

你给母亲立下了"军令状"，如果在三年之内自己摘不了"右派"帽子，你就一定同意离婚。毕竟夫妻一场，母亲不像别的女人那样有着铁石心肠，或许她的这一着，本来就带有给组织上"作秀"的意思。家在表面上还存在着，可实际上无声息地断裂开来，母亲带着最小的妹妹，去了一百多公里外的永修县三角圩水产养殖场……

次年端午节前两天，像个运输大队长的母亲，先到南昌给我卸下了一瓶咸菜烧肉、一瓶油炒黄豆。我十岁的儿子将永远不能理解，在那饿得体育课都不得不被校方免掉了的初中岁月，它们的出现，不亚于今天的人们在天幕上看见了那喷出幽蓝光芒的飞碟……母亲又颠颠扑扑去了进贤，卸下那些她自己省下来、又通过关系买到的一些农副产品。

在南昌时，她已听说，中央最近下了个紧急文件，要各地将下放去了农村、农场的右派里的高级知识分子，立即调回城里。1993年我在北京时了解到，中央机关下放去了北大荒的右派分子，也是这时回到北京的，这是在像北大荒风雪一般正肆虐全国的大饥馑中的一次高效率的大抢救。可当时母亲没有告诉你这事，担心不确而影响了你的改造。倘若她告诉了你，你就不会看着身上已经有些不舒服的她，只住了一个晚上，次日一早便匆匆往回赶；你会留下她，等着那个通知来，然后帮着你再搬一回家……

母亲匆匆往回赶的，其实是一条不归路。

我在一篇题为《一个中国女人的墓志铭》的散文里（《中华文学选刊》1995年第六期，可参阅附件三），已给这个名字叫徐国媛、仅活了四十个春秋的女人，写了一篇无墓碑可刻的铭文。

没有用三年，只用了一年，在1961年底，便摘了你"右派分子"的帽子，可这对去了九泉下的母亲，已没有丝毫的意义。这

242

之后,有了一次狂暴的激情与另一次更狂暴的激情中间相对安稳的几年:

你将祖母从乡下接到了身边,长年下菜园里劳动的经历,使得她七十好几了还能帮你操持家务,再加上老人家的五个孙子孙女,户口本上又有了一个新家。1963 年 7 月,调你去了中文系,先教"逻辑",又让你教"写作"。当年校园里那个风度翩翩、话语滔滔的最年轻的教授,已经死在了 1957 年。你临深履薄地走路,如置累卵上讲课,只在一件事情上敢心狠手辣,要在每月120 元的工资里,努力克扣下几个钱来。

我记得,你先是抽二角二分钱一包的"欢腾",以后又抽上了一角六分一包的阿尔巴尼亚香烟,且一根烟总要分成两次抽。你进城,舍不得花上一角钱乘公共汽车,总是走来走去。若赶不回来吃饭,去哪家小店叫上一碗阳春面,二两猪头肉,于你便是一次连每个脚趾头都感觉幸福的享受。你无师自通地学会了补衣服、修鞋,还购置了一套修鞋工具,多半是在星期天,你将一家老小的破鞋收拾在一起,然后像个鞋匠一样地开始工作⋯⋯

过年了,你也会走进厨房,在锅里煮熟一个二角八分一斤买来的猪头,再放上酱料与八角茴香,那卤味隔着一层楼,也能香得我们垂涎欲滴。又炸出一盘盘咬进嘴里就能化掉的油饼,我和弟妹们纷纷撑开肚皮,看谁吃得最多,这是我们清贫、匮缺的少年时代里,唯一过得似百万富翁的日子。好像是在 1965 年底,你下了一个好大的决心,让我们每个人有一件新衣服过年,盘算来盘算去,买来几丈黑灯芯绒。当我们被一一领去裁缝那里试穿新衣时,裁缝由衷地夸道:一个个穿得挺精神的,看起来可不像没有娘的孩子。你的眼睛里一定滚烫着欣慰之情⋯⋯

仿佛因为往日你对人伦亲情的忽略,现在不但要予以补偿,还得加上"利息",你的肩头一下双重地压上了父亲、母亲的责任。对此,你想得最多、最深的,就是孩子们的上大学问题。我这个长子,1966年夏就要考大学了,你的计划是在这之前,无论如何要存下一千多元,以维持我大学四年里的费用。我毕了业,以后的日子就不那么难过了,可以帮着你一起负担弟妹们上大学的费用。为此,比我小二岁的大妹初中毕业时,你不想她再念高中,而是改读中专,你说:

"你读了高中,便要考大学,一考上,你读大一,东东还在读大三,靠着我一个人实在负担不起呵……"

虽谈不上有女权主义意识,少年时代却心比天高成绩也好的大妹,一下就拒绝了,她坚持要上高中。你怔怔地看着她,沉沉地叹了一口气,道:

"那我们就先讲好,将来你考上大学了,千万不要读文科,要读理工科。如果你能考上清华,爸爸就是砸锅卖铁,甚至一家人喝西北风,也要让你读到毕业!"

父亲,毛主席不要你操这份心,掏这个钱。

这年的8月11日,半是愤怒、半是幸福状态下的大学生,自然百分之九十九以上该是"红五类"("黑五类"的"狗崽子"们此时还没有造反的胆量),像当年德国的褐衫党在满城捕捉犹太人,满校园里捉拿着各系已被大字报点名的"牛鬼蛇神"。你也被捉去了一个名叫红场实际上是一块淡红色水泥地的操场上,抬眼看去,像熔化了的金属汁液一般白花花的太阳下,暴晒着一片虾腰似的后背,你也跟着跪了下来,肯定能够晒得熟鸡蛋的地面,至少有60℃,你好像嗅到了膝盖上的皮肉被烤糊的臭味。

恍若这是一块铺着红布的盛大宴席,你则是一道隔夜后又被拿出来的菜,高傲的胃口们已经失去了兴趣;而那些首次被揪

244

出来的人们，身边围满了小将，后者往前者的身上乱脚纷纷，或者淋上墨汁、浆糊，俨然在一道新鲜的大菜上放调料……这一天被整死了三个，其中一个是中文系的教授，与你一样，解放前没有任何历史问题，在大学里教了一辈子的书，能够用英语讲出莎士比亚戏剧的原汁和神韵来。你的膝盖上留下了一条一寸多长、至死未能消失的疤，但你没有倒下。当晚，你一瘸一瘸地回到家里，大妹为你包扎伤口，你不无感慨：

"塞翁失马，焉知非福？不是 1957 年打了右派，这一回我也死定了！"

父亲，你庆幸太早。1968 年 6 月至同年 12 月，你受我的牵连被隔离审查，已过天命之年的你，在精神上或肉体上，都受到了极大的摧残，可谓与死神擦肩而过（请参阅附件二）。次年 9 月，你随学校去了井冈山，此后的日记里，屡屡有这样的记载——

　　　　上午去下坪医院找汪金明医生看病。汪在我右乳右上侧拔火罐一次，左右两手按摩一次，并嘱我后日住院检查治疗……

　　　　今日汪为我在左右手上腕、右乳右上侧、脊椎等四处敷药，并二次内服小丸各五粒……

　　　　今日在身上四处换外敷药，因下坪药店谓有三七出售，乃请汪医师开药方，购得二帖有三七在内之中药……

你的第二次下放，是在"敌我矛盾作人民内部矛盾处理"的所谓"解放"后，即由 1970 年 9 月至 1973 年 7 月。一场大革命的价值取向，不是将农民变成知识分子，而是将更多的知识分子变成农民。经过这三年，若摘去眼镜，看上去，你和一个老农已经没有什么差别。

当然,村子里的人们羡慕你这个老农,他们听说你一个月的工资和县委书记的不相上下。这钱却几近像一只鸟,不过在你身上栖息一阵,落下几根羽毛,很快就扑簌簌地飞走了:"寄母17元","寄东东18元,小兰14元","汇毛头15元,璐璐14元,小媛14元","接东东8日来信,索款,因尚未接到7日汇去13元故也"……此类记载,日记中比比皆是。

遣散回乡、年逾八旬的祖母,飘零四处、努力劳动却混不圆一个肚子的孩子们,谁都有种种的理由,要你火速寄钱救急;而惊魂甫定的你,像头负伤的老狼钻进林子里,给自己舔着伤口,只唯有一个必须寄钱的理由……

村子里的人们还会羡慕你,不必为挣工分而日晒雨淋,除了去生产队里算算账,到大队、公社跑跑腿,再就是在自己的菜园里松土、施肥……你有很多的时间,可以呆在自己屋里。他们却难体会一股鳏夫心理和生理上的凄凉,宛如你那阴湿得初春也要烤火的小屋里的寒气,总在你的胸臆间弥散……

在院图书馆劳动的日子里,你曾收集了历代名人们留下的大量妙对、各地名胜处的楹联,以及各国的一些智力游戏。现在你把它们翻捡出来,一一品尝把玩,用以自娱。你做得最多的事是抄录唐诗,尤以杜工部的诗为最。很多的日子里,只需一首让你用还是在读私塾时学来的调子反复吟哦的杜诗,再有一盏将你摇头颔首的身影昏昏投上泥墙的烛焰陪伴,一个月华如遍地清霜的夜晚,或是檐下雨声嘈嘈切切的午后,便在浑然不觉中打发了——

　　　　人生不相见,动如参与商。
　　　　今夕复何夕,共此灯烛光。

少壮能几时，鬓发各已苍。

访旧半为鬼，惊呼热中肠。

焉知二十载，重上君子堂。

昔别君未婚，儿女忽成行……

明日隔山岳，世事两茫茫。

——(杜甫:《赠卫八处士》)

如同"文革"是共产党人发动的，"文革"也是共产党人结束的;即便在当时知识被许多共产党人贬为草芥，但在党内也有人视之为明珠。你多次在孩子们面前感念一个人，他是六十年代的江西师院中文系党总支书记、以后担任了改名后的师大党委书记，现在是省人大常委会教科文组副组长的郑光荣先生。在你被驱逐下讲台六年之后，依然是高擎阶级斗争之剑的岁月，是他第一个接纳你重新上了讲台;在你第二次下放达三年之久，潦倒凄婉于柴门茅屋之中，又是他将你调回学校，由此我们天各一方的五个孩子，得以逐渐向南昌聚拢……

你无以回报，只能去做一盒小小的万金油，始终摆在领导视线所及的地方，脑热便去涂脑，手痒便去擦手。此后的四年里，你上了"中国古典文学"、"马恩列斯与毛主席论文艺"两门课，又一个人重开了"逻辑"。

父亲，我还记得，1976年10月，我正在南昌帮助编稿，在编辑部听说了"四人帮"一朝覆灭的小道消息后，急忙赶回家去，那时我们家住在师院南区靠马路的木板平房里，低矮，透光性不好，且灰大，但比起前两年蜷缩在教学大楼一侧被封死的楼梯的几层转角处，便算是住进了国宾馆。你佝偻着个背，在门口生煤球炉子的火，我第一次注意到你的头发全白了，清癯却开始隐隐现出老人斑的脸上，颇像是一片饱经风涛但总是等候到失望的海滩,如果说鼻梁是一条倒置的舢板,那么纵横交错的皱纹,便是摊开在地上的乱糟糟的鱼网……

你对我告诉你的事情,反应不如一般人那样强烈,当然听得颇有兴味,却远没有直嚷着要去买蟹打酒般的雀跃。当我站在了你负重已近六十年的生命之桥上,我一下就理解了:

眺望一端,二十年前,并不是"四人帮"给你们带上的"右派"帽子;展望前程,在一个有着十亿人口而又濒临经济崩溃的大国,困难如山,纠葛如麻,百废待举。有哪位领袖能够日理万机之外,还冒越雷池之大险,念叨起不过近百万、且已渐入晚境的前"右派分子"?

而历史,即便是一条光荣得以大理石贴面的大道,在它的下面,总是埋葬有游散的冤魂、卷曲的骨架。

父亲,我们这时尚没有这样的眼力,看到在 1978 年尚在云遮雾幛里徘徊的中国,终于触着了自己历史的快进键!

而且,我们也忽略了一个人——胡耀邦。

解放后他长期主持团中央工作,几乎每有大事小事,都要考虑毛泽东在怎么想、怎样看。大抵先默想一番,再用手摸摸脑袋:"哎呀,不知主席的盘子怎样?"那一脸虔诚的神情,让在他身边工作过的人,至今还记忆犹新。我曾听说,在 1957 年,团中央打的右派,其比例之高,在中直机关里是名列前茅的……

二十年后,正是他破门而出,以诗人般的正义感与热情,驱涌着一身的胆汁质,刮起了翻案风。他摆出来的架势,不仅是要推翻少数大案要案,或是经"御笔"钦点的几件铁案,而是要推翻解放以来所有政治运动中被错定了的冤案。

当时在京都,大门口排了长队的地方,不是紧俏商品摆上了柜台的百货公司,哪一家在首轮放映外国影片的电影院,而是位于西单的中组部。满城注视着这里辉映星光的灯光,满城传说

着"胡青天"匡正解难的故事。在此期间,胡耀邦常喜欢引用的一句话是:

> "思想的闪电一旦真正射入这块没有触动过的人民园地,德国人就会解放成为人。"(马克思:《黑格尔哲学批判导言》)

胡耀邦几乎开创了一个人的解放的新时代。

他大气磅礴地将人的命运还给人自己,这正是邓小平能将断层上的中国引向再生之途的基本条件之一。

因为 1957 年而蒙难的知识分子们的命运,终于提上了最高决策层的议事日程。1978 年 6 月,中央统战部协同中组部、公安部等单位召开了烟台会议,在草拟的一份文件里,决定全部摘掉右派分子的帽子。

一风吹去所有右派的帽子,在某些人看来,已是大大的善举了,可此时全国尚未摘去帽子的右派只有十万余人,在这之前多数已摘帽子的人,脑袋上依然扣着一顶无形却结实的帽子——"摘帽右派"。在寺庙的山门前吹吹打打,披红挂绿,嫁娶新人,即使再热闹红火,对只能在青灯黄卷里驻扎生命的和尚们,有什么实际意义呢?

"我看到文件后感到不解决问题,因此写信给胡耀邦同志,主张对错划为右派分子的人要复查平反,并提到 1962 年中央统战部当时的意见。"(李维汉:《回忆与思考》)这个意见,可见当年的一份《关于右派分子工作的几个问题的报告》里:"如果领导上认为需要,和右派本人或家属申请甄别的,可以甄别。对于确实划错了的,予以平反;对于可划可不划而划了的,可以从宽摘掉他们的右派帽子。"

中央在采纳了李维汉的建议的同时,又稍稍更改了他的建议。

那段时间,所有前"右派分子"们的耳朵伸得特别长,关于他们前途的小道消息,也像河鱼的鱼刺一样特别多。我曾告诉你,在小道消息的透露里,事情的经过大约是这样的:

当最高层讨论此事时,有一位副主席不同意给右派平反,往日里总显得神秘幽深的他,只有到了类似的场合才会给人一点谜底,他从塞满毛泽东"条子"的口袋里,仔细找出一张,看清楚了,然后对同志们说:某年某月某日,毛主席在何时何地对何人说过,右派的问题不能平反。

白猫,黑猫,抓到老鼠就是好猫。

邓小平徐徐送出一口烟,同时送出了一个"擦边球":

"我们不是给右派平反,只是给错划了的右派改正。"

"改正"一说,由此滥觞。

经中央组织部等五部共同修改,《贯彻中央全部摘掉右派分子帽子的实施方案》于8月再度呈送中央。9月17日,中共中央以(78)55号文件批转全国各地。

父亲,此后的几个月里,二十余年来已不知激动与喜悦为何物的你,头一回品尝了激动与喜悦,但胸中也有惴惴不安……

你,你们,压缩了21年的脖子,无不鸭子争食般伸出来,翘盼着改正。可55号文件里反右运动仍"是一场政治战线和思想战线上伟大的社会主义革命"的认定,则叫你们深信不可能人人花好月圆,皆大欢喜。改正不改正的依据,依然是1957年制定的划分右派分子的标准,当年这是鳄鱼一张大而阔的嘴巴,几近从哪个方向上都能将猎物拽进运动的血盆大口;今天它是否能变成鹭鸶那个长而尖、只能啄食的嘴巴,而让自己得以放生,几乎谁都心中无底……

中国历来是一个以典型开道的国家。1979 年 1 月 2 日,《人民日报》在头版上以《坚持实事求是原则,调动积极因素》为题,首次报道了中央一些部门改正错划右派的消息。这天的报纸,一定宛如高悬在昆仑和泰山之间的一柱天梁,吊起了你们近百万"前右派"的精气神儿,你一直珍藏着这张报纸,在你的眼里,这张早已泛黄的报纸,无异于佛门弟子心目里色彩晶莹的舍利子。

该消息透露:

55 号文件下达后,中央不少单位对这项工作抓得较紧,进展较快,已正式公布了第一批改正的名单。中央党校原划右派分子 98 人,经过复查,确定 39 人属错划,应予改正。公安部原划右派 63 人,经过复查,现确定有 60 人错划,应予改正。外贸部原划右派分子 193 人,现认定属错划、予以改正的达 104 人。人民日报社原划右派分子 30 人,现第一批予以改正的也有10 人……

1993 年,大约是 10 月间,我在一个朋友的陪同下,去了吴祖光先生府上请安。聊天时,他告诉我,1978 年改正前,有一道看似形式却必须得履行的手续,即原划右派者,得先向组织上递交请求改正的申请。他所在的文化部几次催促他写好申请交来,他就是不想写,五内俱热,不吐不快:

"明明是你自己搞错了,整了人家二十多年,你全部改正不就完了,可还要说是'反右扩大化',还得被整的人写申请,这不是'犹抱琵琶半遮面'吗?"

他的态度惊动了一个大人物,"文革"前好像是担任过文化部副部长、"文革"中因为"四条汉子"的罪名也塌了一层皮的阳翰笙,后者托人捎话给吴祖光,要他无论如何到自己家里来一趟。他去了,给"翰老"问过安,翰老便说了:

"祖光,你怎么总是几头牛也拉不回头呢?改正右派不是一风吹,多少还得留下些。你这不写申请,组织上是否可以视你要自动留下?"

即便自己成了不怕开水烫的死猪,可一想,这会影响到夫人凤霞和一双宝贝儿女,吴祖光心怯了,回到家即写了申请。

父亲,你则早就在一遍遍地打着申请书的腹稿。你密切地关注着报纸上这方面的消息,和有联系的"右派"朋友们频繁地交换着各地这项工作的进展,并以此不断地在腹稿上调整内容,把握分寸。

我记得,大一的第二学期,一考完试,我便赶上当天下午的火车。次日进了家门,刚放下行李,你就递给我一张《人民日报》。打母亲死后,又经"文革",我感觉你的面容日益波澜不兴了,多年后我去过西安临潼,这是一种与面对一大片黑压压的秦兵马俑同样的感觉——压抑而又宁静,局促而又淡远。然而,此刻在这偏暗的室内,你的脸却一下亮了,宛如兵马俑身上涂了一层釉彩……

这是1月13日的报纸,在头版上有一条《公安部错划右派全部改正》的报道:公安部在复查中,引导大家不要仅仅凭当事人几句尖锐的话下结论,而要分析他通篇言论的基本思想。凡错划的就坚决改正,不搞繁琐哲学,不附加任何条件,不纠缠具体问题。这般大刀阔斧复查下来的结果,该部原划的63名右派分子均属于错划,在1978年年底前已经全部获得改正。

一股清新、浏亮的风,越聚越涌,越吹越紧,一堵爬满枯藤的高墙,大有岌岌可危之势……

那天晚上,你认真地抄正了申请书。我记得,你将历经了二十二年、深埋于心的全部愤懑与悲怆,仅化成了结尾处的短短两行字——

根据上述发言内容、发言动机与一贯表现来看，我认为，我的错误，似乎不应认为是根本立场上的错误，应予改正。

　　父亲，你自然期待与自己梦魇一样挥之不去的苦难、屈辱尽快告别，五个孩子们也与在那苦难、屈辱的繁殖下爬满了心壁的粗砺、卑微尽快告别，而后焕然一新地踏上一块新鲜的大陆——农历羊年的春节。

　　相当多的人实现了这一愿望。好像除了搞运动，江西的事情却总是慢了一拍，你大概是江西省里获得改正最早的，时间是1979年的5月2日。事情没有原来你想象的那样复杂，如同昔日的运动势不可当，无须你恨不能掏出心来辩解，几乎一夜之间，近百万好人变成了坏人；今天，改正的大潮汹涌而至，也不需要你估计得嘴巴打出泡来的解释，呼啦啦近百万坏人又变成了好人！

　　不过，溅在你身上的浪花，以后又去哪里旋了一下，第一次改正结论里，你被认为说了一些不属右派言论的错话，五年后，你得到了一纸"复议意见"，内称"说了一些错话"此句，也予以删除。

　　你二十二年的苦难、屈辱生涯，先后经历了反右运动的政治暴力，和"无产阶级文化大革命"的暴力政治，这一切的缘由是"反右斗争扩大化"。

　　无论是在北京、上海，还是在各省，我所接触过的一些"前右派"先生们，对此"扩大化"的说法绝对持有歧见，据说，民主党派里的一些高层人士，在八十年代也向中央统战部提出过不同看法。在我的印象里，好像你对此却从来没有表示过什么，或者可以这样理解，你是用沉默来表示了一种态度：

历史好像常常有自己的难言之隐,得体谅历史,不能因为历史给了人们部分公道,就向它讨还全部公道;不能因为历史表现了某种程度的清醒,就要求它从根本上清醒。

历史进步的火车头,得以时间作为执著的双轨,如同 1976 年的"天安门广场反革命事件",变成了两年后伟大的"四五民主运动",1958 年的人民公社,变成了 1980 年的土地联产承包责任制……

时间将梳理一切,时间将证明一切。

如同今天的政治学家们、社会学家们、经济学家们,还有党史工作者,对毛泽东时代可圈可点;远比我们这一代人聪明、通达,且能卸去身上某种因袭与负担的下一代人,必然要对今天我们所经历的很多事情再圈再点……

与身后的再圈再点比起来,人们自然更务实地关心他们理应得到却未能得到的经济赔偿。我发现,只要提到这事,"前右派"先生们没有不悻悻然的……

父亲,你和昔日这块土地上的红军战士一样清苦惯了,即便是日子好过了,可一元多钱一卷的手纸,你也舍不得用,仿佛会玷污了它的那份洁白。你用的是在菜场里买的偏暗偏硬的那种绉纹纸,论斤卖,一斤只需几角钱,你还得将它一一裁成巴掌大的一块,这是你至死未改的习惯……你显然不等着这笔钱去哪里奢侈一回,可你也未能免俗。这些年来,我大概听你念叨过几次,那意思是:

改正那会儿,国家千疮百孔,经济上欠账太多。十年过去了,国家虽然还是发展中国家,但某些事情上却让发达国家瞠目结舌:

这几年,哪一年公款吃喝、旅游,进口小汽车,不都在千亿元

254

人民币以上？按官方算法，当年给全国被打过"右派"的补发工资，大约得要四五十亿元，就算物价十年里翻了十倍，这笔钱也不过四五百亿元，远不及每年在衮衮诸公的腹部里、臀部下被消耗掉的……

或者，这事情这样处理也行，现在给"希望工程"每年里捐个几百元钱，人家不都要发张证书，给做个纪念吗？这经济赔偿，我们不要了，我们的后代也不准要，可得给我们一个说法，即告之全中国的老百姓：

近百万"前右派分子"们，将自己 21 年里的苦难钱、血汗钱，全部捐献给了祖国现代化的历史进程。

这样，我们及我们的后代，也觉得脸上光彩……

东　东
1997 年 3 月 12～15 日

五、"将五十年兴亡看饱"

父亲：

我想你不会在人大会议上提出这个建议。

你只是在我们孩子们面前，在精神上过把干瘾。原任省委书记马继孔和你谈话后，派遣你来江西大学筹建法律系，次年，你当上第六届全国人民代表。你是一个真君子，从来瓜田不纳履，李下不整冠，但我知道，在有关法制建设和高等教育方面，每次人大开会，你一定发表了不少意见或者建议。

好似旧社会将白毛女由人变成了鬼，新社会则把白毛女从鬼变回了人，你真的敢讲话了。我的感觉是根据这么一件事：学校派来和你一道筹建法律系的一位领导，在法律系正式成立并且各项工作走向正轨后，研究起系里的大政方针来，便只有系党总支扩大会了，好像在大学里从来就没有系行政会议一说，而你这个法律系主任，还是创始者，开起会来也只有被"扩大"进去……

在我看来，这其实是个老问题，一个在 1957 年里你已经涉及、而傅鹰先生则讲得更透的问题。近三十年了，连一向稳如磐石的军队的着装款式和武器装备，已经换了好几代了，可这个问题在一些大学里或一些部门却比较雷打不动，乃至老树发出新芽。这说明某某人怎样做并不重要，重要的是要让一个与现代

256

文明倒行逆施的文化形态不再"发挥余热",真正"告老还乡"。

对此,你我解决不了,领导也断绝不了,还只有等一种艰辛的历史进程来为它打上句号。如是观之,倘若是我,便顺风扯帆、借梯上墙了,"扩大"就"扩大"吧,虽然有点等而下之的意味,却在"扩大"中省却了操心,一步步地"扩大"着清闲……

你对此不以为然。你向校方提出,如果×××同志留在法律系当书记,我就要求调走。结果,"老九"没有走,走的是他,学校另派了一位同志来法律系当总支书记。

我发现,犹如在黑夜里呆久了的人,会充分感觉到阳光下的温暖;而一个被迫低头跪下的人,一旦站了起来,对于自身尊严的捍卫,便会变得与呼吸一样重要。

在当今的知识分子应该如何适应时代变化上,你我的看法显然有些不同。你的有些做法,我和弟妹们也不以为然。

你当法律系主任的这六年间的忙碌,我不用再描述了,几乎整个就是1957年前你在师院情况的翻版。你尽管去对自己认真,却无须对别人太认真:

你要求一些老师在上课前将教案送你审阅,或者是他们本人将自己写的学术文章交你审阅,他们多是你在厦门大学时的学生,也和你一样解放后都"叛变"了法学,现在好不容易回到了革命队伍里,人人满脸沧桑,个个鬓发已白,都五十好几了,你却当他们是刚从哪所政法学院毕业的年轻人,一遍遍地在教案上操练他们,摔打他们;一回回地在论点与论据间让他们迷失了自己,又找到了自己……

最让人忍俊不禁的是,外校有一位老师,在评定高级职称时,他提出自己的两篇文章要请"胡老"审阅。学校为他来联系后,他又自己来登门拜访,特意说明这两篇文章是和审阅费一起转过来的。我恰好在家,一边听了几句。当时我就估计,倘若不找你来审阅，这文章或许还有通过的可能，一旦来找了你，便无异于送肉上砧了！

我也在高校里混着，深知这评职称是怎么回事。总是粥比僧少，僧比粥多。总是评一回职称，便要制造出成千上万篇仅供评审的一次性论文来，这样的文章，写百行，或是写上千行，犹如过年时天南海北的中国人见面时说的好话，不会有太大的区别。年纪比我小的，我不会在意，可年纪比我大的老师们没有评上某个职称，我就心里不好受，千万别以为我这是猫为耗子掉泪，在有些方面我可能不怎么的，乃至有些斯泰龙式的冷酷，但在这事情上，犹如杜甫站在为秋风所破的茅屋前所唱的"大庇天下寒士俱开颜"，我真有让天下所有知识分子在职称上俱各遂心愿的夙愿……

趁倒茶送水时，我使劲给这位老师挤眉弄眼，倘若他能够明白点什么，随我走出来，我便会彬彬有礼地断了他请"胡老"看稿的念想。他没有反应，如数家珍般对你讲着这两篇文章的创意。事情的结果，还真如我所料，这两篇文章，在你这里折戟沉沙了。若干年里，你一直是省社会科学技术职称评委会常委，在你这里搁了浅的，不太可能去其他审稿者那里乘风破浪……

以你的职业、道德操守，你可能很难想明白：

在粗率、马虎、含混（不含混，就不可能公中有私，私中有公，你中有我，我中有你，真中有假，假中有真）像流感一样蔓延，不仅仅是在物质层面，就是在精神层面，也假货猖獗于市、伪劣产品屡禁不绝的时候，你太认真了，既不能行方便于自己，便显得迂腐了；又不能行方便于别人，便显得木讷了。直到快退休之前，你才在我们面前幡然醒悟于这样一个"小儿科"的事实：即便是多年相知的老同事，当他请你多提宝贵意见，你也真提多了意见时，他的脸上肯定挂不住……

好像有这么一句话——"工作着是美丽的"。

可对你而言,工作还是抗拒性的,一种充实、有分量也有责任的工作,好像一道厚实的帷幕,抗拒着你的人生回眸,使你没有余暇,在跋涉了千山万水之后,像一位观众似的坐下来,以沉静而又蕴藉的目光,去一一抚摸那帷幕后的坎坷。

工作还像一把澄亮的铜锁,锁在悄悄地沉在你脑海某处的一个黑匣子上。你以为昔日那个严酷的年代投在你精神上的阴影,随着那个年代的消亡也早已消失,可这阴影只不过去了黑匣子里"冬眠",只要一摘掉工作这把锁,它便会悠悠地盘旋出一圈圈的黑雾来,分裂了的形形色色形象与幻相的断片,将会在你的眼前飘然而至;

工作又如一个强大的制动闸,抗拒着你生理过程的自然衰老,你必须跟着它前进,它打在你生理过程之上的一股反作用力,很可能激活你,随它去适应种种对一位望七之年的老人来说已经不容易的秩序。衰老,与其说一种生理过程,不如说是渐感被工作日愈抛弃的一种心理过程……

于是,自1988年退休后,越是往后来,父亲,你越是触到了自己一生的悲剧性。

在中国饱经忧患的二十世纪,作为一名知识分子,你的理想并不高远,你只想做一个大学教授,教书也著书,以蔡枢衡先生为榜样,为从来只有专制气息桎梏的中国庙堂和从来遍布宗法关系藤蔓的中国大地,在导引现代法制精神的热风与活水上,做一些力所能及的事情。凭你的学养与操守,看你在解放前的履历,你能够做好一个大学教授。解放后,在可以让你做教授的那些岁月里,你依然治学严谨,诲人不倦,一派长者风范……

但你自北京大学来,自西南联大来,自一批爝火者的光芒映

射着思想长河的方舟上来，你不会对良知装聋作哑。

今天回眸这一切的时候，自己到底在教授的圣职——学术的积累与发展上，留下了多少东西呢？

当年在看了蔡先生所写的《中国刑法学》、《刑事诉讼法学》、《中国法理自觉的发展》等大著后，如登层楼，长风鼓荡，心潮迭涌，你也决意要以动态的观点来构建一个刑法学体系，如今这个体系在哪里呢？

你的生命被消耗在等待之中，太久、太久了，你等待摘帽，等待"解放"，等待改正，等待回城，等待喧嚣过去又等待清冷过去，等待孩子回到身边又等待孩子各自成家立业……

等待，于你已经没有多少希望的曙色，它们纷至沓来，像粗砺的黄沙、惨白的石灰，在你的脸上、身上急遽地泄下，你在一口灰浆池里被搅拌着，被腐蚀着，被消耗着，等待于你像是世界的末日。当你终于无须等待了，你的思想和意志都像旗帜一样，可以牢牢掌握在自己手里的时候，生命力却已是不破鲁缟的强弩之末……

父亲，你在 1957 年以前写的那些文章，你自己都不提及了。在你晚年里，在《法学研究》、《争鸣》、《江西社会科学》和本校学报上，你发表了十余篇有关刑法学方面的论文，它们加起来，可能还编不了一本书。我已将它们与你保存下来的《检查与交代》、《自我批判》、《认罪书》作过比较，在数量上，两者的文字几乎不相上下；在内容上，前者多停留于单篇每个学术观点的阐述，有的虽投入了一种总体把握的眼光，但一定是既受篇幅所限也为精力所限，似乎还缺乏结构的空间感与相应的深度开掘，这自然是行外话；

可看后者，几乎谁来谁都不会看走眼，你拼尽气力，将自己打倒在耻辱的泥淖里，为的是强调某种反动立场的自然延续。你蓬头垢面，在自己的心房里穷追猛打，掘地三尺，为的是表明自己世界观的全面、深刻的嬗变。你用一种扭曲了的真诚，首先蒙蔽自己，似乎自己真的罪孽深重，生下地来血就是黑的；再用它蒙蔽走马灯似的专案组、监管小组和革委会，仿佛在一个红太阳高悬、什么人间奇迹都能创造出来的伟大时代里，你被改造、更被感召得已经放下"屠刀"，真的弃旧图新……（参阅附件一）

父亲，你保留下来它们，其实是保留了一个深深的历史隐痛。

在你故去后的第三天，我在校园里碰到了现已退休的原法律系办公室主任，她拉住我，由衷地称道你德高望重，深受师生们敬仰。她说了这样一个例子，国家对于有突出贡献的专家、学者每月给予政府津贴的政策下来后，组织上在法律系第一个想到要给的便是你。这时你已经退休，她亲自上门来，将有关表格交给你，你当即表示，倘若说退休前有点贡献，也不突出，退休后连贡献都谈不上了，这份政府津贴应该给其他老师。在她处理此类事宜的记忆里，对政府津贴取如此态度的，你是唯一的一个。

无疑，她不知道，在你书桌的抽屉里、更在你心灵深处，藏着一个历史隐痛。

1996年上半年，在何永龄先生、舒文烈先生的串联下，分布在各地的你所教过的厦门大学法律系四八、四九级同学，准备在10月间你生日时聚会南昌，以祝贺你八十岁（实为七十有九）寿辰。

舒先生先来找你谈，你一口拒绝了。均已两鬓霜染的弟子们，古道热肠，执意坚持，何先生给在江西这边的同学们的信中说：

胡老师年事已高,身体不算十分好,若有九十高寿我们再来一次庆祝。我个人意见是胡老师……一生坎坷又丧偶多年,我们也是坎坷一生,能为胡老师祝寿也是一种表达。当今世风不佳,有多少人还记得教过自己的老师,我们这一代人是永远会记得老师和同学的……

舒先生又打算来找我,想要我做通你的工作。你感觉到弟子们的这个意思后,你也要我一口拒绝。倘若怕盛情难却,抹不下面子,你要我干脆出门去,不在校园里露面。我见你辞意如此坚决,不禁说:都是六七十岁的老人了,近半个世纪的情谊也不容易,大家在一起热闹一下,有什么不好?

你坐在藤椅里,脸上从未见过的庄重,讲话一板一眼,好像要发布的是什么天条:

中国古人讲人生之三不朽,太上有立德,其次有立功,复次有立言。我这个老师,一辈子退而求之,连立言也成了泡影,还有什么资格去让学生们做寿呢?

尚不到 48 小时,11 月 11 日上午,在家属举行了一个简单的遗体告别仪式后,你的遗体就火化了。生前你曾多次交代我和弟弟,撒手尘寰后,一不开追悼会,二不举行遗体告别仪式,骨灰也不必保留,找个什么地方撒了或是扔去赣江,你不愿因自己的离去而惊扰了这个红尘万丈的世界。我想,你看死亡一定是一面筛子,在生者的胸臆间留下或筛去死者的一些什么。该被筛去的,即便有着几十吨汉白玉的包装,也终会被筛去;能够留下的,即便墓园无着,骨灰无剩,湮灭于山水林泽、霜晨晓月之间,也终能够留下……

我们之所以有所忤逆你的愿望，是眼睛里哭成了一片红云的妹妹们坚持，不能再让墓地都湮灭了几十年的母亲，再做孤魂野鬼了，得为她搞个衣冠冢，与你合葬一起。而也是几十年没有女人疼、没有女人暖的你，更应该有个女人陪伴，从此共赴白云苍狗，绵绵岁月……

父亲，你的第二代、第三代都跪在了地下，等候着你骨灰盒的到来。

我举起双手，颤颤地接过一个长方形的瓷质盒子，长不过一尺多，宽约六七寸，上面蒙着一块红布。又颤颤地站起来，在低徊的哀乐声里，领着一行人缓步去了你的墓地。

你这近八十年的人生便这样灰飞烟灭了；

仅仅一个星期前，要三四个人才能将你抬上住院大楼的身躯，仅仅在不到一个小时里，便物化归尘了……

一路上，将你的骨灰盒紧紧地抱在怀里，我深感——

人的一生，很长很长，又很短很短；

人的分量，很重很重，又很轻很轻。

死亡是钢性的，与死亡相比，人生的一切打击都有缓过劲来的机会，唯独死亡将人生的一切可能性都剿灭了；

死亡又是柔性的。倘若没有死亡，人能永远地活在世上，无所谓白驹过隙和生离死别，无所谓无法弥补的遗憾和报答不了的恩情，"珍惜"、"怀念"、"惆怅"等字眼，将要大批地被剔除出词典，人类的理性一定会变得肤浅起来，人类的情感则会出现大面积的沙化……

我的脑海里满是近年来你的音容：寂寞，迂缓，落落寡合……

过去有课上时，你可以上二楼的教室。眼下，你上下房门前的两小级台阶，都得慎之又慎。这次，你就是在下台阶时摔倒的。你不愿走出去和其他老人一起活动,诸如聊天,做香功,打打麻将。可每有子女和原来系里的同事来,你都想留他们多坐一会儿。大部分时间,你像一尊菩萨一样端坐,任凭窗外射进的光线在身上由一片明晰走到一片模糊。

沉湎于抽屉里的那些日记、材料和影集,有时,你超然得像靠着南墙晒着太阳、"闲坐说玄宗"的白头宫女,在看别人的故事,屡屡咏叹《桃花扇》里最后一出《余韵》里一支《哀江南》的套曲——

〖离亭宴带歇拍煞〗俺曾见金陵玉殿莺啼晓,秦淮水榭花开早,谁知道容易冰消。眼看他起高楼,眼看他宴宾客,眼看他楼塌了。这青苔碧瓦堆,俺曾睡风流觉,将五十年兴亡看饱……

有时,像是终于回过神来,身上一阵寒噤,这布满箭镞与惊恐、蒺藜与忧伤的故事高原上,跋涉着的其实正是自己。你便会喃喃自语,或是向子女们发出喟叹,你多次说道,一生中最后悔的事情,就是 1949 年没有留在厦门,而 1952 年又没有能去武汉……

有时,在我们子女面前,你还有些不讲理。

有一次,你晚上做梦,梦到了一包绿色的"红塔山"香烟,可此烟没有绿包装的。还梦见一张纸上,写了这几个字:"跑不脱,总躲得脱",颇有些怪异。次日,你分析家里只有我老抽"红塔山",一天三四次地叫我到你身边,要我说清楚这些日子发生了什么大事,而我在瞒着你。

我说:"没什么大事,一切很好,国家安定,人民幸福,改革开放不断取得新的成就……"

你说:"你不要跟我胡扯,我说的是什么事情,你一定知道!"

我说:"你就是将刀架在我的脖子上,我也讲不出到底发生了什么事。"

你的脸一下黑了下来:"好了,我不跟你讲了,你在封锁我,对我进行政治迫害……"

你的目光如雾,常常是空朦朦的,好像暗合着人生本质上什么大象无形的东西;又好像什么也没有留住,宛如一只小虫,吭哧、吭哧地使力,几乎要挤出比自己身子还要大的汗珠来,可还是一脚滑下了上了发蜡的鬓发……

我总感觉,那里面有些酸楚的意味。

你弥留的最后几天,证实了我的感觉。

这时,你除了发出痛苦的呻吟声,幻象中的呓叫声,诸如:"怎么还不通知我去上课?""现在毛主席革命路线胜利了,要学习中央文件了"……大抵已经不能讲话了。倘若你神志清醒,我们总会握住你已经肿得似个面包的手,你也侧过脸来,久久地盯住坐在病榻一边的某个子女,好几次,我看到那被皱纹密密包裹的眼眶里,泪光泫然一闪……

这泪光,一定沁出于你心灵的最深处——

不甘心而又无奈。

不认命而又服命。

两者间的盘结交错,便孕下了你留给我们的一个最后的悲怆,一个懋懋索索的悲怆……

死亡,意味某种责任的结束,比如做儿女的责任——

那每一天,都是与逼近的死亡较量的日子。我们在病榻前走出了黑夜与黎明，人人眼里的红丝都熬成了彤云。喂药送水，端屎倒尿，翻身抹身……只要离开了个把钟头，便像在电车上扒了别人的钱包，心里怦怦地直跳。昔日懒于与父亲交汇心曲的我们，眼下探照灯似地刻刻关注你的呼吸。当你被巨大的病痛折磨得器官功能全面衰竭，食物已难下咽，更不知人民币为何物的时候，我们竭尽全力投入人民币，真诚地与医生联手，想方设法要延长你的生命……

你还是去了，与其说是要解脱自己的病痛，不如说是要解脱我们做子女的重负。

死亡，又意味一股绵长思念的开始。

在这之后的日子里，我们心里空荡荡的，一种无根的感觉，好似一根芦苇，孤零零地迷失在乌云低垂的荒原上；又像草地上被太阳晒干了的一种灰白色蘑菇，风一刮，就会被吹得无影无踪。那间你住了十五年的书房兼卧房，一下变得清冷起来，再没有谁需要我们去蜻蜓点水，我从此可以浪迹天涯，而无牵无挂。脑海里，却常常可见那一对虽然潊散、却分明凝聚有某个希冀的目光。那盏总在夜晚九时前便过早熄去的孤灯下，再没有了咳嗽或失眠的响动，可有几次，我的脚下，总有一股什么力量，要牵着自己去面对那盏孤灯坐下……

也许，人们都是在失去了责任后，才为时已晚地感到了责任？

也许，人们都是在长辞了先人后，才终于发现愧对了先人？

死亡，是一道光晕般若即若离而又不无暖意的背景，让人生看似平凡、琐屑的许多东西，升华有刻骨铭心的意义。

死亡，是生命交响曲里最后吹出的一把破题的小号，因其音色悲怆、激越，让在一代代生命链里承传的我们，胸膛里翻滚一

266

股股岩浆般的责任。

父亲,当今天——或许两人间存在过的种种芥蒂与困惑,一起随生命形式的结束而结束了——你已经和母亲携手站在了天国之上,你不应该以泪眼注视着尚在尘埃飞扬的人生道路上走着的子孙们;

我相信,二十世纪中国知识分子以无数死亡和无数血泪累积而成的历史睿智与历史能量,在天地之间,会交汇起一片酥热而又澎湃的风,将抹去你眼里的酸楚,不再是一张秦兵马俑的脸。你的脸上,终会展开你生前我们从未见过的一蓬蓬无比生动似梵高的《向日葵》的笑纹,并在这笑纹里深藏着浓浓的祝福。

父亲,我知道,你的祝福并不仅仅为着你的子孙……

东　东

1997 年 3 月 17～22 日

我 的 检 查

一、解放前我的罪行的简述

我出身于反动官僚地主家庭,靠着吸吮劳动人民的血汗长大成人。大学毕业后,到解放时止,我都在学校教书。在这段时间,一方面,我为反动立法涂脂抹粉,欺骗青年学生。我胡说什么当时的伪法在一定程度上具有保障社会权益优先于保障个人权益的进步意义,根本抹煞了当时所谓的社会权益只是代表帝国主义、封建主义、官僚资本主义的利益这一最本质的阶级内容。另一方面,我为反动派培养了一批司法后备人员,也就是为他们训练了一批镇压人民的鹰犬,以充实、加强他们的国家机器。当时,我虽然在组织上没有参加过什么反动党团,但在维护反动统治势力这一点上,却起了一般反动党团员所不能起的作用,所以,我在解放前的罪孽是很深重的。

二、解放后我的右派罪行的简述
以及自己对这一罪行的认识

解放后,党不咎既往,让我参加了人民教师的行列。由于自己的反动世界观根本没有得到改造，在两个阶级、两条道路、两条路线的斗争中，我又犯了不少罪行。特别是1957年我趁党整风之际，在座谈会上，向党实行了多方面的猖狂的进攻。其中最恶毒的是，我公开提出高等学校应以校委会为最高领导机构，各教学单位应以各该单位负责人为领导人的荒谬主张，妄图篡夺党在高等学校的领导权。

我被划为右派后不久，组织上把我调到图书馆来。当时对于自己的罪行，并没有什么认识，经过组织和革命群众不断教育，我才渐渐地认识到我会成为右派，乃是我牢固地站在资产阶级反动立场的必然结果。我的罪行是非常严重的，由于自己具有严重的资产阶级教育思想，以为高等学校只是培养专业人才的地方，学校教育的任务只是传授知识，因而面对毛主席的"我们的教育方针，应该使受教育者在德育、智育、体育几方面都得到发展，成为有社会主义觉悟的有文化的劳动者"的教导，发生了尖锐的冲突，这样，就使我对学校所采取的许多重要措施，例如要求学生参加社会活动和劳动生产等规定，都有抵触，认为这是违反了办学的目的，妨碍了教学的质量，是"外行"领导的结果。

又由于自己的头脑里充满了资产阶级的自由民主思想，以为只有由"内行"在采用蔡元培式的"民主"办校的方针下领导学校，才能集思广益，真正把学校办"好"，因而我就狂妄地叫嚣高等学校应该如此这般云云。如果我的主张得逞，这就意味着让资产阶级知识分子统治着学校，资产阶级的教育路线在学校中得以推行无阻。这样做的必然结果是，资本主义将会首先在学校领域里实现复辟，社会主义的新中国也就要随之改变颜色了。当我认识到这些问题的时候，我的内心是很沉痛的，感到对不起党，对不起人民。

三、反右后我为什么还会有反党反社会主义的思想
与言行以及我现在对这些罪行的认识

在图书馆工作的那段时间，虽然对自己的罪行有了如上的认识，但是我的反动世界观并没有得到认真地改造，各种资产阶级思想仍然盘踞在自己的头脑中。当时虽然也学习过毛主席著作，阅读过《人民日报》、《红旗》杂志上的重要社论，但这样做的目的，与其说我是从积极方面接受了反右斗争的教训，以为非如此不能加速自己的改造，不如说我主要还是从消极方面接受了反右斗争的教训，以为我上述的发言，虽然是反党反社会主义的，但我当时并不是存心要如此的，只是一时的"失言"，为免今后"失言"，这样做才"保险"些。我在这段期间所以仍然会在"三面红旗"、"三自一包"、"三和一少"等重大问题上有过反动思想与言行，正是由于自己还是从消极方面接受了反右斗争的教训，没有使自己的世界观得到根本的改造，从而各种反动的资产阶级思想遇到一定的气候就会反映出来的必然结果。

关于我在上述问题上曾经有过的反动思想与言行，在图书馆对我的评审会上，以及在1963年"查侵蚀，放包袱"的时候，我都作过书面的交代与批判。经过近来对毛主席的关于无产阶级专政下继续革命的伟大学说的学习，渐渐感到我那时的批判是很不深刻的。我现在的认识是：我的这些反动思想与言行，正表明了若干年来，我在两个阶级、两条路线激烈搏斗的关键时刻，我总是有意无意地站到了以刘少奇为代表的反革命修正主义一边，来对抗毛主席的无产阶级革命路线。而我竟然会这样的根本原因，就在于自己的世界观和他们是一致的，也就是说，我在观察这些问题的时候，我所站的立场，我所用的方法与观点，都是和他们息息相同的。

例如，当 1958 年在全国出现轰轰烈烈的教育大革命高潮的时候，我在内心里是赞同"学校的中心任务是搞好教学，增多劳动时间就会降低教学质量"、"江西共大、南丰桔子大学不正规，不像个大学的样子"等反动言论的。正因为这样，所以一当刘少奇一伙攻击这次教育革命是"乱、偏、糟"并下令解散不少半工(农)半读学校的时候，我就非常首肯。

其实，在古往今来的一切反动统治阶级，无一不是把学校教育作为国家政权的组成部分，将他们本阶级的德育放在第一位的。他们宣称的"教学中心"、"智育第一"，事实上从来也没有存在过。他们如此宣扬，只不过是替他们赤裸裸的反动教育制度的外衣涂上一层保护色而已……即以刘少奇这一伙而论，他们大肆宣扬这一套，就是为了遮人耳目，颠倒德育与智育的关系，抽掉无产阶级政治，在"分数第一"、"业务挂帅"、"技术至上"的幌子下，以"成名成家"、"读书做官"为钓饵，力图把学生训练成为资产阶级的接班人，将学校蜕变成为复辟资本主义的桥头堡。我赞同他们这样的观点，并在教学实践中，忠实地执行了他们的主张，正足以说明自己的世界观、自己的思想体系和他们是脉络相通的。

又如在三年自然灾害期间，当他们掀起一股"三自一包"妖风的时候，我私心认为，实行"三自一包"，就可以刺激人民群众生产的积极性，增加生产，使国民经济早日得到恢复和发展。我并且从自由市场购买过几次鸡、肉、蛋、黄豆一类的副食品，以 36 元高价出售过一件旧毛料上衣。现在认识到，他们鼓吹"三自一包"，就是要瓦解国营企业的全民所有制，破坏人民公社的集体经济，全面恢复资本主义的经济制度。在这种情况下，国家的命运都断送了，哪里还谈得上国民经济的恢复和发展呢……

四、摘帽后我的主要罪行以及我现在对这些罪行的认识

1962年春，承蒙党再一次对我的宽大处理，摘去了我的右派帽子，并在1963年夏天，将我调到中文系搞教学工作，这时我在内心里是非常感谢党的，并愿在今后的工作中为党做出一点真正有益的事情来。但是，事与愿违，由于自己的世界观在摘帽前没有得到认真地改造，有如以上所云，在摘帽后又没有积极努力，认真活学活用毛主席著作，我又继续犯下了不少的罪行，这主要是：

第一，在1962年下学期，我写了一篇《孔子研究》，在文章中，我虽然认为孔子的政治、哲学思想是为当时的奴隶主阶级服务的，从而是反动的，但我却以为他的教育思想，例如"学而不厌"、"诲人不倦"等教学方法还有可取的地方，还值得我们学习。我的错误不止是在我根本抹煞了孔子的教学方法是为他的教学内容服务的……更主要是在当刘少奇一伙大肆宣扬孔孟之道，妄图要我们党放弃无产阶级革命和无产阶级专政的时候，我成了追随他们的一员，要人们离开现实的阶级斗争，关门"学"、"诲"，以便"修养"成为资产阶级的"驯服工具"，向帝、修、反屈膝投降。

第二，到中文系后，我担任了部分的逻辑课的教学。在讲课的时候，私心以为，这门课程的一些基本规律，既然远在亚历士多德时代就已经确定了，那就谈不上要以无产阶级政治来统帅它，只要把这些规律讲清楚了，使同学们能够运用它，就算达到了目的……因而这一看法就有鲜明的资产阶级思想作指导。其次，我在讲授业务知识时，我又把它看成是一个宝塔式的概念推演系统，我只问这个系统是否合乎逻辑，而不问它在现实生活中是否有用……我在这方面所犯罪行的实质是，在资产阶级反动

思想支配之下,要同学不要无产阶级政治,要同学与三大革命实践相脱离,要同学读死书、死读书,总之,我是在和党争夺青年一代,企图把他们变为资产阶级的接班人。

第三,在对待自己子女的教育问题上,我要求他们"学有专长",走"成名成家"的白专道路;散布过学社会科学"危险"的论调,希望老大学工,老二学医,老三学农。在一切要"三思而行"的幌子下,要他们学会"明哲保身"的处世方法,做一个谨小慎微实质上却是表里不一的伪君子。提到两个阶级、两条路线的斗争这条纲上来认识,我在对待子女问题上的所作所为,也依然是在和党争夺青年。

五、我在这次运动中被揪出来后为什么
会有抵触情绪以及我现在的认识

当无产阶级文化大革命开展后不久,我就被揪了出来。对于自己被揪这一事实,在很长的一段时间内,我是具有抵触情绪的。我错误地以为,我被揪了出来的主要原因,是我曾被划为右派;但是我想,我的右派帽子,既已摘去,就不应仍以右派的身分来对待我。通过不断地学习,我逐渐认识到,以刘少奇为代表的资产阶级司令部,在摘帽问题上,将一些还不具备条件的人摘去帽子。因而在这次运动中,革命群众把某些虽已摘去帽子但还具有疑问的人揪了出来重新进行审查,正是对革命负责的表现,是完全应该的……因之,在这次运动中,群众把我揪了出来,正是为了挽救我,使我能在运动中再一次接受教育,以便自己真能脱胎换骨,重作新人。

我还错误地以为,我被揪出来的另一个原因,是由于我在1963年以后的教学过程中执行了刘修(按:指刘少奇修正主义)的教育黑线。但是我想,我过去用以作教材的东西,或是旧教育

部颁发、推荐的，或是经教研组通过并经上级同意了的，我在当时既不知有这样一条黑线，自然就谈不上我用这些东西当作教材就是在执行这一黑线。现在把这个罪责归之于我，就感到受了委屈。通过学习，我逐渐认识到，问题的实质并不在于我在当时是否知道有这一黑线，而在于我在讲授的时候，是采取什么态度来对待这些教材。回顾过去，我在采用这些教材的时候，不但没有作过什么抵制和批判，而是乐于贩运其中封、资、修的东西……在这次运动中，把我揪了出来，正是为了帮助我狠触灵魂，以便和这一黑线划清界线，这样，我的这种抵触情绪也逐渐有了转变。

六、犯罪原因

我在小时，主要是在父亲名下，受封建教育，我读过不少宣扬孔孟之道的书籍，在我幼小的心灵里，深深打下了"学而优则仕"的剥削阶级的烙印。进了中学，学校当局不论在物质上还是在精神上，都是用种种办法来鼓励它的学生能考上国立大学，在这样一个环境的潜移默化下，我的努力奋斗以求登上龙门的思想，就在头脑里牢固地树立起来……我把当教授或专家作为我具体奋斗的目标。

当时的北大，是一所典型的资产阶级大学……在训练方法上，它采取"发展个性"的方法，当时北大校长蒋梦麟讲过这样一句话："只要一班培养出一个人才来，就不亏本；如果培养出两个来，就赚了钱。"这充分体现了北大是主张"天才"教育的。在对待学术的态度上，它标榜"兼容并包"政策，就是说，只要你讲的言之成理，就容许你的存在，而不管你主张的实质是如何。我所学的法律一科，又大都披上"民主"、"自由"等外衣，比如说，什么基本人权神圣不可侵犯呀，什么议会制度具有怎样的优越性呵，什么契约绝对自由呵，说来似乎都"美妙动人"。这样，资产阶级的政治、经济、教育思想都深深地溶入到我的血液中来。

大学毕业后，我走的是一条从助教升迁到教授的白专道路，我所接触的一些朋友，也大都是和我一样沿着这条道路走去的人物，这样我的反动的资产阶级世界观，就更成为牢不可拔的了。

解放了，我不但没有活学活用毛主席著作，认真改造自己的世界观，相反，在刘少奇的反革命修正主义路线的庇护下，我的反动的资产阶级思想还得到了发展，不论在政治上、经济上、教育上、学术上，都和毛主席的无产阶级革命路线日益发生尖锐的冲突，这样就使我走上了犯罪的道路。

七、结 束 语

经过三年多的无产阶级文化大革命的锻炼，在毛泽东思想的阳光哺育下，全国广大人民群众的两个阶级、两条路线斗争的觉悟已空前提高，只要资产阶级思想露出头来，就会遭到周围革命群众的痛击和批判，成为一个"黄鼠狼过街，人人喊打"的局面。在这样一种形势下，一个人如果不认真改造自己，还死抱着反动的资产阶级世界观不放，那么他除了发出"前不见古人，后不见来者，念天地之悠悠，独怆然而涕下"的绝望感叹外，是不会有其他出路的。

"往者不可鉴，来者犹可追"，为了使自己的后半生真能过得有意义些，真能为社会主义的祖国做点有益的事情来，千重要万重要，活学活用毛主席著作最重要。今后，我一定要遵照毛主席的在无产阶级专政下继续革命的伟大学说，认真学习、掌握毛泽东思想这一锐利武器，不断消除自己头脑中的反动思想，以求自己的反动世界观能够得到根本的改造。

胡正谒

1969 年 12 月 14 日

〔注:此份检查被父亲编为(11)号〕

附件二:

"文革"中我在"421"专案组受迫害的情况

在 1968 年 6 月 11(或 12)日深夜一时许,我被江西师院的红卫兵组织从家中抓走,他们以为我与所谓的"421"专案有牵连,一直将我单独监禁起来,直到同年 12 月 3 日我被放回到一般审查对象时为止。

当时监管我的专案小组由刘育昌(当时系师院中文系学生,现闻在福建邵武铁路中学任教)、吴长生(当时系师院中文系学生,现在本省鹰潭铁路中学任教)、李××(当时与吴同班,现情况不详)、李××(当时、现在均为江西师院附中教师)、廖××(当时、现在均在师院中文系任教)及罗××(当时系师院附中学生)等人组成,他们都是一些打人的能手,而刘育昌则是这个小组的组长。

在这长达近半年之久的时间里,我受到这个专案组惨无人道的摧残,例如,我在整个关禁期间,没有喝过一口开水,我只有利用每天早上仅有的一次放风时间,在倒便钵后端来一脸盆自来水,这一天的喝用全在此了;即使在寒冬气候,也不给我从家里拿来袜子、垫被,我整天只好光着脚板躺在水泥地上(室内当然不会有桌子、床板)。有时又采用饥饿办法,一天、二天不给饭吃……

关于这些非人道的待遇,我不想多说,我着重说明的是:

一、对我进行严刑拷打

从 1968 年 9 月 12 日晚,到同月 15 日上午,这个专案小组对我进行了两天三晚的疲劳轰炸,上述的那几位人物全部出场。他们在审讯时实行三班轮流倒制,而我却不可能有片刻的休息。起初,他们用诱供的办法来对付我,例如让我饿上一天、半天,然后在审讯桌上放上热气腾腾的馒头一盘,说什么"只要说出你参加的那个反革命组织的名称,你的直接领导人的姓名,我们就可以给你吃个饱"。诱供当然不成,他们便赤膊上阵,对我进行肉体摧残了。办法大致有——

罚跪。有时一跪就是几个钟头,或是让我跪在凳子的四个脚上。

用手铐将两手反手铐上。在这两天三晚里,最少有三分之一的时间是被这样铐着的。至今,我的左手腕正反两面,各有一个被手铐嵌进肉内的伤疤。我的右掌里侧一直都有麻辣感,也是这次戴手铐留下的后遗症。

用皮鞭抽。这是一种特制的皮鞭,据说是从公安部门借来的。他们高兴怎样抽,就怎样抽,想抽多少下,就抽多少下。至今我右眼眉下(距右眼不及半寸)还留有一块小伤疤,就是吴长生一鞭之所赐(这点我的印象非常深刻,因为我的右眼差一点要被报销)。

用一根类似手杖(较手杖稍细稍长)的金属棍子,从后颈窝内插入内衣里,然后在身上乱捅。这是吴长生的专利,棍子多是由他拿着的。在我的印象里,在这些打人能手中,表现得最出色因而也最野蛮的,要推吴长生,这不但审讯我时是这样,事后听说在审讯其他人时,他也一样以折磨人为乐事。

用一个条凳向身上乱砸。在这两天三晚,我无法记忆他们究竟砸了我多少下,我只记得当时身上处处有伤痕,全身均感麻木或隐痛。至今,我的脊梁骨上还有一点内伤,一碰上天气不好,就会发痛。

用绳索将我捆绑起来。由于我的身体忍受不了,很快就要昏迷过去,才把我放下。

到了9月15日早饭后,由于我遍体鳞伤,又没有得到片刻的休息,我已大小便失禁,全部都拉在身上,人也神智不清,说话颠三倒四起来,他们才停止拷问,将我关在附中教学大楼二楼的一小间洗底片的暗房内(审讯我的地方就在此房附近),我一进去,便倒在一床草席上,昏昏睡了一天。到了第二天,也动弹不得,送到门口的食物,我也无法起身去拿,只能将身子滚过去,将它拿来。就这样躺了六七天,才能慢慢起身……

二、侵吞我的财物

(以下省略)

胡正谒

1984年6月22日

(注:在"421"专案中,我和父亲由同一专案组"修理"。他在材料里提到的1968年9月间那次长时间的逼供信,于我则是在他之前,即从9月2

278

日到 7 日,两人的被审讯地点也在一处。)

一个中国女人的墓志铭

　　这个女人,是我的母亲,一个本该活到今天、含饴弄孙的母亲。

　　关于她的记忆,似鱼肚白天边的几痕星光,已经十分依稀——

　　我记得最清楚的,只是小学四年级时,一天放学回家,只见童年时很少见面的父亲(他长年在单身宿舍里有自己的书房),似霜打了的茄子,脸上灰灰地在和母亲嘀咕着什么。父亲 1940 年从北京大学法律系毕业,毕业后没进国民党司法机关,也未开业去做律师,而是一直在大学里教书。一解放,眼见旧社会的司法人员,多数不是被打成了历史反革命,就是遭到遣散,"破帽遮颜过闹市",他深为自己的选择感到庆幸。对这个只需无产阶级专政、不需西方法学理论的国家,在高等学校里一笔勾去了法律专业更是毫无怨言……

　　他勤勉地重修辩证唯物主义和历史唯物主义,书架上压满了马恩列斯毛的经典著作。像一只急于要跳进油锅里的大虾,以展露自己通体的红色,他当上了学院马列主义教研室主任。

可是，毛泽东有一句震聋发聩的名言："假的就是假的，伪装应当剥去。"果然，在1957年的那场风暴里，他被打成了右派。那天，我感觉生命力很是旺盛、隔一年一个、一气生下五个孩子的母亲，那一向爽朗、光洁、颇为富态的脸上，第一回皱纹满布得像一张铺开的鱼网。

以后的叙述便要跳跃式了，因为很快，我们一家人得各奔东西。

1957年末，党号召干部上山下乡，母亲积极地报名了，此时最小的妹妹才两岁，她若想做个好母亲，她便不应该走。我想这不仅是因为她政治上历来要求进步、工作中总争强好胜(倘若建国之初，党便号召计划生育，我想我下面一定会被"计划"掉三个弟妹)，更是为着无法承受在学院的不少墙面上贴满丈夫大字报的日子里，她得摈弃一切声音，低着头走路。

她去了九江附近一个叫赛城湖的垦殖场，两年后因工作需要，又调到进贤县青岚湖水产养殖场。

这时，父亲也被下放监督劳动了，或许是主事者的恻隐之心，父亲恰好去了青岚湖，随他去的还有三个弟妹，只剩下我一人在南昌住读。按说，两人实际上并不在一起，母亲在总场做会计，而父亲在几十里外的一片沙洲上种菜、放鸭，她依然似呆在麻疯病院，又打报告要求调去了永修县三角圩水产养殖场，随她走的是最小的妹妹，那是一个交通十分不便、离县城有十几里水路的地方。

当时，我自然不知道这其中的曲折，我几乎全部的注意力，都蜷缩在似海深的喉咙里。每到上午第四节课和下了晚自习时，我清楚地听见自己的肚子里生猛地打起了战争，为此学校取消了往往排在第四节课的体育。多少个月黑风高之夜，我和几个家不在南昌的同学，去附近农村的菜地里偷摘青菜、卷心菜，

280

回来粗粗地在水龙头下一冲,往既是脸盆又是洗脚的盆子里一扔,加满水,再架上几块砖头一煮,没有油,最多撒撮盐,可随之肚皮圆圆,梦也圆圆……

　　母亲显然也想做个好母亲。1961 年 6 月,端午节的前两天,她来南昌看我,给了我一瓶炒黄豆,一罐咸菜烧肉。晚上,她带我去市里看了一场电影,好像是一部匈牙利的片子,叫《密码》。此时的洪都,天热得几近揭锅的蒸笼。看了半场,体态微胖的母亲实在坐不住了,我们出来,坐在马路边上,她大口地喘气,不停地用手帕擦汗、扇风。她到底给我讲了些什么,我想了三十多年,也想不出究竟来。次日一早,她又背上几包自己省下来、再通过关系买一点的食物,去了进贤县。用个美化她的比喻,她好似当年解放战争里那些仆仆风尘、奋勇支前的大嫂……

　　过了三天,一个电话打到学校,一位老师接到了告诉我,说母亲病危,父亲已赶来南昌,要我赶快和他去永修。是日,坐夜车到了永修县城,场部明日才能派船来接我们去。父亲毕竟是块老姜,他打了一个电话问县医院,这两天有没有死者? 又再问:死者是男是女,多大年纪,是什么单位的? 一会儿,我见父亲手里的话筒“嗖”地落下来,好似一颗美国佬扔向广岛的原子弹。

　　次日,父亲和我径直去了母亲的墓地。年仅 6 岁的小妹在远远的堤坝上等着,身边是场里的一位干部,她不知道我们去干什么,她看惯了当地老表们下湖摸鱼,也许她以为我们也是去摸鱼。这地方是湖水里的几座小山,叫戴家山,是附近戴姓家族的坟山。母亲死得突然,她从进贤回到场里,一天赶了一百多公里路,先进办公室,拿起一杯凉水就猛地喝了下去,随即脸上一片纸白,人也昏倒在地上。场里没有医生,派人送去县医院,可未等到医院,人就已经断气。医生诊断,母亲不过就是中暑,倘若能抬到一个阴凉、通风的地方,再用土办法刮刮痧,她便不会死去……

六十年代初，县城里还没有火化一说，更不会有冷藏设备，尸体运回场部，因天气太热，只能赶快处理：匆匆找来几块木板，钉了一副简陋的棺材。一个副场长刚好姓戴，答应就让埋在戴家山，因是孤魂野鬼，寄人篱下，不能葬在高处，只可埋在山脚下，墓碑也没有立，坟前只插了根竹牌。那意思是无论于情于理，你们家属都得将其尽快迁走。

回到母亲的宿舍，窗明几净，空气里依稀有一股她身上淡似栀子花的体味。母亲是一个有洁癖的女人，没有一天不要换衣，白色的床单上也纤尘不染，铺得没有一丝皱褶。我只记住了一个细节：枕头边放着一本翻开了的《电影文学》杂志。我伫立床前，像站在一片白茫茫雾气包裹的黑黢黢峭岩上，一个13岁的少年，顿感生之莫测，死之迅捷！我倒在床上号啕大哭起来……

我的第一次投稿，便由此而生。

那么小小的年纪，我却几近天然地知道，我不能写母亲对我是怎样呵护有加：她给我洗头时，我总要调皮地将肥皂水弄她一身；容国团当了世界冠军，一时间乒乓球风靡全国，我非常想自己也有块球拍，我不敢对父亲说，因为右派连降三级工资的他，看牢了口袋似志愿军坚守着上甘岭。我给母亲写了一封信，没有几天，她就请人给我捎来一块……

我写的是母亲如何听党的话，任劳任怨地工作，并要我做个毛主席的好孩子。我加入少先队那天回到家里，她抱起我，满脸红光，快乐得像一只刚刚吃饱了食、摇脖子晃翼、咯咯叫唤的老母鸡。我以为她是昔日的焦裕禄、今天的孔繁森，能让我写起来泪眼莹莹，也一定能感动全国人民。我翘首等待这稿子在《江西日报》上发出来，结果黄鹤一去，泥牛入海……

此后的两年里，母亲的影像还在我脑海里挥之不去。当

282

1962年父亲调回了学校，弟妹们也随之回来，我偶尔上完晚自习回家，远远地望见自家的一窗灯影，我总觉得那桔黄色的灯光里，漫卷有母亲在世时一家人的温馨，心房怦怦地跳动起来，脚步也不自禁地加快了，仿佛母亲跟我们开了个国际玩笑，故意消失了一段时间，现在又出现了；而葬在戴家山的那个女人一定是别人，（父亲和我不是没有亲眼见到吗？）或者，所谓母亲之死，根本就是一个梦境……

中国的天空下火药味越来越浓，与此相反的是，母亲的印象于我越来越淡。

先是一两个清明节，在纷纷细雨里，父亲领着孩子们去永修扫墓，依然未立墓碑。父亲说得等几年，尸体的肉都化为了泥土，只剩下骨头，再去请当地老表将尸骨挖出来，就地烧成灰后，再带回南昌重新砌冠新坟。

可接着便是一场日月无光、山河撕裂的"文革"，父亲是当然的"牛鬼蛇神"，此生从未当过一天芝麻官的我，竟被察觉出有军事天才，一度"封"了个地下"反共救国军"的参谋长，而被关押15个月。弟妹们或下放农村，或随学校搬去了外地，一家六口人天各一方，各自的生死安危，都颤颤地系在一团硕大的蜘蛛网上，恍若一群野孩子，自己没有家了，都得独自面对世道的叵测与生计的艰辛，哪还能顾及去接那个大概早已被蓬蒿淹没的野鬼回家？

直到1973年，"敌我矛盾作人民内部矛盾处理"的父亲，才惊魂甫定，在南昌立下了脚，几个在外地插队、当工人、民办教师的孩子，回南昌才总算有了一个家。当再记起迁葬母亲尸骨一事时，就在永修县插队的二妹，告诉大家，她早已去看过了，那一带建了一个大的平板玻璃厂，地形地貌变化很大，母亲所在的养殖场也早已解散，母亲的坟无处可寻了……

此后，父亲不再提起此事，如同他早已习惯戴上老花镜，补自己那几件缀满大小补丁的衬衫，拎着篮子去买那些泛黄的蔬菜和便宜的猪头猪脚；我也习惯了一年四季穿一双解放鞋，脚丫子一抽出来，能臭倒长坂坡上的张飞，习惯了过集体生活，有钱时吃肉，没钱时喝汤；打起牌来，吆五喝六，钻桌子顶枕头，一闹便是一个通宵……

中国的表格多。每当填起履历表来，我都从不填母亲。和渐渐均已成家立户的弟妹们一起，彼此间也从不提及母亲。要不，是我们数典忘祖；要不，是各自的心灵早已被严峻的生活给磨砥得牛皮般结实。我们不愿让一股深深的隐痛，随汩汩泪水从这牛皮里沁出来，我们似五个从石头缝里蹦出来的孩子……

波及我们的孩子，他们能够说出各自祖辈的职业、姓名和大概做过些什么，唯一说不出来的，便是他们的婆婆，或者外婆。对我，尤为奇怪的是，"妈妈"，这两个婴儿下地几乎就会喊出来的字眼，自母亲死后，我一直说不出口。不仅仅因为遥远而又陌生。英语对我，更是月球般遥远而又陌生，可在复旦念书时，只要死记硬背一阵，我还能混个及格……以致于婚后多年，乃至今日，我从未叫过岳母一声"妈妈"。

前年清明节前，一位大概知道我家这段情形的熟人，对我们说了几次，那意思是倘若不设法将母亲的坟找到，并将其遗骸迁回来，她孤魂不尽的凄凉与酸楚，总会寻个机会，阴影般投射在你们子女的命运之上。都已过或将过不惑之年，弟妹们都有点相信起天命来。或是先去永修探路，寻找当年知情的老人，或是联系车子，购买爆竹、纸钱、食品等必备物品。

临去的头天晚上，我告诉了父亲，他似乎有些意外，没有表示他是赞成还是不赞成此举。

少年时代便读过些老庄、反右斗争后真读进去了老庄的父亲,显然大彻大悟,他只是说:人死了就是一捧灰,一抔土,他百年之后不要保留骨灰,像他的几个老朋友一样,可以撒到赣江里去。又告诉我,当年他清理我母亲的遗物时,发现有一份入党申请书的底稿,除去表示她对共产主义事业与工人阶级先锋队的无比向往之情外,还有一大段对他右派言行的批判,以证明她确实和丈夫划清了界线。而且,她不只是笔下写写,她已在口头上,多次向父亲表示了离婚之意……

最后,父亲问我,骨头取了回来,未安葬之前,放在哪里呢?我说,就放在我房里吧。五个孩子里,只有我有一套属于自己的书房。为此,我准备好了一个大的塑料编织袋。

次日,春日里难得的一个大晴天,一路杜鹃似霞,青山如黛。到了永修,在当年一个参与埋葬母亲的当地老人的指点下,在玻璃厂的生活区外,找到了戴家山。白云苍狗,岁月变迁,或是工厂基建,或是翻造农田,几座山已经被啃噬成了一片山包。高处还有一个个坟茔,并多立有墓碑,显然这还是有主的。在不见坟茔的地方,老人指了一处,说是大概位置在这里。我和弟妹们,用锄的用锄,使铲的使铲,挖出一条条近两米、深入一米的壕沟。

现场的气氛有点压抑,没有谁说话,只听见锄铲的叩击声。我既盼着每一次锄头快快下去,顿时能从红得眩目、硬似铜块的土壤里,露出一点或几点森森的青白色;可潜意识里又总想锄头缓缓地落下,害怕那可能出现的尸骨。母亲已经暴死,不能再没有一副全骨。挖了四五条壕沟,未见半点迹象,那须眉皆白的老人转了一圈回来,说是可能又在山包的那边。按他的指点,在那边一处再度开挖,从上午11点钟挖起,直到下午5点多钟,仍不见端倪。老人收了我们的"劳务费",面有愧色,露出豁齿,指着下面一块已成了农田的水洼地,唧唧嗡嗡地说:那就是……埋在……这里了。

其他在场的当地人告诉我们，"文革"中这一方的屈死者，多埋在这里，密密麻麻，坟上压坟，待"农业学大寨"运动一起，这里又干戈大动，重整山河。猛地，我心里袭来一阵阵透彻骨髓的剧痛，那是脑海里一排排冰凉锐利的犁头所致；我还好像有一种被溶解于水的感觉，暗绿色的水苔，带异味的酱色的铁锈，还有知名和不知名的各种小虫，在脸上幽幽地划过……

凉风渐生，暮云四合。在山包的两边，我们都放了爆竹，烧了纸钱，往地上浇了白酒。化为灰蝶的纸钱，在风中悠悠地盘旋，像是一个正遁入无形的幽灵不肯离去。我该讲些什么，可喉间被铅块沉沉地堵着。我们向四方各自鞠了一个躬。然后是一个儿子已经上高一的小妹说：

"妈妈呀，虽然来迟了，但今天你的五个子女都来了，你老人家在地下听到了吗？如果你听到了，你就安息吧，还请保佑我们一生平平安安……"

柳色渐深，墨燕低飞，转眼间又是清明。近两年，各地的公墓这几天无不蔚为壮观，如涌如潮，仿佛日子好过起来的人们，都来这阴阳永隔之处，撒播这人世间的繁华。可对似尘埃一样在这个世界上倏忽而过、没有留下一点痕迹的母亲，我们去哪里祭扫呢？

妹妹们找了一个变通的办法，夜深人静之时，去一片湖水边，烧上几堆纸钱。大妹说，最近她在家里找出了母亲的两件衣服，要不，我们也去本市的公墓，看能不能买一方地，给母亲砌一座衣冠冢？

我想，这只是做儿女的一番情感寄托吧？而这无法改变一个女人的悲剧。

286

倘若当年母亲命运的每一个链轮稍稍作些改变,或者不要求下放,或者到了青岚湖后不再要求调去三角圩,乃至从进贤赶了一百多公里路回场,先进的不是办公室……一句话,命如纸薄,心却不比天高,而是像众多的中国女人熬了下来,(即便如父亲这样当年的"极右分子",二十五年后不也熬成了一个全国人大代表吗?)既未杀人放火,更没有当公贼、汉奸的她,便不会落得这样一个死无葬身之地的境遇。

性格使然,亦是时代使然。回首怆然之际,我屈指一算,母亲死时还称不上老人家,年仅四十岁,眼下国内这个年纪的人还被称作青年干部、青年作家……而今天的我也比母亲去世时大了。我感到自己得赶快做一件事情,即在发表了那么多关于这个世界的文字之后,我得为自己的世界,写上这篇文章——

以权当一个名字叫"徐国嫒"的中国女人的无墓的墓志铭;

并以这个渺小女人的遭际,为那个中国人好容易熬过去的时代,作一个小小的诠释。

莫 忘 沉 重

一、风尘无法湮灭的历史

昔日的感觉,往往是一统、纯明的,比如说,无论男女老幼,看到了山巅上喷薄欲出的红太阳,都会想起毛泽东;看见云奔浪走的江河,便自然联系起"不斗则修,不斗则亡"的"大好形势"。走到哪里,商店里的火柴都是二分钱一盒,马路上都是千篇一律的蓝涤卡、黄军装……

今日的感觉是纷繁、庞杂的。

有些人,尚带着二十多年前的那场浩劫的噩梦,有些人一生下地,满耳却是邓丽君小姐清丽、婉约的歌音。前者即便不看巴金先生的《随想录》,或者是美国巨片《辛德勒的名单》,也感觉身上有什么沉重的包袱没能卸下;而后者,即使二十好几便成了高级写字楼里的白领丽人,可又不时感喟生命那不可承受之轻……

有些人,习惯了诸多领域里的中心话语地位,多少年里他们领导人、改造人、教育人、塑造人,颇像 1963、1964 年那些播送"九评"的日子:在乳雾尚未收尽的清晨,在北斗七星高悬的晚上,中国的男女老少无不敛声静气,端坐如仪,遍及神州大地的高音喇叭,在百姓眼里有着神谕的性质。现在似乎他们的天赋神权,被社会越来越快地边缘化,恰恰又似昔日那只神秘的"魔匣",早已被零打碎敲为《流行金曲》、《商海导游》、《股市述评》、

《听众热线》……变得小鸟般依依可人，情侣般喁喁絮语。你可以听，听了些许能增长点知识与情趣，也可以不听，不听保证不会迷失政治方向。他们自然感到了失落，乃至有几分黛玉葬花似的悲凉。

另一些人长期似无根的浮萍，在社会身分的金字塔下瑟缩，或是在集权文化、精英文化的门槛外徘徊，这几年却迅速崛起了，以金钱的力量解构着社会的等级，以将世界麻将牌似的倒在桌上又哗地玩上一把的心态，调侃着往日的神圣。商品流通与资本增值的观念，不承认外省人与巴黎人的区别，也不承认额头上是否曾刻有红字。他们是商业大潮开启出的另一类特殊材料做成的人，十分精于商业炒作，如同前者过去精于滔滔不绝的政治说教与道德说教。他们总处在人们目光与社会新闻的热点上，他们当然感到了一种不仅仅是物质上的富足，恍若十月革命里，那些一夜之间踏进了金碧辉煌的冬宫的布尔什维克士兵……

有些人臀部上的肉太少，无论坐在中国的哪块地界，总感觉左边硌着右边硌着的都是矛盾。他们能从眼下随便去哪座城市都能看见的大批下岗待业职工，和灯起雾花起雾人也起雾的歌楼酒肆里，读出"朱门酒肉臭，路有冻死骨"的杜诗，看到明末李自成的马队在皇城的石板路上所溅出的簇簇火星。他们忧国之心未死，忧民之血未冷，扼腕于满眼歌舞升平里随裙袂飘拂的尽是一个民族对于政治的冷漠。

另一些人，却坐在意大利真皮沙发上，这也舒适，那也舒适，呷着香气扑鼻的雀巢咖啡，听着中央电视台春节晚会上一个男歌星吼着嗓子唱的一曲"今夜晚咱中国老百姓真呀嘛真高兴……"侧身投眄，目光里带着浅浅或浓浓的嘲讽，视前者为几件政治古董，一班在整个二十世纪里念着民主、自由之经，却始终没念出多大名堂来的老朽。在他们心目中,何谓民主?在中国,对老百姓管得最少的政府就是民主。何谓自由?只要不月黑风高打家劫舍,能随心所欲地折腾挣钱,又随心所欲地折腾花出去,这便是自由。若说这是浅薄,可翻翻建国后至八十年代初期的厚厚岁月,这份浅薄何曾一天有过?

感觉丰富着感觉。

我不知在中国的漫长历史上,有哪一个朝代像今天这样,缤纷跳跃的感觉,丰沛如海,披离如菊,喧嚣如市?

似乎这一刻,所有的失望在膨胀,所有的希望在分蘖,所有的矛盾在汇合,所有的机遇在爆炸。人们在感觉中气喘咻咻,大汗淋淋,犬奔狼突,虎腾熊挪,或是愉悦、高亢,或是困顿、迷惘……

感觉观照着感觉。

在当今社会里,在很多问题上,只需看一个人有着怎样的感觉,便能大抵猜到,他(她)命运的年轮上镂刻着哪个年代的风云,他(她)在今天的政治、经济利益的轮盘赌上,押到的是怎样一个数码。

感觉排斥着感觉。

当我走过中国众多的城市与乡村,跋涉于各个不同年龄、不同阶层人们的心理高原时,我很难说清楚到底是谁在盲人摸象。我只警怵又惊讶于我们这艘社会的航船,在这一片顺流与逆涌、明礁与暗岩里,虽走得曲曲折折,颠颠簸簸,却终能化险为夷,履乱为安,几乎真有神助!

信息爆炸的社会,必然造成某些信息的流失。一个被汗牛充栋似的感觉给压得喘不过气的社会,也终会形成一批批在自己眼里,或是在他人眼里寻不着感觉的人——

当今不是几个工人找不到在当企业更遑论国家主人翁的感

觉。不是几个教师找不到自己在干着"最受人尊敬的职业"的感觉。不是几个孩子找不到度着金色童年的感觉。不是几个出版社的老总眼下找不到到底出什么书好的感觉。不会是几个作家,在满文坛"后现代"、"后殖民"、"新生代"、"小女人散文"等等名词轰炸里,找不到如何下笔的感觉。也不会是几个病人,在那每年玩得令人心跳的药价里,感觉不到进医院是去看病,倒像是一头去了毛的猪,在等着进屠宰车间……

在那些经常出入于夜总会、桑拿屋,用"金卡"消费着"XO",也消费着小姐们的浪眸艳笑的头儿身上,你能够找到一丝一毫的人民公仆的感觉?

在每回评定职称都会大量炮制出的文字泡沫里,以及从这泡沫里钻出来的,满街与经理一样多的教授、副教授们被功名掏空了性灵、只剩下了自负而又萎缩的面影上,你能够找到老一代学人,诸如闻一多、梁思成、冯友兰、陈岱孙、季羡林、朱东润……那学问经天纬地、道德高山仰止的感觉?

当大半个文坛醉心于阴柔风格、休闲笔调,痴迷于杯水微澜、荒古野事,却躲避思想与崇高,逃避天风海雨、铁马冰河,倘若你体会过黑格尔的这样一句名言:"智慧之鸟的猫头鹰,在文明的暮色中才开始起飞",这时你还能找到多少中国的智慧之鸟将站到世界枝头的感觉?

也许一个新旧时代的剧烈转型期,总要牺牲一批批寻不着感觉的人,总要抛出一批批自我感觉良好的人。前者,如同剥出笋心总会损伤几层笋肉,以此证明任何历史进程都要付出代价;后者,如同大海胎宫撕裂般痛苦地扬波,总会泛起一串串轻佻的泡沫,以此显示任何历史进程,即便是以"公平、公正"为圭臬,在它的发轫期也难以做到公平与公正……

在人们对当代中国层层叠叠地感觉与失去感觉之后,我有时真不知道自己是处于感觉之中,还是处于失去感觉之中。

我比较清楚的只是,面对这一切,我努力使自己有一双守望的眼睛。

大概是因为我这一代人,和祖国一起从如磐的风雨中走来,我尤为注意现实与历史对接的那些部分:苍白还是充实? 粗糙还是光滑? 扭曲还是自然?

在我看来,而且本书《千年》一稿里,大约也展示了——

其实,没有能湮灭于风尘里的历史;

历史,总像风一样顽强地穿行在今天的生活中……

二、是挥斥噩梦,还是礼赞过去?

大约是一年多前,看了张建伟先生的《温故戊戌年》,此后一直忘不了这部沉甸甸的作品里着力展示的这样一个事实:

戊戌年间,康有为等改革精英将光绪皇帝的一封密诏(内容为让他们想一个办法,既能让改革顺利进行,又能不开罪慈禧太后)改写成了光绪皇帝命令袁世凯去天津,杀掉他的顶头上司——直隶总督兼北洋大臣荣禄,随即率本部人马和拥戴他的兵马进京,包围颐和园,以便让谭嗣同等人进园除去老佛爷。

康氏虽在门生面前指点江山,谠论风生,慷慨激昂,在史无前例的"公车上书"中,更是振臂一呼,应者云集,作为知识分子的领袖人物被载入了中国近代史,可他自己是没有喋血之志的,尚未等到史家所说"袁世凯叛变告密"的时候,他就从紫禁城上空黑压压的乌云里嗅出了什么,好似幕燕釜鱼,仓仓皇皇,连亲弟弟也不招呼一声,便离开北京,逃往天津,即时登上了一艘外国轮船,去了上海、香港,后又流亡去了日本。而这时,距离政变的发生,尚隔着一个白天和一个晚上。

正是这封"伪诏",在很大程度上,使戊戌变法从莺飞草长的春天,走到了万木肃杀的冬天,导致了一场政变的发生,并在政变的第五天,让谭嗣同等六君子喋血于菜市口。这段何等重要的公案,在后来康有为(也包括梁启超)写过的有关戊戌变法的所有文章里，竟没有一星半点地提及。他津津乐道、百般沉湎的是，在"百日维新"里，光绪皇帝颁布了一百多道变法谕令，让神州古老大地为之腾腾热气也不无晕眩，这其中至少有一半是他草拟的。作为改革的智囊和幕后导演，他摇唇鼓舌，挥笔如椽，其可鉴日月可对苍天之心，大概正如他在逃离北京的前一天，在会见日本明治维新的领袖伊藤博文时所言：您见太后时，请特别指出，我们这些提倡改革的人，都是忠心为国家谋幸福的，没有一个有别的意思……

无疑，康先生想给历史作这样一个交代：不是他有谋反之意，而是慈禧并不仁慈。不是他先让改革蒙上了一股血腥气，而是老佛爷那长如麦管、锐如利爪的十指间，早就等着将改革置于非命。更不是改革极可能暗含有秀才造反、觊觎权力的内容，而是改革者坦坦荡荡，从无私欲，改革天生就是一场改革者与保守者的你死我活的斗争。

其实，这不仅是一个通过给历史一团迷雾的方式来给历史一个混沌的交代，它还是中国的社会精英们所历来看重的一个道德交代。否则，在谭嗣同等六君子的热血不仅抛洒去了菜市口，也隐隐约约地溅在了康有为的手上之后，他哪来的脸面继续周旋于人世？在以持不同政见者的身分流亡于海外后，他羸弱的身影里哪来的卡路里，翻动如浪翻滚的唇舌，"普天洒雪，遍地飞霜"，列数慈禧包括"有面首"、"极淫乱"在内的种种罪恶，吁请各国出兵，杀慈禧、救光绪，以解救我沦于水深火热的大清江山？

如同康有为早年被自己在门生面前拍案而起、乃至痛哭流涕所感动，他也一定为自己现在遥望西天、风雨如磐、辗转难眠、壮心不已所感动。他如同迷恋权势一样，迷恋着这一种道德形象。也许，在某个月白风清、或子规啼归之夜，当他脑海里浮现出那个本来不太同意"伪诏"一举却被他给拖了进来的铁骨铮铮的湖南汉子谭嗣同时,他的心头会溢出愧疚;当他想起至今被软禁在西苑湖中瀛台岛上的那个茕茕孤影的前皇帝时,他也不无自责。但越是愧疚、自责,他越是需要这一种道德形象来支撑自己。好似中毒愈深者,愈是离不开海洛因。他沉溺在这一精神海洛因里,大抵上已经分不清,哪是血写的事实,哪是笔造的谎言……

直到晚年,那是戊戌变法失败 24 年后的一天,他在杭州路过一家戏院,见门口贴着《光绪皇帝痛史》的海报,他情不自禁地买了张票进去。锣鼓响时,追光亮处,年轻的皇帝正牵起他的手,两人情同师生,气冲牛斗地唱起"非实行变法不能立国"。突然,弦音骤变,鼻梁上涂着白粉的慈禧太后带着一帮人出场了,凶神恶煞地将光绪打入了冷宫……前朝旧事,恍若昨日,康有为不由得怆然叹息,老泪纵横,这一夜他一气吟出了 18 首诗。

在对慈禧太后的暴力预谋没有得逞之后,康有为却成功地对历史实施了一次笔墨暴力。他使历史遭阉割却使自个儿形象完善起来的这一招,我觉得可以附庸风雅为近年来一个颇为时髦的词"临终关怀"。看完那场戏不久,他便乘鹤西去了,打经过这一"关怀",他常常分裂着的、各自充满张力的人格世界,被遮掩得不再骚动;他此生有着太多的失意与得意、长啸与喟叹,因而纠结如麻的一颗心,有理由期待将在后人的评说里获得跑马似的舒展。我相信,在他离开这个世界的最后一刹那间,和所有圣者与伟丈夫一样,他的惊鸿一瞥般的目光里,一定溢出的是欣慰……

这是自我的"临终关怀"。

像是世纪末的轮回,又像是血脉里文化密码的遗传,在"戊戌变法"过去一百年后,在这块土地上,还有一批人对一代人的"临终关怀"——

进入九十年代以来，基本回避"文革"前期、多表现老三届上山下乡这一段时期生活的作品，在文坛上似滚滚而下的黄果树瀑布：《北大荒风云录》、《草原启示录》、《青春无悔》、《回首黄土地》、《光荣与梦想》、《风潮激荡》、《热血冷泪》、《苦难与风流》、《中国知青部落》、《劫后辉煌》、《东方十日谈——老三届人的故事》、《咱们老三届》……其中当然有厚实、凝重、无愧于历史之作，可也难免有"水货"：那字里行间不无一股泻自肺腑或是刻意营造的怀旧情绪，一种很难靠内涵只能靠气势去展现的英雄主义精神。

我不由得一时恍惚：

我们这到底是在挥斥噩梦，还是在礼赞过去？

我们这到底是像三十年代热血澎湃的青年，满怀激情与诗意，去了一趟充满激烈枪炮声的黄河之滨回来；还是历史给我们的远不是一次壮旅，我们怀揣的也决不应该是激情与诗意？

这到底是一股为了直面历史不惜让自己撕筋裂骨、乃至下地狱的勇气，还是几分由着现实去遗忘并加速某种遗忘的怯弱，几分由着现实去渲染并加速某种渲染的媚俗？

也许，我们这一代几乎与生俱来的使命意识，在一个意识形态化日益解构、商业化日益高涨、人生价值多元化的社会转型期里，日益捉襟见肘；而且，我们曾经有过的年龄优势，很快在时光的齿轮间磨损了，在面孔日益年轻起来的各行各业，历史正庄严地请新的一代人入席，我们心头开始漫过一片英雄末路的阴影，因此，我们才在文学、乃至文化的屏幕上，放大我们的影象，凸现我们曾经的存在和今天的存在？

否则，就很难解释，打建国后的近三十年里，政治运动如车水马龙，阶级斗争似一把永不放下的达摩克利斯剑，哪一代人中都有被耽误的岁月、被踩躏的灵魂、被屈死的忠骨。今天回首这一切，哪一代人也都有自己讲得明白和讲不明白的失落与酸楚。可"屏幕"之上，几乎唯有"老三届"，如奥林匹斯山上的宙斯一样，高擎着自己谓之在理想光焰下照彻的精神历程，并作结于一句几乎世人皆知的口号：青春无悔。

康有为的"临终关怀"，对于历史真相的阉割是自觉的。我们这代人里出现的太多知名、不那么知名的作家的"临终关怀"，对于历史真相的回避，在很大程度上是不自觉的，或者说是无奈的。如智者所说，在一个从来缺乏忏悔、只野草般疯长控诉的国度，我们的前辈中极少有人站出来，站到良知的法庭上审判自己，给我们以道德勇气的楷模；而且，极少有人去清算在当年编织单纯、营构盲目、煽动激情之下，是怎样一本陈腐、险恶的政治账目；相反，却不乏有人去前两年一股股溢荡着种种"美好"与"挚情"的怀旧热里加柴添火，你就更别苛求这一代人能站出来，将"青春无悔"变成"青春有愧"……

不管是自觉、不自觉的，或者说是无奈的，这一百年来中华民族惊天地、泣鬼神，以数代人的苦难与创痛所堆积而成的历史教训、文化底蕴、思想资源，有相当一部分像自来水一样哗哗地流失了。作为生者，我担心，倘若不将与老三届命运息息相关的"文革"梳理清楚，倘若总将"文革"前期与上山下乡这一段割裂开来，我们这代人惨痛的精神历程，就有可能被有意或者无意地再度理想化起来。还有死者，因为没有能力，更不具备眼光，将其视为必须保存下来的历史文物，可以想见井冈山上、嘉陵江边等残存的几处红卫兵墓地，将会日见碑颓木朽，被萋萋荒草给埋没。天人合一，终归于土，冤魂们大概不会为此不安。他们不得安宁的只是，在未来的岁月里，越来越多的孩子们，将会以两句话、十个字，一笔轻松地带过这场我们青春的炼狱：坏人打好人，学生打老师……

300

哗哗地流失的结果,以致于有美国社会里一句粗俗的俚语:"猪赶到了纽约街上也还是一头猪",在东方灵验了——后人在前人之后,在几乎同样关键的时刻,浑然不觉地犯下几乎同样的激进,并屡屡地延宕着改革与发展的宝贵机遇。即便在今天被相当多的人感觉为"太平盛世"的中国,面对未来,是否天上总是丽日如轮、东风独步,地上总是杨柳婀娜、桃李多情,是否再没有了对神谕崇拜的缅怀,乌托邦式的呓语,要不狂飙突进,要不死水一潭的恶性循环……世界上,大概也没有哪家保险公司敢于投保。

类似的"临终关怀",并非始自声名远播二十世纪的康有为先生,也并非终止于我们这代人里的一批作家。只需认真琢磨和细细观察一下,在精神层面与物质层面,一些应该抛弃的东西,不但没有被抛弃,却仍以种种冠冕堂皇的理由继续生存;或者说终于凋零了,也让其在一束暧昧的暖光中愉悦地凋零,便能发现这种"临终关怀",像一团团或隐或现的雾气,白茫茫地翻卷在历史的峡谷间,悠悠踯躅于现实的原野上。个体得到"关怀"了,局部得到"关怀"了,而中华民族大不安的灵魂却远未得到足够的"关怀"。

此后,还读了朱学勤先生的《思想史上的失踪者》(《读书》1995 年第十期),他所指的失踪者,是被一部正统的思想史给"暗杀"了的那些拆下自己肋骨当火炬点燃的先驱,比如顾准,以及曾经柴薪一样散播在民间村落后来又熄灭了的探索者。他说的是"暗杀",我说的是"关怀"。他说的是不该失踪的却失踪了,我说的是不该存世的却存世着。似乎风马牛也,可在他的一番感喟里,我似乎还是读出了一层相同的意味——

"无边落木萧萧下,不尽长江滚滚来",这句曾壮过多少人读史之后的胆气？然而我怕读也恨读的,就是这一熟句。是无边落木陪衬着不尽长江,还是不尽长江流淌着无边落木？两边来回读,怎么读都令人黯然神伤……

三、引信尚未能拆下

必须要说说失语。

这里所说的失语,既不是指生理上的一种状态,即人神经受了强刺激或者成了植物人后,丧失了语言的功能;也不是指这些年来文坛上的一种现象,即躲避理性,躲避崇高,逃向形式主义,逃向几乎完全没有思考基础的纯表面感觉,在叙述语言被魔方式地全方位玩弄后,语言的本土化日益陷于茫然无着的境地之中……

这里的失语,大抵说的是这样一种现象——

比如,"文化大革命",是中华民族历史上最惨烈的一页,是当今四十几岁以上的人们心灵上一段挥之不去的梦魇,是中国跌跌撞撞地走向改革开放之途的最悲壮动力。当"二战"结束后四十年,德国总统魏茨泽克訇然跪倒在遭法西斯屠杀的犹太人墓地,全世界在电视机前为之一颤的时候,中国人对于自己的这场"革命",除了一段时间有过的、几乎人人都在控诉的情绪化宣泄,在来龙去脉上作过多少梳理,在政治、经济层面上作过多少反思,在文化、哲学上作过多少观照?

当巴金先生忍着病痛的巨大折磨,在人生暮色苍茫的窗口边,一次次地写下要建立"文革博物馆"的呼吁时,这呼吁却屡屡似抛向大海的羽毛,遗失在荒原上的一根衰草。与此同时,这些年,汗雨飞空,不舍昼夜,大兴土木大盖堂馆,几乎所有的光荣都从历史的云烟里打捞出来,镌刻在了汉白玉与青铜雕上;几乎所有的传说与故事,从龙宫到水帘洞,从三国到水泊梁山,都精致或拙劣地镶嵌进了青山绿水间,投射出悠悠的古远气息或者是伪文化的铜臭气息……

1996年,是"文化大革命"发动三十周年,结束二十周年之际。无论是从一个旧时代"忌日"的角度,还是从一个新时代"生日"的角度,这一年都该是中国知识界话语鼎沸、思想奔忙的日子。但结果,就我所见,蜷缩一隅的港岛上,有一家出版公司不计工本,呈献出了一套上下两卷、重达几公斤的《中国无产阶级文化大革命影集》。在内地,一场咆哮于世界并大乱了天下的"文革",其林林总总,只有南方一家影响不是很大的杂志,在某一期里辟了个专辑,北方一家出版社出了一本二十万字左右的简史。

比如,今年——1998年,又是"大跃进"发动四十周年。

对这场"卫星"满天、谎言遍地、砸锅炼铁、毁林造田的举国高烧,我们又在其文化底蕴及思维方式上,作过多少认真的梳理和深刻的反思呢?

据近日报载,国家统计局的一份研究报告披露,中国投资效益呈明显下降趋势,其主要原因是投资主体多元化导致的重复建设。最新的一个例子就是 VCD 机了,不到三年间,国内便蜂起了五百家制造商,已经有专家预言,1998 年将是 VCD 机的一场生死劫。也许是一朝被蛇咬,十年怕草绳,从中,我似乎感觉到了 1958 年里各地亢奋而又盲目地喊着大干快上的劲头。去年以来,有一个时髦的提法是,搞大企业集团,进入世界五百强,组装"航空母舰"。有人说,这些口号都快把人给搞晕了,将全国的钢铁企业加起来,就能够进入五百强,可这没有实际意义,丝毫不能改变中国钢铁工业竞争力弱小的现状。从中，我又好像看到了一个幽灵，正在大地上悄悄地徘徊，它便是当年举国城乡争先恐后、敲锣打鼓成立的人民公社……

再如，当今中国发达地区与欠发达地区之间、高收入阶层与低收入阶层之间的差距很是悬殊。倘若仅仅以"改革的过程总是利益再分配的过程"为由，对这一状况掉以轻心，那便忽视了这一差距确已到了超过相当一部分人的心理承受能力，并导致其怀疑改革的地步。前几年有一句很流行的话，叫"拿起筷子吃肉，放下筷子骂娘"，今天的情况则是在近十三亿人里，吃腻了三文鱼、象拔蚌表示想吃咸菜的人不多，想吃肉却又难吃上肉的人不少：他们是上学读书的希冀都像烛焰一样惨淡摇曳的山里孩子，他们是在一些坏了良心的外资、合资企业里两头摸黑、不见天日的新一代"包身工"，他们是几乎顷刻间犹如扒了皮的光秃秃的树一样，此后唯有靠两鬓飞霜的自身来背负上有老下有小的生存艰窘的下岗工人……对于他们渐感被遗忘乃至被出卖了的半是苍凉半是愤懑的心境，九届一次人大会议之前的社会舆论，不是在节日之前而是在平常的日子里，不是在有碍稳定了，而是在咽下苍凉、吞进愤懑的所谓稳定中，关心过多少、疏导过多少呢？

相反，你翻开今天汗牛充栋似的报刊，打开各个波段、频道的电台、电视台，无一不在媚波流溢、层层叠叠地炒着影星、歌星。捧是一种炒法。一些记者，一身正气得总去和中国的名星大腕们较劲，尤其是和女歌星、女影星们较劲，将她们在大众媒体里置于十分尴尬、灰头土脸的境地，也是一种炒法。在中国，在当今，最该记者、文人们较劲的事情是什么呢？不说，也天知地知，你知我知。可在最该较劲的事上缄默失语，或是浅尝辄止；在不必较劲或太较劲的事上，却气贯长虹，大动干戈，这便像是一只公鸡，总在莫名其妙的时辰打鸣，一只母鸡，总在莫名其妙的地方下蛋。翻翻眼下的一些报章杂志，一片炒作迭出的眼花缭乱里，其实不少热点与热闹，多出自于这类有翅膀也难高飞，不过是贴着某一既定思维、某一固态习惯标签的公鸡、母鸡……

再喜欢炒的便是豪华与休闲。

这两年，图书出版的热点是重印中外古典名著，装帧上也有了中世纪的羊皮洒金本，一套老人家在世时批点过的"二十四史"新版本，竟然卖到了十五六万元一套。在服装服饰潮流中，中国、古埃及、古希腊的象形文字，唐宋的霓裳羽衣，甚至兵马俑身上的铠甲，也在设计师的手下妙笔生花；饮食时尚讲究的则是"纯天然"，入花卉、草木乃至虫子于菜谱的各色佳肴，令美食家们大饱口福。屏幕上，"记得几年前，北京展示发展成就，动辄就到燕莎、赛特，采访在那里购物的婀娜多姿的小姐少妇，她们便异口同声潇洒地称东西不算贵，买得起，令电视机前的观众大为恼火。这种对社会富裕程度和购买力极其脱离实际的判断、贵族化的态度，是当前社会生活中许多畸型现象的祸根之一。"（杨东平：《大商厦之灾》）

而且，这种贵族化的态度，似乎使得城市与富人们签订了一份无纸的契约，在它许多朦胧如雾的灯影花影下都藏着一个暗道，正像它怀抱里星级越来越高的宾馆越来越属于少数人一样，这些条神秘的暗道，离普通人的衣食住行也日益遥远。当今的很多城市，因为它总是无视多数人，便也能在多数人打量它的目光中感觉出一股默默的敌意……

俨然偌大一个版图上，已经没有了渴望温饱的黄土高原，捉襟见肘的红土盆地，风雨飘摇的国有企业，稍一松手便野马脱缰般的金融形势……有的只是曼舞轻歌、灯红酒绿的香港，环佩叮当、美女如云的巴黎。乃至比香港还要香港(我到过一次香港,我发现此地人不无忧患意识),比巴黎还要巴黎(我虽未去过巴黎,但我相信在她数百年的雍容典雅中,决不会弥散出一股暴发户般的骄纵与浅薄)。

对众多大众传媒的这一心理错位,你能说什么呢?

由此,我们可以明白,在这里,失语有着两个层面的底蕴。一个层面是,一个创痛巨深的民族,却未能充分反思起那段创痛巨深的历史,人们有意无意在遗忘些什么;另一个层面是,面对铺天盖地而来的商业化的舆论炒作,面对一种有意无意因软性化而得以普遍化的矫情,你虽然不说白不说,可说了也白说。

失语,有时意味着悲怆,有时意味着无奈。

失语,有时像是心如古井,有时像是无力回天。

生理状态上的失语,只是个体现象。

文坛上的失语,你可以少看或者不看那些常常被评论家们称之为新意迭出的诗歌、小说。

但面对历史的失语,面对社会生活的失语,却萌发出两个可能——

一个可能,它的要旨是要求社会的公平与正义,潜台词则是要让中国进行一轮新的"打土豪分田地",大家重新恢复到共同贫困的境地。它的立足点不是健全法制,开启言路,加强监督,以制约乃至杜绝种种腐败劣迹对市场经济走向良性发展的侵害,而是釜底抽薪,指斥资本结构性运作的市场经济。

一种貌似古朴的道德主义评价,极易在历来"患均不患寡"的民族负面心理的后院烧起一把大火;而它否定改革及其伴随的社会巨大进步,反对历史主义的本质,将使中国再一次挂上阶级斗争之弦,直至鳞伤遍体,动荡不休。这并不是危言耸听,回眸"文革",不正是在短短几个月内就囊天括地、惊世骇俗,变成了全民族不可遏制的一股迷狂？再有近些年里，犹如蝙蝠划过黄昏的一串串翅膀，在枝头檐下扑扑闪闪，在一阵阵怀旧热里，有些内容，不正或明或暗地表现出走出旧秩序后，因为对机遇与风险并存的新秩序志忑不安，却对封闭、停滞、愚昧的旧秩序投去的几缕眷恋？

再一个可能是，由着这一贵族化的态度蔓延开去，我们将日益远地脱离中国仍将长期处于社会主义初级阶段这一基本事实。难怪一些西方发达国家老想让我们享受发达国家待遇，我们自己也以为这个"从稻田中拔地而起的经济帝国"，不是不久前才从饱受专制主义之苦的农业社会出发，眼下还走在新的方生、旧的未死间的对峙与胶着里，而是已经到了需要更多的商厦、宾馆、豪华写字楼、保龄球与高尔夫球场……来撑起繁荣与富庶的现代化国家。

然而，一场金融风暴，或者说不过就是乔治·索罗斯的几根手指，就让纸醉金迷、且号称亚洲第五条小龙的泰国露出了稻田的底色。中国虽得益于封闭的金融体系而躲过了这一在亚洲漫卷开来的"厄尔尼诺"气象，但未免不心惴惴然。仅在首善之区的北京，据杨东平先生的《大商厦之灾》一文里说，大商厦的数量已是纽约、东京的八倍之多，北京市民们的购买力却只有前者的八分之一。与 VCD 机难过 1998 年门槛一样，有人估计，今年将是全国各地那些装饰豪华的商厦的滑铁卢之战。

是泡沫早晚必定会除去，但今日之经济泡沫，已经不是1958 年里那漫山遍野的土高炉炼出的土得掉渣的铁疙瘩了。据报称，目前我国共有下岗职工九百余万人，以每人每年五千元计，只要有几幢豪华商厦建造的费用，就足以让他们好好地过上一年了……

1998 年里，国家和人民，又会有多少钱财，被那些总也学不了乖的"公仆"们打了水漂呢？

失语之时，并非所有的脑袋都在失语。

失语之中，总潜伏着某种已往历史的玄机。

如果这并非我杞人忧天，那么，失语给了我们这样一种状态——

大汗淋漓地将炸弹迁出了废墟，却没能拆下引信；

罂粟被捣毁了缤纷肥硕的花叶，褐黑色的种子却落进了地里。

四、一块美丽的纱巾

一个地位低微而又清贫的人,有机会被请去了一间 KTV 包厢,这包厢里因为拥有高档些的墙纸、灯饰和音响设备,便被取名为"总统包厢"。那小姐送上来的果盘里,不过是价值几块钱、削成片的普通水果,也因此堂而皇之地要价一二百元……可在这鬓影钗光、几乎一掷千金的高消费里,此人或许便有了自己身在爱俪舍宫、或是白金汉宫的感觉。

这感觉无疑是虚幻的,但只要不像抽烟似的上瘾,偶尔有一点也无妨。它能让一个低微的人在自己心里重要起来;让平时一个捉襟见肘的人,瞬间变得潇洒起来。此刻,幻觉是一种动作不太剧烈的精神舞蹈,在这种舞蹈里,一颗活得压抑的心,获得了片刻的自由。

倘若幻觉这种精神舞蹈,步子跳得太剧烈了,动作幅度太宽广了,人们会怎么样呢? 我不是心理学家,我想说的只是,在相当一部分国人对当今中国"太平盛世"的感觉里,"太平"可谓实言,"盛世"二字却有几分幻觉之嫌。

有朋友去年回了靠海边的老家一趟,回来聊天时谈到,"文革"前满街都是、只需几角钱一斤的黄花鱼,在老家对老百姓来说,现在已经绝了念想。虽也有奇货可居、待价而沽的,不过一斤多重的一条,竟要价五百多元一斤,换句话说,无数人领了每个月的工资,却换不来一条不到一尺长的黄花鱼……

多年以来,河在穷尽、海在枯竭的条条报道与传闻,已在有心的国人的耳朵里结了一层厚茧:

国内最大的渔场——舟山渔场,四大鱼类濒临绝迹,它们并不是少见的鲸鱼,名贵的鳗鱼,而是本该老百姓,尤其是沿海居民做家常菜的大小黄花鱼、墨鱼、带鱼,偶尔捞上来几条,不过只有几两重。东海往北去一些,就是黄海了,不久前,我在《东方时空》节目中的《生活空间》里看到,青岛一个原本有几十条船的渔村,大抵整体上"胜利大逃亡"了。手脚和心眼都活泛的渔民们,早去了其他地方再就业,丢弃下沙滩上一片翻转过来的渔船,破破烂烂,斑斑驳驳,在凄美的残阳里,流露出风涛不再因而生命也就不在的凄凉……

这期《生活空间》介绍的,是村子里的"最后一个匈奴",他的年轻妻子去了城里一家公司做员工,而被妻子认定为除了打渔、什么也干不了的他,两三天下海一次。他说一趟出海下来,能够捞到几只梭子蟹,一斤能卖上 15 元钱,这趟便算够本了。他骨节粗大的手指上,夹着一支正燃着的香烟,望着表面上依然潮涨潮落的大海,一副古铜色的脸膛上,不见喜悦,也不展忧郁。我感觉他仍在打渔,如其说是为了维持温饱,倒不如说是为身后这个就要被工业化、城市化给席卷而去的村子,尽可能地保留一点遗迹……

造成这几乎"白茫茫大地一片真干净"的原因,如今连小学生也知道:在工业废料、生活垃圾所造成的近海严重污染外,便是肆无忌惮的掠夺式捕捞了,而以永不疲倦的强大动力支撑着后者的,则无疑是我们似海深的喉咙了。

中国人穷吃海喝着,在穷尽着河流、枯竭着大海的同时,中国人又地动山摇,大兴土木。前者对不少官员已经是日常工作,后者,则对一切官员是仕途晋升时必要的政绩。

木,砍伐自日趋萎缩的森林面积。即便是中国一个最年轻、也最现代化的城市,也在向它的市民们的未来进行威慑:据《报刊文摘》转1997年《华商日报》4月16日的报道,深圳在几年前的开发热潮中,推土机铲平了绿色的山头,毁掉了山上的植被,在雨水的冲刷侵蚀下,松软的土壤很快流失,深圳市郊出现"黄土高坡"。据深圳水务局提供的资料显示,如今深圳市的水土流失面积已达185平方公里,占总面积的9.1%。其中,城市化或工业化开发造成的为149平方公里,占其面积的80.37%。严重的水土流失,已经使流经市区的布吉河变得混浊不堪。在水土流失严重的地方,还曾出现过塌方和泥石流,造成人员伤亡,铁路中断。深圳市副市长王炬对记者说,在陕西黄土高原地区,也未见这样严重的现象……

土,便是砖了,据权威材料,全国每年建筑用去的实心粘土标砖有6 000亿块,倘若一块块排成行,可绕地球1 700圈,它们所耗费去的粘土,折合成土地,每年约用去120万亩。这种从秦汉以来一直沿用的最古老、最落后的制砖方法,在很大程度上,造成了当今我国的人均可耕地面积只占世界平均水平的47%。在去年全国第七个"土地日"的那天,我在电视上看到,有专家嗟叹道:还从来没有看到哪个国家像我们这样,如此大规模地人为地破损土地,即便是在经济发展相对滞后的南亚地区,例如也是人口众多的印度。可现在,只有北京、上海、大连等几个城市,对此冷汗淋淋,在1997或是1998年内,一律禁止实心粘土标砖的生产,下决心开发出新的建筑材料。

再看看城市。因为在咱们国家,最像小说《围城》里概括婚姻状态的——未进去的想进去,进去了的想出来,便是城市了。

当然,也有少数的例外。南边,我到过的珠海,清新,温润,

312

安宁,打开眼睛,便是大团大团的绿意水墨画似的湮散开来,浓浓淡淡,茸茸盈盈;而一合上眼睛,海风宛如情人的絮语拂至枕边,明明灭灭的涛音,送人悠然入梦。据说,北边也有我尚未到的威海、大连……

进了大多数城市,你却多半会像一只蚂蚁不小心爬进了正拼抢着的篮球场,产生某种程度的晕眩——

它或者大块大块地裸露着自己水泥森林的肌肉,为了埋下或者修复蜂巢一样密集的电线电缆、煤气管道和供水管道,它已经麻木于一次又一次的开膛剖肚手术。它或者用几乎无处不有的废气,让男人女人们患上支气管炎、肺气肿,乃至肺癌,多米诺骨牌一样哗哗地一排排倒进了医院。要不,它以几乎无时不响的噪音,封杀了鸣禽流啭、雨打芭蕉的天音,还有圣桑的《天鹅》、阿炳的《二泉映月》,让人们耳膜欲裂,脑袋欲爆,身子烦躁得几乎能在空气里擦出火来。要不,它以死蛇一样软沓沓堵塞住了的车流,让汽车失去了汽车的意义,只剩下在华丽或是晦暗的金属壳里,被滚滚汗味与汽油味蒸腾着的一堆堆人肉……

中国的一些城市,像日常生活里不难见到的一些在经济泡沫中起家的暴发户一样,骄横、扩张、肤浅。它们被所谓的"现代化"创造出来,它们却有可能像一条凶猛的狼狗,将一个国家的现代化撕咬得遍体鳞伤,狼藉不堪。

记不清哪位先哲说过:

> 天作孽犹可违,自作孽不可活。

如果说,地球诞生以来只有 24 小时,那么,继植物后,动物出现以后的岁月,便是一小时;而有人类的历史,只占了其最后的两秒。人类不过是大自然世界中后起的品种,我们决不是霸

313

主,有什么资格,不去和谐有度地处理好与漫长的生物链上其他物种的关系呢?

就是为中国人的自身利益考虑,我们也得想想,我们带给子孙后代的,将会是一个怎样的世纪?!难道在这样一个世纪里,绿色将要变得越来越稀罕,纯净的空气和未经污染过的水,最后都得到商场里去购买?而长得绿豆芽似的发育不良的孩子,一个个瞪着小萝卜头式的大眼睛,咽着口水,听着我们捋着马瘦毛长似的胡子说:从前呵,我和你奶奶最喜欢吃的一道菜,叫红烧带鱼……

我感觉,传统上缺乏宗教背景的中国人,对大自然始终缺乏一颗敬畏之心。而由日月盈昃、清风银泉、花光树影,乃至黎明的每一滴清露、晚间的每一声虫鸣组成的大自然的秀蔚,一定是一个民族富有人性与灵性的永恒基础。因此,是否可以这样说,在对大自然难持恭谨态度的同时,中国人在同类之间,也往往缺少一股亲和力。而一旦大大释放人性阴骛一面的运动降临时,彼此间的心身伤害,也更为剧烈生猛?

在生存状况的严峻、民族素质的缺陷之外,好似乱糟糟的猪鬃塞满了沙发垫子,现实生活又塞给了中国一大堆难题。在去年最后一期的《南方周末》上,有一版的大幅标题是《九七年生活辞典》,内称——

中国尚有农村贫困人口6 500万。城镇贫困人口1 176万。下岗职工900余万。基尼系数是国际上通用的测量贫困差距程度的方法,一般认为0.4以上是收入分配不公扩大的标志,1996年中国城乡居民家庭人均基尼系数为0.3左右,据此,中国贫富差距尚属正常,但已接近警戒线。小时读书时,知道资本主义国家发生经济危机了,便将一桶桶的牛奶倒进下水道里。而今,国人在1997年里目睹了纺织过剩,钢铁亏损,用电量普遍不足,煤炭量库存过大,铁路无货可拉,彩电、VCD 等家用电器和小轿车都在喋血喊着跳楼价……

再有,就是中国自 1985 年以来的资本外逃,累计约 800～1 000 亿美元,占外债增长比例的 52.3%,超过八十年代世界上 15 个债务负担最沉重国家资本外逃的平均水平,而且进入九十年代之后,甚至超过了每年新增的外债额。

我老这样想,能够把占中国外债一半以上的资产弄去国外的,肯定非等闲之辈,或是兼具中世纪庄园主及现代黑手党教父的色彩于一身的人物,或是说起家世来,保不准会将你吓得跳起来的人物。可尽管年年反腐败,为何这样的人物就是极罕见被挖出来、公之于世绳之以法呢?莫不是国内绝对敢打真老虎、大老虎,而国际刑警组织,还有美国联邦调查局,却被"老虎"们拉下了水?

幻觉是一块美丽的纱巾,滤去了严峻乃至严酷,让困难如山、麻烦如流的中国变得温柔、明亮起来。拿去了这块纱巾的中国,尽管更能让当代中国人明确并担负起自己的历史责任,但往往不按幻觉讲话的人,会被视为不合时宜,或有些不合时宜。

我记得,香港回归祖国前的那些日子,举国上下一片天天过大年似的气氛。从北京到南京,从沿海到腹地,人们用星河般壮丽的灯饰,花雨般缤纷的焰火,还有盛大演出,万众联欢,自然也免不了流光溢彩的美酒佳肴,来共庆这一雪耻舒眉的百年盛事。

那些天,不知为什么,一个念头却分外强烈,如田鼠一样啃噬着我的心:

这一百多年以来,在这世界上,中国人做人好辛苦;在中国,知识分子做知识分子,更是做得好辛苦。可在这七月一日的纵歌畅怀、逸兴遄飞之后,我们的辛苦是否就走到了尽头……

五、让上帝去发笑吧！

　　看我的东西，无需别人说，我自己也知道，大抵沉重的内容多。倘若是想通过阅读来获取一个轻松而又有趣的故事，一段澄明而又雅致的心境，那就如同千万不要去触动炸弹的引信一样，千万不要去读署名为"胡平"这家伙的东西。

　　上一个十年就是这样。我尊敬的《当代》杂志编委、《中华文学选刊》副主编刘茵先生，在为拙作《中国的眸子》所作的序里，这样写道——

　　　　"这个惨烈的故事几年来长久地煎熬着作者，李九莲事件是'文革'中最为惊心动魄的事件……他终于拿起了笔。1989年元旦，人们沉浸在节日的欢乐中，鞭炮、焰火、舞会、笑颜。胡平眼前却是黑夜、枪杀、鲜血、死亡……他的心理反差极大，经常从一个世界跳向另一个世界。握着一枝沉重的笔，他写得异常苦涩，灰色的脸上一片死色……"

　　眼下，又是1998年元旦后没几天。我在小半年来沉湎于写作与修订《千年》、《不再是秦兵马俑的脸》两稿之后，又为这两稿集成的本书写一个后记。如果说在中华民族的文化史中，赣省千年的沧桑更迭、白云苍狗、兴衰荣枯、长恨歌哭，还有我的父亲和他那一代知识分子的命运,都是可以言喻与难以言喻的沉重的话,本书也依然跑不出"沉重"二字!

其实,我老想起一句调侃的话:看着女人思考,上帝就会发笑。

我没有调侃女人的意思,在我的脑海里,它早被改成了:看着胡平思考,上帝就会发笑——

文学像一只丢进滚水里的大虾,在七十年代末至八十年代中期,红得发紫。先受宠的是诗歌,诗人们宛如一群吃着上帝给的糖果、又在他老人家身边嬉戏的孩子。旋即是小说,"伤痕"、"反思"、"改革"、"寻根"……一张张牌甩出去,无不在社会心理的牌桌上,撞出"天和"、"地和"。接踵而至的,是像狗咬骨头一样紧咬社会问题不放的报告文学,其反响之巨大,以致于1988年,全国从中央到地方的108家刊物,联袂举行题为《中国潮》的征文,俨然文坛上也呼啸起了一条万里长江。那些年里,我和一些报告文学作家一样,颇为兴奋地沉醉于一种布道者的角色。

进入九十年代,犹如法国大革命后雅各宾专政在"热月"里被推翻,整个社会由围着断头台的革命盛宴里,一下集体"还俗",中国也以令人震惊的速度和广度,卷入了商业化和世俗化。物质层面的东西铺天盖地、层出不穷地袭来,它们远比情感层面的东西,更比理性层面的东西,更为实际,更为急迫,更能激发起生命的全副张力。

今天的文学境遇呢?少见坚守思想与崇高的孤城,在理性昏睡之夜不辞风寒的更夫。虽暂且未到自个儿码字、自个儿喝彩的凄惶,但它确已被大面积地颠覆了,颠覆为当今社会平平淡淡却又贲张着琐琐屑屑欲望的一地鸡毛,以及与当今大众传媒充满着时尚、鼓吹着休闲相匹配的阴柔风格。

时代的广场上,还有卖书的地摊,那摊上多数是经过文学包装的廉价的肥皂剧。下课的钟声早已敲响,昔日的布道者们大都转业。还有人围成圈儿堆儿在听着什么,但圈里堆里走着的不是气功师,就是三星上将一样踌躇满志的股市点评师。此外,广场上转着的黑憧憧人影里,多是功名利禄的一传手、二传手、一道贩子、二道贩子……到处是曼舞轻歌、觥筹交错,到处是熊市牛市、外汇期货,到处是关停并转、下岗打折。无论是满脸山青水绿的,还是眼下一脸愁云惨雾的,即便有了些闲功夫,这功夫也多半用在了古老国粹上——哗啦啦地垒方城,一垒,往往不知东方之既白。有多少人会有时间并有兴趣去阅读我的沉重呢?

在一个大变革时代挪动着的庞大身影下,个人的沉重感大约是很渺小的,一如个体生命的渺小。

我在少年时遽失母亲,又在中年送走父亲。1997年里,我数次和弟妹们一起,去市郊的青山墓园凭吊大归的亲人。在这之前,自然也经常接受死亡之唇那冰冷的气息,比如从报纸不时刊发的讣告中,从某一位熟人顿然作古的哀乐声里,或是从小说、影视作品里相关情境的描述与表演中……对于生之莫测、死之无奈,我也曾感喟声声,乃至清泪点点,一时离披似萧瑟秋风里浅吟低唱的芦苇。可一旦白茫茫的芦絮散去,我们曾按功名利禄或是其他什么原则排列起来的纷繁念头,一下又集合了,面对万丈红尘,走出一列列蚁阵般的心机……

只有在1996年11月9日之后——

訇然地倒下了一棵大树,头顶上再没有了遮日蔽风的华盖,我和弟妹扶着那棵老树饱经风霜的躯干,缓缓地走向火化厅,在我们糊满了双眼的莹莹泪光里,已闪动着日后将扶我们走进这里的身影;在这之后,进入墓园,看那一片高高低低、鳞次栉比的墓碑,好似烟火鼎盛的香炉里那插得几近密不透风的香脚,我们多半才能从各自林林总总的社会角色里消解出来,以人的本原之心,去敬畏地、苏格拉底式地思索死亡。

在这人生的后花园里,没有了喧嚣与贲张、欣然与抱憾,也没有了恩恩怨怨。一列列、一层层静静安息的,唯有已成过去式的"享年"。按着诗意的说法,这"享年"已融入了历史,可历史不是后人们保留的一张终将泛黄、乃至丢失的照片。历史,大抵上只是个趋炎附势的小人,它匆匆地走过这里,脚下发出走在瓦砾与碎砖上的声音。它要赶去的,是大人物们那气象森然的陵园,只热衷于在巍峨的汉白玉碑上涂上金粉。

在这里,我们比任何时候都要明白人生的局限,清楚命运的归程。自然,我们尚不知道自己最后是有准备进来,还是一不小心地进来;是坦坦荡荡进来,还是揪揪扯扯进来,但我们终究无法拒绝这条归程。不太久前的红袖添香、金榜题名,转眼间已是白幡掩映下的灵柩。明明是风云际会、酬酢纷纶的重大事件,弹指间只剩下荧荧磷火似的光亮。若以为这感喟太悲观太阴悒了,可在这静谧的后花园里,放眼滚滚红尘中的喧嚣与贲张,仿佛有百代磨洗不去的功名,万年论说不尽的曲直,你会感觉红尘里其实什么都不会缺,若说缺了什么的话,缺的便是有几分悲观……

这时,我便会自嘲起自己笔下倾泄出来的那份沉重。

我不由得问自己:位卑言轻的你,去说那些事、操那份心干嘛呢?人算不如天算,我意不如天意。就说我一直想找个切入点去好好写写的江西吧,其实,这片故土,并不会因为我的存在而情状变得更好,亦或因为我的离去而情状变得更糟。倘若我真能透彻骨髓地明瞭,在红尘之中,有一根牢牢勾住了自己的线,或隐或现、曲曲折折地伸向了这后花园;还有眼前这块一张桌面大的父母墓地,在此后的几十年里,清明时会有几碟供果,两柱袅袅的清香,冬至来了会有一束素雅的白菊。可一过了两代,大概这里就会被不老的春风秋雨夷为平地……

我便会从一种所谓的"忧国忧民"之状中解脱出来,这倒不是为着转头去写那些轻松而又讨巧、姥姥疼舅舅爱乃至给发个什么奖品的文字。我已经有近二十年笔匠生涯了,既然不敢苟同于阴柔风格,自己却又写不出天风海雨、铁马冰河的大境界作品,我便可以识时地与写作生活割席断袍了,在余生中真能活出一种闲云野鹤、无牵无挂的古典姿态,不也是一种快事?

我真是无可救药了!自以为看清了当今的世态人心,又参悟了人生的苍凉与无奈,可只要一提起笔,或是坐在电脑前,脑海中一下雀跃起来的,大多还是早就压迫在心上、总想弃之于脑后却总也弃之不去的问题。

或许如性格就是命运一样,命运真是性格?

《不再是秦兵马俑的脸》一文,已大抵勾勒了命运的风暴是怎样一次次地洗劫了我的家庭和青少年时代。在这里,我只想说,多少年里,对往事的回眸中,实在太少温馨却太多严峻太多苦涩的我,在一种幻觉的精神舞蹈里,总将少年时偶像的温馨当作自己的温馨,更当作是我们这一代人的温馨——

> 让我们荡起双桨,
> 小船儿推开波浪。
> 水面倒映着美丽的白塔
> 四周环绕着绿树红墙……

这支在五十年代任何一个小学生都能唱的歌子,对于我的情感分量,几近古希腊悲剧里一个著名人物俄狄浦斯的恋母情结。它如同清冽的圣水,洒上了自己华发迸生的头顶,还有皮肤开始松弛的脖子，我顿时感觉到了生命之春初始时的清纯与清丽。它还如同一首母亲怀抱般安详的《安魂曲》，抚慰起我们这代人与下面几乎呼风来风、唤雨来雨的两代人相比所涌起的失落；不管怎么说，我们这代人总还拥有过一个如诗如画的少年……

历经几十年了，我已经记不清《祖国的花朵》这部影片里的女主人公有几位，但每当听到这部影片的主题歌，我的脑海里总会浮现出她们那两条扎着蝴蝶结、随裙裾一起摇晃的长辫子，那一对又圆又亮、火辣辣的眼睛，好似两块迷人的会说话的墨玉……

遥想她们和男生们一起泛舟于碎金点点的北海，将银鸽与歌声一起放飞于白塔之上宝石蓝似的天空，很长时间我以为，她们不但随影片早成了五十年代中国社会生活的一个知名品牌，她们本人少年的生活也应该是无比的幸福。或许，在五十年代，老百姓眼里尚表现出某种神性的电影，也将会给她们日后的人生历程抹上某种神性。姑娘呵，你们应该是永远的绮年玉貌，心窗上会镀有永远的明媚阳光！

我曾这样想，也曾这样祈愿。

终于有一天，在一本颇有文化品位、但影响似乎还未流布开来的南方杂志《街道》上，在它所辟出的《私人照相簿》的栏目下，我看到了一组题为《梅娘：半个世纪后的报道》的照片。这组落满历史风尘的照片，虽然主要交代的是梅娘这位四十年代中国沦陷区里最重要作家之一的命运，却也揭开了另一个且蹰且躅、渐行渐远的身影，她是梅娘的大女儿，正是我"曾这样想，也曾这样祈愿"的"你们"之一……

柳青，看一张摄于 1948 年的照片，她大概生于 1945 年。1948 年时，她父亲来往于海峡两岸，为即将夺取全国政权的共产党策反住在台湾的蒙古王爷。可天有不测风云，赴台途中沉船遇难，由此，他打扮得像一个风度翩翩的生意人模样，却为共产党做秘密工作，也成了以后家人说不清楚道不明白的事情。

新中国的成立，让一家人看到了光芒万丈的天堂，无论个人，还是国家，都充满了美好的希望。梅娘分在北京农业电影制片厂做编辑，小学还未毕业的大女儿，被挑中了在《祖国的花朵》里出演女主角之一。美好的时光却如此短暂，在影片里柳青和小伙伴们唱出的那支歌，还在春风一样抚摸千千万万孩子们红苹果似的笑靥，牵动他们胸前火苗般跳跃的红领巾时，母亲已在1957年的那场"阳谋"里被打成右派，开除公职，并送入京郊的北苑农场劳动教养。教养期间，小女儿病死，三个孩子变成了两个。走出高墙后，梅娘多年给人做保姆。"文革"中，被揪回街道批斗，白天还得挖防空洞，这是无偿的；维持生计，只能靠晚上做绣花一类的手工。其中，顶要紧的是每月一定得留出十元钱给儿子治病。从未与父亲晤面的遗腹子，终于匆匆赶去了另一个世界见父亲。走出火化场，梅娘只剩下了大女儿……

柳青，此时是北京电影学院导演系的学生，虽说是"狗崽子"，却绝对的白皮红心——

一张照片上，身着绿军衣的她，在大串联的途中学习《毛选》。又一张照片上，她站在湖边，亦或是河边，一双赤脚，裤腿卷至膝盖。一只手扣着草帽的背带，另一只手叉在腰间，几缕发丝微微吹开，瀑布似的阳光正面射来，以草帽压住的耳轮后的阴影部分，凸现出她脸上爽朗、饱满的笑容，活脱脱是一个铁姑娘放眼全球、战天斗地的形象。说明词里如是写着："照片上，她是在农村'劳动锻炼'的三年期间，她那时带着强烈的原罪感，不但努力改造世界观，还决心和'反动家庭'划清界线。"

柳青的最后一张照片，恰应了毛泽东的一句诗"萧瑟秋风今又是，换了人间"。一间中西合壁式的客厅，一角是具有后现代风格的螺旋状扶梯，另一角是中国古典式的圆桌、圆椅。靠近镜头的是，一方猩红色的地毯，一个同样颜色的皮沙发上，坐着一身白纱裙的她，看面容不过是四十出头的人。她伸手可及处，则是一个白色皮革做的巨型圆台。后面的两扇落地长窗上，展现了春夏时日大洋彼岸多伦多一个肥硕葱茏、绿意如海的倩影……

好些日子，我丢不下这本杂志，神差鬼使地找到那两页翻了又翻，捧在手里的，像是一个实在不愿看到，可一旦发现了却又无法回避的、有了裂纹的宋代瓷瓶，或者说是一个击中了心脏、正在渐渐失去血色的童话。

不知道这代人里其他人看了这组照片后感觉如何，但对我而言，我既唏嘘于历史对于我们这一代人真怀有一颗铁砣般的粗砺之心，就是在我们视之为清冽、清纯、清丽的"圣水"里，它也要掺假；又自嘲于自己曾痴迷于那精神舞蹈里的荒唐，在一个久久地无视绮年玉貌、日愈惊飞明媚阳光的年代里，虽有特殊，也有偶然，但人们的生存空间很小，最终每一代人里，都说着差不多的台词，表演着差不多的命运……

默默地，五味俱全地，咀嚼着她以及我们这代人充满撞击、充满反差、充满悖论的人生。我最后的一点幻觉，就这般砰然落地了！

看柳青的最后一张照片里：她架起一条腿，斜靠着沙发，乌云般蓬松的浓发下，是一张显然经过精心修饰的白皙的脸。眼睛里流露出几分宁静、几分慵倦外，还淡淡溢出一份释然，那是一份无论靠堆砌犬牙交错似的运动、斗争，还是靠自己无比真诚的"赎罪"、具有矫情意味的"改造"，都最终无法阻挡人的本性流露的释然，人的本性里，便有这么一条——水向低处流，人往高处走。

这份释然，在我看来，更有这样的意味——

一个人总要讲真话，无论讲过多少假话去麻木自己，亦或去麻痹别人，但总归得恢复讲真话的时候；

一个国家，无论有过多少主义的折腾，多少理想的试验，最终总要成熟起来。这份成熟，其实往往表现为一堆庞杂理论的删繁就简，返朴归真——即让自己的人民，都能获得一份尊严、自由和体面的生活。

在所谓老三届一代人苍茫的命运之堤上，六十年代大面积地塌方，裸露着的暗红色创面上，久久为一片宁静的惨烈。七十年代的沿岸则是北风呜咽，衰草颤动，弥漫着精神上一片如雾的苍凉。在青年时代被虐、也自虐得惨不忍睹，在原本多汁多情、气韵鲜活的青春被倾泄而下的混凝土覆盖得哑口无言之后，我们这代人自以为可以拿得上台面的，就是精神故园般的五十年代了。但此后，当我回过头来，遥望这一代人那风雨迷蒙的"故园"时，不会再有一支天籁似的旋律在心中悠悠地升起……

可能我可以彻底戒烟，我却无法磨灭历史在这一代人身上打下的烙印。

可能我可以从此放弃人生的一切梦了，我就是无法放弃一个苍然、古毅的梦——即殷殷翘首于渐行渐近、隐隐已见几分酡红色的新世纪里，崛起一个繁荣、科学、民主的中国。

自然界有物种分配、能量守衡的规律，我相信社会界也绝对存在着这一规律。一个时代，哪怕有百分之九十九的人拒绝沉重，可总得要有百分之一的人守望并解读沉重。否则，社会便是一只轻飘飘的舢板，极易在风浪中倾覆……

这里，我决没有夸张自己的意思，我最怕别人看我有几分忧国忧民之态，便以为我也是个残存的理想主义者。其实，我也是那时代广场上一双眼珠子到处骨碌碌转的人,除了不打麻将,在有些忧国忧民外,没少忧过自己的口袋。在打量所谓的俗世时,我并不存在半点绅士般的道德优越感。首先是因为在命运的轮盘上,我押到了这样一个数码;也因为我实在无甚所长,唯有这一枝不会生花、更不会锦上添花的秃笔,便被一只冥冥中的手,给打发到这百分之一里来了。倘若我连当今现实生活中常常折射出的历史的沉重都缺乏几分敏感,我就如许多企业里的老三届弟兄们一样真正下岗了。他们下岗,可能还有新的活命手段,而在我,只能是一具行尸走肉。

可能我的长处,只是我有些个性:即便我位卑似一粒沙,可无论被扫到了哪里,这也是一粒总在思想的沙。还有,我虽然早晚要进那片人生的后花园,可在这之前,我能够想为什么不想,能够实话实说,干嘛要缄默无言? 正因为生命的渺小与无奈,我才更珍惜眼下这份率思而发、率性而为的人生痛快!

让上帝去发笑吧,好在我总能在时下每天令人耳晕目眩的资讯大潮中,看到一些让我心里为之一热的东西。比如我常怀敬意读过的王小波、赵鑫珊、朱学勤、李辉、鄢烈山等诸先生的一些文字。最近的,也刊载于去年最后一期的《南方周末》上,在标题为《莫忘李九莲》的一文中引用了两段话,系作者邢小群引自广东作家筱敏最近出版的《女神之名》散文集里的两段话——

> "……她是一位自觉的承担者,她对命运自觉作出合乎个人尊严的选择……她的思想在今日的学者的眼中,远说不上成熟。然而今日的学者们思想的权利,以及拿前人的思想做学问的权利,是许多如她一样的被枪杀者争夺来的……我们的幸存,是由于有人在我们前头承担了不幸。

> ……我以为我一辈子都不可能遗忘这个故事。然而

1996 年初,当我再一次从一份杂志中读到李九莲这个名字的时候,我才意识到,仅仅在很短的几年里,实在我们已遗忘得太多了。"

终究,在新春的焰火、鞭炮又要像锦簇的花团,在东方这片古老的大地上铺开的时候,有人说出了五个字:莫忘李九莲。

而莫忘李九莲,正是——

莫忘沉重

1998 年元月 10 日改定

说　明

　　经中央机构编制委员会办公室和中华人民共和国新闻出版署批准,原中国大百科全书出版社上海分社、知识出版社(沪),自1996年1月1日起,更名为东方出版中心。

千年沉重　　　　　　　　　　　　　　　　胡　平 著

出版:东方出版中心　　　　　　　　开本:850×1168(毫米)1/32
　　　(上海仙霞路335号　邮编200336)　印张:10.5
发行:东方出版中心　　　　　　　　字数:238千字　插页5
经销:新华书店上海发行所　　　　　版次:1998年7月第1版第1次印刷
印刷:昆山亭林印刷总厂　　　　　　印数:1—24,000

ISBN7—80627—318—2/I·118　　　　　定价:20.00元